O jeito HARVARD de ser feliz

Shawn Achor
UM DOS MAIS POPULARES PALESTRANTES DO **TED**

O jeito HARVARD de ser feliz

Benvirá

Traduzido de *The happiness advantage*, de Shawn Achor.
Tradução autorizada da edição em inglês publicada nos Estados Unidos por Crown Publishing Group, uma divisão da Random House, Inc.

Arte e produção MSDE/MANU SANTOS Design
Adaptação da capa Aero Comunicação
Impressão e acabamento Ricargraf
OP 234321

CIP-BRASIL. Catalogação na fonte
Sindicato Nacional dos Editores de Livros, RJ.

A163j
Achor, Shawn
O jeito Harvard de ser feliz : o curso mais concorrido de uma das melhores universidades do mundo / Shawn Achor ; tradução Cristina Yamagami. – São Paulo: Saraiva, 2012.
Tradução de: The happiness advantage
ISBN 978-85-02-18026-0
1. Trabalho – Aspectos psicológicos. 2. Felicidade. 3. Psicologia positiva I. Título.

CDD: 158.7
12-3331 CDU: 005.32

1ª edição, 2012 | 31ª tiragem, abril de 2024

Av. Paulista, 901, 4º andar
Bela Vista – São Paulo – SP – CEP: 01311-100

SAC: sac.sets@saraivaeducacao.com.br

CÓDIGO DA OBRA 13199 CL 650199 CAE 567832

Aos meus pais, ambos professores,
que dedicaram a vida à crença de que todos
nós podemos brilhar mais.

Escrever esta seção foi a parte mais divertida de todo o livro. Tenho a humildade e a alegria de saber que cada palavra deste livro foi moldada pelas pessoas que fazem parte da minha vida. Espero ter escrito de tal forma que você ainda possa ouvir a voz delas.

Gostaria de começar agradecendo meu conselheiro, o dr. Tal Ben-Shahar. Eu me lembro de tê-lo encontrado em um café na Harvard Square para conversar a respeito de uma nova disciplina sobre felicidade. Achei que era um homem gentil, amável e humilde. Mal sabia eu que aquele estrangeiro modesto logo transformaria Harvard, e a minha vida, por conta. Bastou-lhe um café duplo para que reorientasse o meu mundo inteiro, ajudando-me a enxergar como os meus estudos de ética religiosa na faculdade de teologia se emparelhavam com as questões levantadas pela ciência da psicologia positiva. Ele incentivou meu crescimento e perdoou minhas falhas. Agradeço todos os dias pela sorte de tê-lo conhecido já que, sem ele, eu não estaria nesta área nem teria escrito este livro.

Meus agradecimentos a Elizabeth Peterson, uma ex-aluna da disciplina de psicologia positiva em Harvard, que posteriormente veio trabalhar comigo na minha empresa. Da mesma forma que Tal, ela é uma leal guardiã da psicologia positiva, que acredita que a área não deve apenas ser uma ciência, como também precisa ser colocada em prática. Liz passou um ano editando meticulosamente cada palavra deste livro e, durante esse desafio, continuou sendo uma verdadeira amiga.

Gostaria de agradecer também a minha mãe, uma professora de inglês do ensino médio e hoje orientadora de calouros na Baylor University, e ao meu pai, professor de psicologia também na Baylor, que me agraciaram com a dupla dádiva de amar tanto o aprendizado quanto o ensino. Sou grato à minha irmã, Amy, e ao meu irmão, Bobo, que mantiveram a luz radiante o suficiente para me lembrar de que eu ainda tinha um lar quando passei dois anos ininterruptos viajando por 40 países.

Meus agradecimentos ao sr. Hollis, que me expôs à sua genialidade em suas aulas no colegial, inculcando em mim a paixão pela vida acadêmica. Sou grato ao professor Phil Stone por inspirar tanto Tal quanto a mim. Estendo a minha gratidão também à professora Ellen Langer por me permitir trabalhar com ela em seu laboratório e aprender a pensar além das normas estabelecidas pela academia. Sou grato a meu agente literário, Rafe Sagalyn, por tornar este livro uma realidade; Tal me disse que ele era o melhor, e estava certo. Meus agradecimentos a Roger Scholl da Broadway Books, que acreditou neste livro, e a Talia Krohn, da Broadway, que editou o texto assiduamente e com incrível perspicácia.

Gostaria de agradecer também à Young Presidents Organization por me ajudar a fazer tantas novas amizades ao redor do mundo, da Ásia à América do Sul. Sou profundamente grato a Salim Dewji por organizar minha turnê de palestras pela África, um antigo sonho meu. Sou grato também a Michelle Blieberg, da UBS, e a Lisanne Biolos, da KPMG, pela amizade e por me convidar para testar as nossas teorias em suas empresas. Agradecimentos a John Galvin e Steven Schragis, que me ajudaram a começar carreira de palestrante, arrancando-me da sala de aula e expondo-me ao público geral ao me darem a chance de palestrar na One Day University. Meus agradecimentos a Michelle Lemmons, Greg Kaiser e Greg Ray, do International Speakers Bureau, pela confiança demonstrada ao firmar a parceria comigo e pelo profundo interesse em desenvolver seus palestrantes. Agradecimentos são devidos também aos meus amigos do Washington Speakers Bureau e à C. J. Lonoff at Speaking Matters por me ajudar a divulgar esta mensagem pelo mundo. Sou grato à Carrie Callahan por sua ajuda na área de relações públicas e também sou grato a Dini Coffin e Stewart Clifford, da Enterprise Media, por traduzir essa ciência em vídeo.

Tenho o privilégio de contar com uma rede de amigos extensa demais para nomear aqui, mas gostaria de deixar meu agradecimento especial às pessoas a seguir, cuja amizade e incentivo foram fundamentais para a minha felicidade e o meu sucesso no último ano: Angie Koban, Alia Crum, Laura Babbitt e Mike Lampert, Jessica Glazer, Max Weisbuch e Amanda Youmans, Judy e Russ Miller e Caroline Sami, Caleb Merkl, Olivia Shabb e Brent Furl.

Se você nunca escreveu um texto de agradecimento, tente reservar uma tarde para fazer isso. Acabei de descobrir o enorme prazer e privilégio de lembrar que somos amados e que não fazemos nada sozinhos.

Aguardo com expectativa as novas amizades e contatos que resultarão deste livro.

INTRODUÇÃO

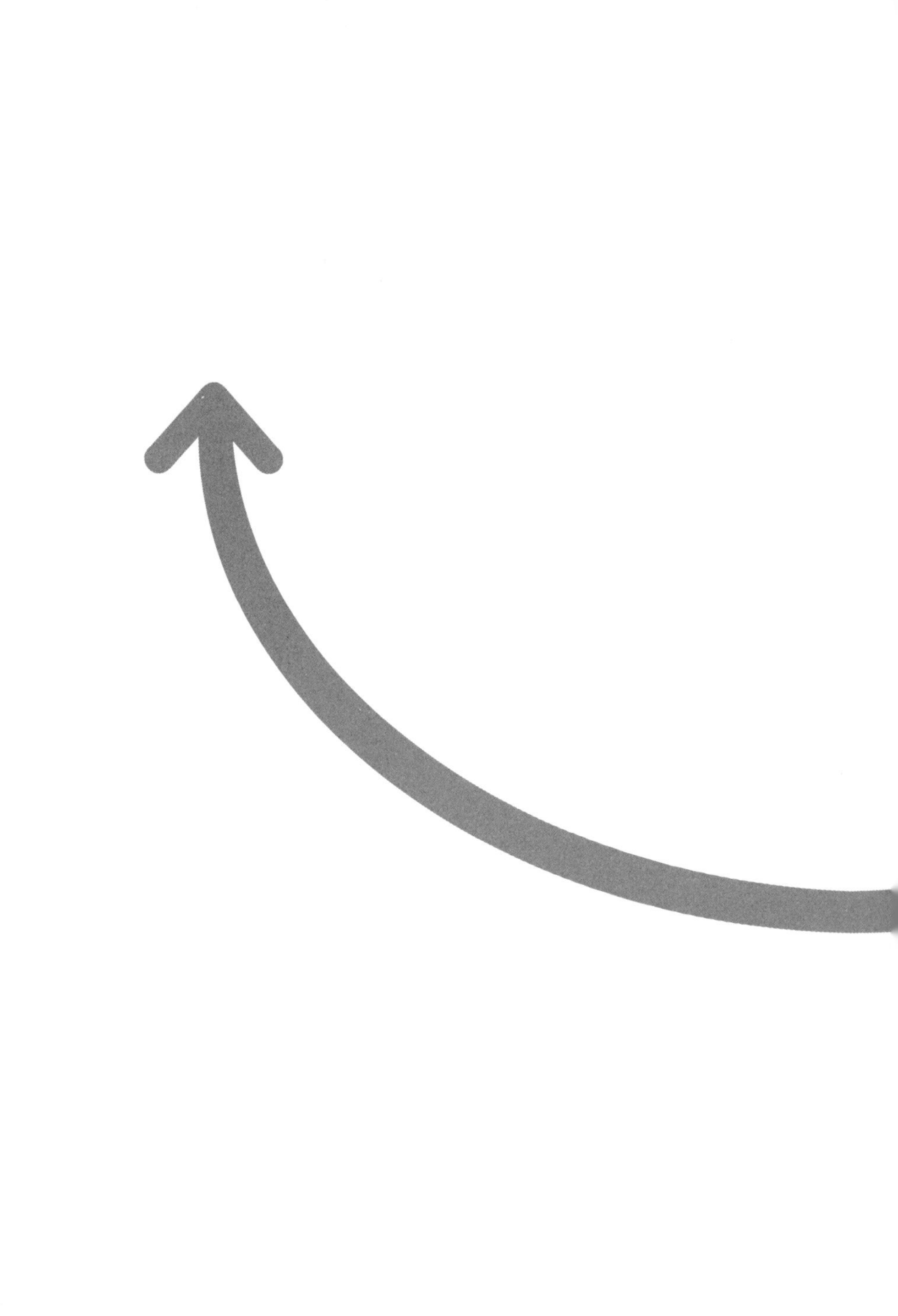

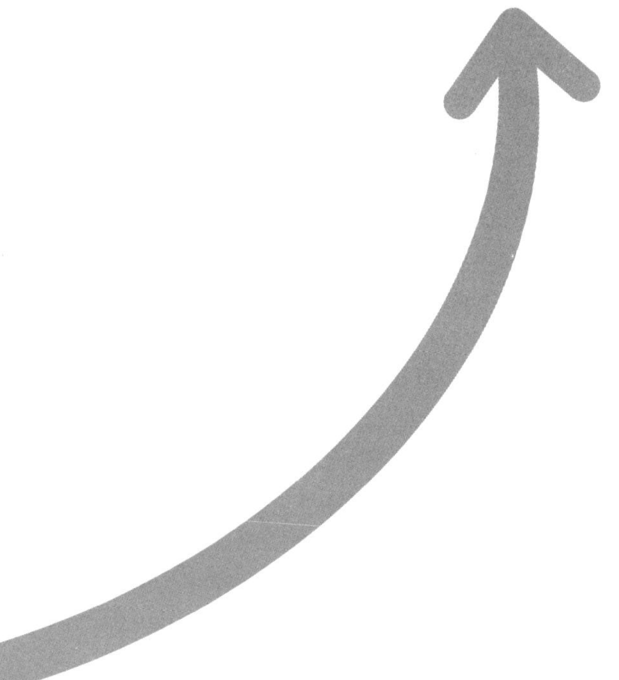

Se você começar a observar as pessoas ao seu redor, perceberá que a maioria segue uma fórmula que foi sutilmente – ou não tão sutilmente – ensinada nas escolas, nas empresas, pelos pais ou pela sociedade. Ou seja: se você se empenhar, terá sucesso e *só depois* de ter sucesso é que poderá ser feliz. Essa crença explica o que costuma nos motivar na vida. Pensamos: se ao menos eu conseguisse aquele aumento de salário ou atingisse a próxima meta de vendas, finalmente seria feliz. Se ao menos eu conseguisse mais uma boa nota, seria feliz. Se perdesse mais três quilos, seria feliz. E assim por diante. Sucesso antes, felicidade depois.

O único problema é que essa fórmula é incorreta.

Se o sucesso levasse à felicidade, todo trabalhador que conseguisse uma promoção, todo estudante que passasse no vestibular ou qualquer pessoa que já tenha atingido uma meta de qualquer natureza seria feliz. Porém, a cada vitória, a nossa meta é empurrada para frente, de forma que acabamos perdendo a felicidade de vista. E, ainda mais importante, a fórmula é incorreta por ser invertida.

Mais de uma década de pesquisas revolucionárias nos campos da psicologia positiva e da neurociência comprovaram, sem sombra de dúvida, que a relação entre sucesso e felicidade é, na verdade, o contrário do que se costuma acreditar. Graças a essa ciência de vanguarda, agora sabemos que a felicidade precede o sucesso, e não resulta dele. E que a felicidade e o otimismo na verdade *promovem* o desempenho e a realização – proporcionando-nos a vantagem competitiva que chamo de Benefício da Felicidade.

Esperar a felicidade restringe o potencial do cérebro para o sucesso, ao passo que cultivar a positividade estimula a nossa motivação, eficiência, resiliência, criatividade e produtividade, o que, por sua vez, melhora o desempenho. Essa descoberta foi confirmada por milhares de estudos científicos, pelas minhas pesquisas com 1.600 alunos de Harvard e dezenas de empresas da lista Fortune 500 ao redor do mundo.

Neste livro, você descobrirá não apenas por que o Benefício da Felicidade é tão poderoso, mas também como você pode aplicá-lo diariamente para aumentar seu sucesso no trabalho. Mas estou me empolgando e me adiantando. Começarei este livro pelo ponto em que iniciei minhas pesquisas, em Harvard, onde esse conceito se originou.

PARTE 1

A psicologia positiva na prática

DESCUBRA O BENEFÍCIO DA FELICIDADE

O BENEFÍCIO DA FELICIDADE NO TRABALHO

MUDAR É POSSÍVEL

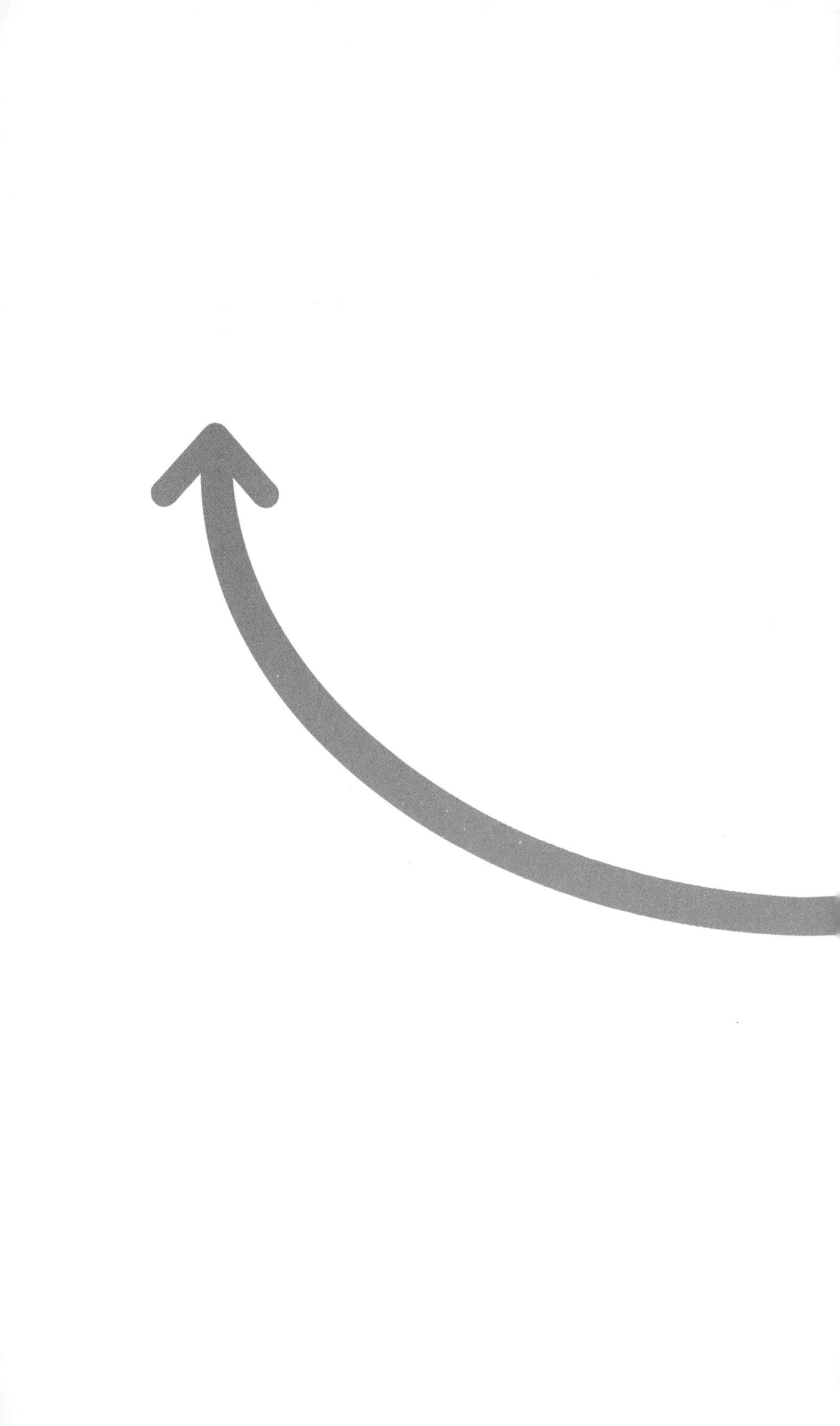

DESCUBRA O BENEFÍCIO DA FELICIDADE

Foi um ato de grande ousadia da minha parte me inscrever em Harvard.

Cresci na pequena cidade de Waco, Texas, e nunca me imaginei saindo de lá. Ao mesmo tempo que me matriculava em Harvard, fincava raízes na minha cidade natal e treinava para ser um bombeiro voluntário da região. Para mim, Harvard era um lugar saído das telas de cinema, um lugar ao qual as mães se referem brincando, dizendo que seus filhos estudarão lá quando crescerem. As chances de eu ser aceito de fato eram infinitamente pequenas. Dizia a mim mesmo que já me daria por satisfeito se um dia pudesse dizer aos meus filhos, casualmente no jantar, que um dia cheguei a me *inscrever* em Harvard. (Imaginava--me pai, com meus filhos bastante impressionados ao saberem disso.)

Quando, para a minha surpresa, fui aceito naquela instituição, senti-me empolgado e diminuído diante do privilégio. Eu queria fazer justiça à oportunidade que me fora dada. Então fui a Harvard e lá fiquei nos 12 anos seguintes.

Quando deixei Waco, eu só tinha saído quatro vezes do estado do Texas e nunca saíra do país (apesar de os texanos considerarem qualquer coisa fora do Texas uma viagem ao exterior). Mas, assim que pus os pés no campus de Harvard, me apaixonei. Então, depois de me formar, encontrei um jeito de ficar. Fui para a pós-graduação, ajudei a dar aulas em 16 disciplinas diferentes e comecei a proferir palestras. Enquanto fazia a pós, também me tornei um *proctor*, um funcionário de Harvard contratado para viver com os estudantes de graduação e ajudá-los a percorrer o tortuoso caminho do sucesso acadêmico e da felicidade na Torre de Marfim. Na prática, isso significou que passei um total de 12 anos da minha vida morando em um quarto universitário (algo que eu omitia nos primeiros encontros românticos).

Conto isso por dois motivos. Em primeiro lugar, porque eu considerava Harvard um privilégio tão grande que isso alterou fundamentalmente o modo como meu cérebro processou a experiência. Eu me sentia grato por cada instante, mesmo em meio ao estresse, provas finais e nevascas (outra coisa que só tinha visto em filmes). Em segundo lugar, os 12 anos que passei lecionando em sala de aula e morando em dormitórios me proporcionaram uma visão abrangente de como milhares de outros alunos de Harvard lidavam com o estresse e os desafios da vida universitária. Foi quando comecei a notar os padrões.

O PARAÍSO PERDIDO E ENCONTRADO

Mais ou menos na época em que Harvard foi fundada, John Milton escreveu em *Paraíso perdido*: "A mente é um lugar em si mesma, e em si mesma pode fazer do céu um inferno, e do inferno, um céu".

Após 300 anos, acompanhei a materialização desse princípio. Muitos dos meus alunos percebiam Harvard como um privilégio, mas outros rapidamente perdiam essa realidade de vista e se concentravam na carga de trabalho, na competição, no estresse. Eles se afligiam com o futuro, apesar de estarem subindo um degrau que lhes abriria com certeza muitas portas. Eles se sentiam sobrecarregados com cada pequeno contratempo em vez de energizados pelas possibilidades que se abriam para eles. E, depois de observar um número suficiente desses alunos se debatendo tanto diante das adversidades, algo ficou claro para mim. Esses alunos não eram apenas os que pareciam mais suscetíveis ao estresse e à depressão como também suas notas e desempenho acadêmico eram mais prejudicados.

Anos mais tarde, no outono de 2009, fui convidado para realizar uma turnê de palestras pela África, com duração de um mês. Durante a viagem, o CEO de uma empresa da África do Sul de nome Salim me levou a Soweto, um pequeno distrito pouco distante de Joanesburgo que muitas pessoas inspiradoras, inclusive Nelson Mandela e o arcebispo Desmond Tutu, haviam chamado de minha casa.

Visitamos uma escola ao lado de uma favela que não tinha eletricidade e a água encanada era precária. Foi só quando me vi diante das crianças daquela escola que percebi que nenhuma das histórias que normalmente apresento nas minhas palestras seria eficaz. Pareceu-me inapropriado falar sobre as pesquisas e experiências de estudantes universitários americanos privilegiados e homens de negócios saudáveis e poderosos. Em vista disso, tentei estabelecer um diálogo. Num esforço para encontrar pontos em comum, perguntei em um tom claramente irônico: "Quem aqui gosta de fazer tarefa de casa?". Eu acreditava que a aversão aparentemente universal pela lição de casa criaria um vínculo entre nós. Mas, para o meu espanto, 95% das crianças levantaram as mãos e abriram um sorriso sincero e entusiasmado.

Mais tarde, perguntei de brincadeira a Salim por que as crianças de Soweto eram tão estranhas. "Elas consideram um privilégio fazer a lição de casa", ele respondeu, "um dos muitos privilégios que seus pais não tiveram." Quando voltei a Harvard duas semanas mais tarde, vi alunos reclamando exatamente da mesma coisa que os alunos de Soweto consideravam um privilégio. Comecei a perceber o quanto a nossa interpretação da realidade altera a nossa experiência dessa realidade. Os alunos que estavam tão focados no estresse e na pressão – aqueles que viam o aprendizado como um fardo – estavam deixando passar as oportunidades que se apresentavam debaixo do nariz deles. Mas aqueles que consideravam um privilégio chegar a Harvard pareciam brilhar ainda mais. No início quase inconscientemente e depois com um interesse cada vez maior, senti-me fascinado em relação ao que levava essas pessoas com grande potencial a desenvolverem uma atitude mental positiva para se distinguir, especialmente em um ambiente tão competitivo. E, da mesma forma, pelo que levava ao fracasso aqueles que sucumbiam à pressão de falhar – ou se mantinham vinculados a uma posição negativa ou neutra.

PESQUISA DA FELICIDADE EM HOGWARTS

Para mim, Harvard continua sendo um lugar mágico, mesmo depois de 12 anos. Quando convido meus amigos do Texas a visitá-la, eles me dizem que comer no refeitório de calouros é como estar em Hogwarts, a fantástica escola de magia e bruxaria de Harry Potter. A isso somem-se outros belos edifícios e os abundantes recursos da universidade e oportunidades aparentemente intermináveis que a instituição oferece, e meus amigos muitas vezes acabam me perguntando: "Shawn, por que você desperdiçaria seu tempo estudando a felicidade em Harvard? De verdade, o que levaria um aluno de Harvard a se sentir *in*feliz?".

Na época de Milton, Harvard tinha um lema que refletia as raízes religiosas da faculdade: *Veritas, Christo et Ecclesiae* (A Verdade, para Cristo e a Igreja). Muitos anos atrás, esse lema foi condensado em uma única palavra: *Veritas*, ou apenas a verdade. Hoje, há diversas verdades em Harvard e uma delas é que, apesar de todas as suas instalações impressionantes, uma faculdade maravilhosa e um dos melhores e mais brilhantes corpos discentes da América (e do mundo), este é o lar de muitos jovens cronicamente infelizes. Em 2004, por exemplo, um levantamento do *Harvard Crimson* revelou que nada menos que quatro de cada cinco alunos de Harvard sofrem de depressão pelo menos uma vez durante o ano letivo e aproximadamente metade de todos os alunos sofre de uma depressão tão debilitante que não consegue exercer suas atividades.[1]

Essa epidemia de infelicidade não se restringe a Harvard. Um levantamento do Conference Board, um instituto de pesquisas sem fins lucrativos, realizado em janeiro de 2010, mostrou que apenas 45% dos trabalhadores entrevistados estavam felizes com o emprego, marcando o ponto mais baixo em 22 anos de levantamentos.[2] Os índices atuais de depressão são dez vezes mais altos do que em 1960.[3] A cada ano, o limiar de pessoas infelizes decresce, não apenas em universidades, mas por toda a América. Há 50 anos, a idade média para começar uma depressão era de 29,5 anos de idade. Hoje, ela é quase exatamente a metade disso: 14,5 anos de idade. Meus amigos queriam saber: "Para que estudar felicidade em Harvard?". A pergunta que eu fazia em resposta era: "Por que *não* começar por lá?".

Dessa forma, decidi encontrar os alunos, aquele um de cada cinco que realmente estava prosperando – os indivíduos que estavam acima da média em termos de felicidade, desempenho, realização, produtividade, senso de humor, energia ou resiliência –, para descobrir o que realmente lhes proporcionava tamanha vantagem em relação aos colegas. O que possibilitava que essas pessoas escapassem da atração gravitacional da norma? Seria possível extrair padrões da vida deles e experiências para ajudar os outros a terem mais sucesso em todas as áreas da vida em um mundo cada vez mais estressante e negativo? Como se viu, era possível.

As descobertas científicas dependem muito de *timing* e sorte. Tive a sorte de encontrar três mentores – Phil Stone, Ellen Langer e Tal Ben-Shahar, todos professores de Harvard – que atuavam na vanguarda de uma área completamente nova chamada psicologia positiva. Distanciando-se do foco tradicional da psicologia, que se concentra nos fatores que tornam as pessoas *in*felizes e como elas podem voltar ao "normal", os três estavam aplicando o mesmo rigor científico aos elementos que fazem as pessoas prosperarem e se destacarem – justamente as questões às quais eu tentava responder.

ESCAPE DO CULTO DA MÉDIA

O gráfico a seguir pode parecer enfadonho, mas ele é o motivo pelo qual acordo entusiasmado todas as manhãs. (Eu claramente levo uma vida muito emocionante.) Ele também constitui a base das pesquisas que fundamentam este livro.

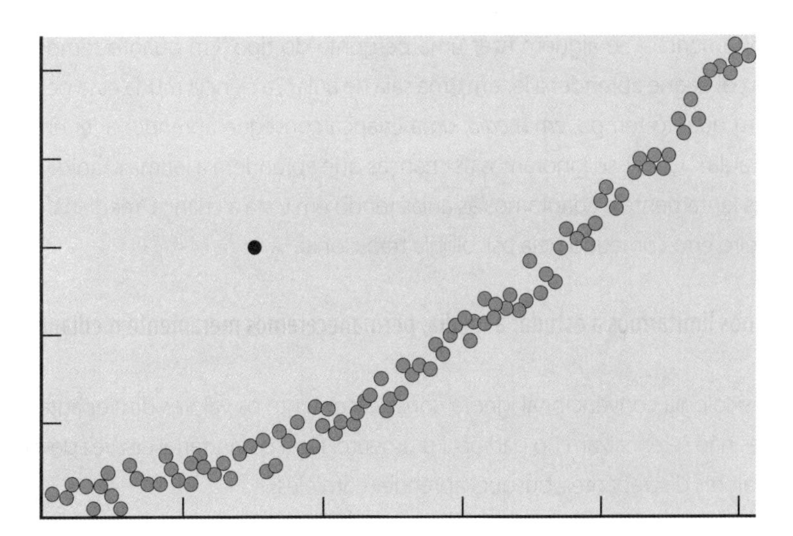

Trata-se de um gráfico de dispersão. Cada ponto representa um indivíduo e cada eixo, uma variável. Esse gráfico em particular poderia estar representando qualquer coisa: o peso em relação à altura, o tempo de sono em relação à energia, felicidade em relação ao sucesso e assim por diante. Se, como pesquisadores, constatamos esse tipo de dados, ficamos empolgados porque é fácil enxergar a presença de uma tendência, o que significa que poderemos publicar nossa pesquisa, que é o que realmente importa no mundo acadêmico. O fato de haver um estranho ponto vermelho – que chamamos de um valor discrepante – acima da curva não representa problema algum. Isso não é um problema porque podemos simplesmente excluí-lo. Podemos excluí-lo, pois ele é claramente um erro de mensuração – e sabemos se tratar de um erro porque está estragando o resto dos nossos dados.

Uma das primeiras coisas que os alunos de um curso introdutório de psicologia, estatística ou economia aprendem é como "limpar os dados". Se você estiver interessado em observar a tendência geral do objeto da sua pesquisa, os valores discrepantes confundem seus resultados. É por isso que existem inúmeras fórmulas e pacotes estatísticos para ajudar os pesquisadores corporativos a eliminarem esses "problemas". E, sejamos claros, isso não é trapacear; estamos falando de procedimentos estatisticamente válidos – isto é, caso o pesquisador só esteja interessado na tendência geral. Não é o meu caso.

A abordagem típica para compreender o comportamento humano sempre foi analisar o comportamento ou o resultado médio. No entanto, do meu ponto de vista, essa abordagem equivocada criou o que chamo de o "culto da média" nas ciências comportamentais. Se alguém fizer uma pergunta do tipo "Em quanto tempo uma criança consegue aprender a ler em uma sala de aula?", a ciência muda essa pergunta para "Em quanto tempo, *em média,* uma criança consegue aprender a ler em uma sala de aula?". Com isso ignoramos as crianças que aprendem a ler mais rapidamente ou mais lentamente e adaptamos as aulas tendo em vista a criança "mediana". Esse é o primeiro erro cometido pela psicologia tradicional.

Se nos limitarmos a estudar a média, permaneceremos meramente medianos.

A psicologia convencional ignora conscientemente os valores discrepantes porque eles não se encaixam no padrão. Eu procurei fazer o contrário: em vez de excluir esses valores discrepantes, busquei aprender com eles.

FOCADO DEMAIS NO NEGATIVO

É verdade, existem pesquisadores na área de psicologia que não se limitam a estudar apenas o que é mediano. Eles tendem a se concentrar naqueles que ficam de um só lado da linha mediana – abaixo dela. Esse é o segundo erro cometido pela psicologia tradicional. Naturalmente, as pessoas que estão abaixo do normal são aquelas que tendem a precisar de mais ajuda – para serem afastadas da depressão, do abuso de álcool ou do estresse crônico. Em consequência, os psicólogos, justificadamente, dedicaram um considerável esforço estudando como poderiam ajudar essas pessoas a se recuperarem e voltarem ao normal. No entanto, por mais valioso que seja esse trabalho, ele só revela metade da realidade.

Você pode eliminar a depressão sem tornar a pessoa feliz. Pode curar a ansiedade sem ensinar a pessoa a ser otimista. Pode fazer uma pessoa voltar a trabalhar sem, no entanto, melhorar seu desempenho profissional. Se você só luta para reduzir os aspectos negativos, você apenas atingirá a média e deixará passar irremediavelmente a oportunidade de superá-la.

Você pode passar a vida inteira estudando a gravidade sem aprender a voar.

Extraordinariamente, ainda em 1998, foi constatada uma proporção de 17 para 1 negativo-positivo no que se refere a pesquisas no campo da psicologia. Em outras palavras, para cada estudo sobre felicidade e prosperidade, foram conduzidos 17 estudos sobre depressão e distúrbios. Esses dados são extremamente reveladores. Enquanto sociedade, sabemos muito bem como é estar mal e infeliz e tão pouco sobre como ter prosperidade.

Alguns anos atrás, um incidente em particular deixou isso absolutamente claro para mim. Fui convidado a dar uma palestra na "Semana do Bem-estar" em uma das escolas mais elitistas da Nova Inglaterra. Os tópicos a serem discutidos: segunda-feira, transtornos alimentares; terça-feira, depressão; quarta-feira, drogas e violência; quinta-feira, comportamento sexual de risco; e sexta-feira, vai saber? Isso não é uma semana do bem-estar, mas, sim, uma semana do mal-estar.

O padrão de manter foco no negativo permeia não apenas nossas pesquisas e instituições de ensino como também a nossa sociedade. Ligue o noticiário da TV, e a maior parte do tempo de transmissão é dedicada a acidentes, corrupção, assassinatos, abusos. Esse foco no negativo ilude nosso cérebro e o leva a acreditar que essa relação com a desesperança é a realidade. Você já ouviu falar da Síndrome da Faculdade de Medicina? No primeiro ano da faculdade de medicina, quando os alunos aprendem todas as doenças e sintomas que podem acometer uma pessoa, muitos médicos aspirantes de repente se convencem de que são vítimas de TODAS elas. Alguns anos atrás, meu cunhado me ligou da Faculdade de Medicina de Yale me dizendo que tinha lepra (o que, até na Yale, é extremamente raro). Mas eu não fazia ideia de como consolá-lo, porque ele tinha acabado de se recuperar de uma semana de menopausa e ainda estava extremamente sensível! A questão é que, como veremos ao longo deste livro, o objeto ao qual dedicamos nosso tempo e focamos nossa energia mental pode de fato se transformar na nossa realidade.

Não é saudável nem cientificamente responsável nos limitarmos a estudar a parte negativa da experiência humana. Em 1998, Martin Seligman, então presidente das American Psychological Association, anunciou que finalmente havia chegado a hora de revolucionar a abordagem tradicional da psicologia, concentrando-se mais no lado positivo da curva. Que tínhamos de estudar o que funciona, e não só o que emperrou. E assim nasceu a "psicologia positiva".

MORRER DE FOME EM HARVARD

Em 2006, o dr. Tal Ben-Shahar me perguntou se eu estaria disposto a atuar como professor bolsista para ajudá-lo a conceber e lecionar uma disciplina chamada Psicologia Positiva. Na ocasião, Tal ainda não era internacionalmente famoso; seu livro best-seller *Happier* só viria a ser publicado na primavera seguinte. Considerando as circunstâncias, achamos que teríamos sorte se conseguíssemos atrair uma centena de estudantes da graduação ousados o suficiente para arriscar abrir mão de créditos em, digamos, teoria econômica, para fazer um curso sobre a felicidade.

Quando entramos na sala de aula no primeiro dia do curso, quase mil alunos de graduação estavam apinhados no auditório à nossa espera – representando aquele um de cada sete alunos de uma das universidades mais exigentes do mundo. Percebemos rapidamente que aqueles alunos estavam lá porque estavam com fome. Estavam famintos por mais felicidade, não em algum momento no futuro, mas, sim, no presente. E eles estavam lá porque, apesar de todas as vantagens que tinham, ainda não se sentiam realizados.

Pare por um momento para imaginar um desses alunos: já no primeiro ano de idade, muitos podiam ser vistos deitados no berço usando um babador com os dizeres "Com destino a Harvard" ou talvez um bonezinho da Yale (caso algo terrível acontecesse). Desde a época em que estavam no pré-jardim de infância – no qual, em alguns casos, eles já haviam sido matriculados antes mesmo de serem concebidos –, eles já estavam no 1% superior da turma e no 1% de todos os que fizeram testes padronizados ao longo do caminho. Eles ganharam prêmios, quebraram recordes. O alto nível de realização não apenas era incentivado como também era esperado.

Conheço um aluno de Harvard cuja mãe guardava todos os exercícios feitos à mão e desenhos em guardanapos de restaurante que ele já havia feito, porque "isso um dia vai para um museu". (Isso criou uma pressão muito grande sobre mim, mãe.)

E então eles são aceitos em Harvard, entram confiantes naquele refeitório para calouros que lembra Hogwarts no primeiro dia de faculdade e é quando percebem algo terrível: *de repente, 50% deles se veem abaixo da média.*

Como gosto de dizer aos meus orientandos: se os meus cálculos estão corretos, 99% dos alunos de Harvard não se formam no 1% superior. Eles não costumam achar muita graça da piada.

Com tanta pressão para atingirem a excelência, não é surpresa alguma constatar que, quando esses jovens caem, eles caem feio. Para piorar ainda mais as coisas, essa pressão – e a depressão resultante – puxa as pessoas para dentro, distanciando-as de seus amigos, parentes e redes de apoio social, em um momento em que eles mais precisam de apoio. Eles pulam refeições, se trancam no quarto ou se isolam na biblioteca, só saindo para uma balada ocasional (e, na tentativa de liberar a pressão, eles se embebedam demais para se divertir – ou pelo menos para se lembrar de terem se divertido). Eles até parecem ocupados demais, preocupados demais e estressados demais para encontrar o amor.

Com base no meu estudo com estudantes de graduação de Harvard, o número médio de relacionamentos amorosos em um período de quatro anos é menor que um. E, caso você esteja curioso, o número médio de parceiros sexuais é de 0,5 por estudante. (Não faço ideia do que significa 0,5 parceiro sexual, mas me parece ser o equivalente científico a não passar do amasso.) Meu levantamento revelou que, entre esses alunos brilhantes de Harvard, 24% *não sabem* se no momento estão envolvidos em algum relacionamento amoroso.

O que acontecia é que, como acontece com tanta gente na sociedade contemporânea, no processo de conquistar uma excelente educação e ter acesso a fantásticas oportunidades, esses estudantes estavam absorvendo as lições erradas. Eles dominaram fórmulas de matemática e química. Eles leram grandes obras, aprenderam a história do mundo e se tornaram fluentes em línguas estrangeiras. Mas eles nunca aprenderam formalmente a maximizar o potencial do próprio cérebro ou a encontrar sentido e felicidade. Munidos de iPhones e PDAs, eles recorreram a multitarefas para ter uma enxurrada de experiências que compõem um currículo, muitas vezes à custa de experiências reais. Na busca de um alto nível de realização, eles se isolaram dos colegas e entes queridos, comprometendo, dessa forma, os próprios sistemas de apoio dos quais tanto precisavam. Observei repetidamente esses padrões nos meus próprios alunos, que muitas vezes entraram em colapso sob a tirania das expectativas que impomos a nós mesmos e às pessoas que nos cercam.

Mentes brilhantes algumas vezes fazem as coisas menos inteligentes possíveis. Diante do estresse, em vez de investir no maior fator preditor de sucesso e felicidade – sua rede social de apoio –, esses estudantes *se privavam* dele. Incontáveis estudos revelaram que os relacionamentos sociais constituem a melhor garantia de maior bem-estar e menos estresse, atuando tanto como antídoto para a depressão quanto como um impulsionador do alto desempenho. Mas, em vez disso, esses estudantes de alguma maneira aprenderam a se fechar quando as coisas ficam difíceis – isolando-se em um cubículo no porão da biblioteca.

Donos de mentes assim, melhores e mais brilhantes, sacrificaram voluntariamente a felicidade pelo sucesso porque, como muitos de nós, aprenderam que, se forem empenhados, serão bem-sucedidos – e só então, quando tiverem sucesso, é que poderão ser felizes. Eles aprenderam que a felicidade é a recompensa que só pode ser recebida depois que você se torna sócio de uma empresa de investimentos, ganha o Prêmio Nobel ou é eleito para o Congresso.

Mas, na verdade, como veremos ao longo deste livro, novas pesquisas nas áreas da psicologia e da neurociência demonstram que na verdade o que acontece é o contrário: temos mais sucesso *quando* estamos mais felizes e somos mais positivos. Por exemplo, os médicos que fazem diagnósticos com um estado de espírito positivo demonstram quase três vezes mais inteligência e criatividade do que os médicos em um estado de espírito neutro e chegam a diagnósticos precisos 19% mais rápido. Vendedores otimistas fecham 56% mais vendas que seus colegas pessimistas. Estudantes preparados para se sentir felizes antes de fazer um teste de matemática apresentam um desempenho muito melhor que seus colegas em estado de espírito neutro. *Acontece que o nosso cérebro é literalmente configurado para apresentar o melhor desempenho não quando está negativo ou neutro, mas quando está positivo.*

No entanto, no mundo de hoje, nós sacrificamos a felicidade pelo sucesso e ironicamente acabamos reduzindo as chances de sucesso do nosso cérebro. Nossa vida repleta de demandas nos deixa estressados e nos vemos sob uma pressão crescente para atingir o sucesso a qualquer custo.

PRESTE ATENÇÃO AOS VALORES DISCREPANTES POSITIVOS

Quanto mais eu estudava as pesquisas surgidas no campo da psicologia positiva, mais percebia como nós (não apenas os alunos de Harvard, mas todos nós) estamos equivocados em relação às nossas crenças sobre realização pessoal e profissional. Estudos demonstraram de maneira conclusiva que o caminho mais rápido para a realização não é *apenas* se concentrar no trabalho e que a melhor maneira de motivar os colaboradores *não* é dar ordens aos gritos e criar uma força de trabalho estressada e temerosa. Em lugar disso, novas e radicais pesquisas sobre a felicidade e o otimismo estão virando tanto o mundo acadêmico quanto o corporativo de cabeça para baixo. Vi imediatamente uma oportunidade – eu poderia testar essas ideias com os meus alunos. Eu poderia elaborar um estudo para verificar se essas novas ideias de fato explicavam por que alguns alunos tinham sucesso enquanto outros sucumbiam ao estresse e à depressão. Ao estudar os padrões e os hábitos das pessoas acima da média, eu poderia coletar informações não apenas sobre como nos colocar acima da média, mas também como elevar toda a média.

Felizmente, eu estava numa posição favorável para conduzir essa pesquisa. Na qualidade de um orientador de calouros, tive o privilégio de passar 12 anos convivendo em estreita proximidade com esses alunos – e saber quais eram seus hábitos, o que os motivava e o que podíamos aprender com as experiências deles e aplicar na nossa própria vida. Tive acesso a toda a documentação de inscrição em Harvard, pude ler os comentários do comitê de admissão, observar o progresso intelectual e social dos alunos e ver quais empregos conseguiam depois de formados. Também acabei avaliando grande parte deles em sala de aula, quando atuei como professor bolsista lecionando em 16 disciplinas diferentes. Visando conhecer os alunos além de meras provas e trabalhos escritos, passei a me encontrar com eles no meu "café-escritório" na Starbucks para conhecer a história deles. Pelos meus cálculos, conversei individualmente por mais de meia hora com mais de 1.100 alunos de Harvard – cafeína suficiente para desqualificar uma equipe olímpica inteira por décadas.

Depois, peguei essas observações e as utilizei para elaborar e conduzir meu próprio levantamento empírico com 1.600 estudantes de graduação de alto desempenho – um dos mais abrangentes estudos sobre felicidade já realizados com alunos de Harvard. Ao mesmo tempo, continuei estudando as pesquisas em psicologia positiva que de repente começaram a ser conduzidas em grande número na minha própria instituição e em laboratórios de universidades ao redor do mundo. E qual foi o resultado de tudo isso? Conclusões surpreendentes e empolgantes sobre o que leva algumas pessoas a ter sucesso e prosperar em ambientes desafiadores enquanto outras afundam e nunca realizam seu potencial. O que descobri, e o que você está prestes a ler, foi revelador, não apenas para Harvard mas para todos nós, no mundo do trabalho.

OS SETE PRINCÍPIOS

Quando terminei de coletar e analisar esse enorme volume de pesquisas, pude isolar sete padrões específicos, funcionais e comprovados de sucesso e realização.

O Benefício da Felicidade – Como o cérebro positivo possui uma vantagem biológica em relação ao cérebro neutro ou negativo, este princípio nos ensina como retreinar o cérebro para capitalizar a atitude positiva e melhorar nossa produtividade e desempenho.

O ponto de apoio e a alavanca – A maneira como vivenciamos o mundo, e a nossa capacidade de prosperar nele, muda constantemente a partir da nossa atitude mental. Este princípio nos ensina como podemos ajustar nossa atitude mental (nosso ponto de apoio) de maneira a nos dar o poder (a alavanca) para atingirmos a realização e o sucesso.

O efeito tetris – Quando o cérebro fica preso a um padrão que foca o estresse, a negatividade e o insucesso, nos condicionamos ao fracasso. Este princípio nos ensina como retreinar o cérebro para que identifique padrões de possibilidade, de forma que possamos perceber – e aproveitar – as oportunidades que encontramos pelo caminho.

Encontre oportunidades na adversidade – Diante da derrota, do estresse e da crise, o cérebro mapeia diferentes caminhos para nos ajudar a sobreviver às adversidades. Este princípio diz respeito a encontrar o caminho mental que não só nos tira do fracasso ou do sofrimento, mas também nos ensina a sermos mais felizes e mais bem-sucedidos graças a ele.

O círculo do zorro – Quando nos vemos em dificuldades e nos sentimos sobrecarregados, nossa lógica cerebral pode ser dominada pelas emoções. Este princípio nos ensina a retomar o controle concentrando-nos primeiro em metas pequenas e factíveis e só depois expandindo gradativamente o nosso círculo para atingir metas cada vez maiores.

A regra dos 20 segundos – Muitas vezes sentimos ser impossível manter uma mudança por muito tempo porque nossa força de vontade é limitada. E quando nossa força de vontade falha, voltamos aos nossos velhos hábitos e sucumbimos ao caminho da menor resistência. Este princípio mostra como, por meio de pequenos ajustes de energia, é possível redirecionar o padrão da menor resistência e substituir maus hábitos por bons.

Investimento social – Diante de dificuldades e estresse, algumas pessoas escolhem se isolar e se retirar para dentro de si mesmas. Mas as pessoas mais bem-sucedidas investem nos amigos, colegas e parentes para continuar avançando. Este princípio nos ensina como investir mais em um dos mais importantes fatores preditores de sucesso e excelência – nossa rede social de apoio.

Juntos, estes Sete Princípios ajudaram alunos de Harvard (e posteriormente dezenas de milhares de pessoas no "mundo real") a superar obstáculos, livrar-se de maus hábitos, tornar-se mais eficientes e produtivos, beneficiar-se ao máximo das oportunidades, alcançar suas mais ambiciosas metas e atingir todo o seu potencial.

FORA DA TORRE DE MARFIM

Apesar de adorar trabalhar com os alunos, o que eu realmente queria era verificar se esses mesmos princípios também poderiam levar à felicidade e ao sucesso no mundo real. Para fazer a ponte entre a academia e o mundo dos negócios, abri uma pequena empresa de consultoria chamada Aspirant para oferecer e testar essa pesquisa em empresas e organizações sem fins lucrativos.

Um mês depois, a economia global começou a entrar em crise.

NOTAS

1. KAPLAN, K. A. College faces mental health crisis. *The Harvard Crimson*. 12 jan. 2004.

2. U.S. Job Satisfaction at lowest level in two decades. *The Conference Board*. 5 Jan. 2010.

3. SELIGMAN, M. E. P. *Authentic happiness*. New York: Free Press, 2002. p. 117.

O BENEFÍCIO DA FELICIDADE NO TRABALHO

Sobrevoando as savanas do Zimbábue no outono de 2008, de repente fiquei nervoso. Como eu poderia falar sobre felicidade a pessoas em um país devastado pela mais completa implosão de seu sistema financeiro, além de ser governado por um ditador, Robert Mugabe? Quando pousamos na cidade de Harare, alguns líderes de negócios locais me levaram para jantar. À luz de velas, um deles me perguntou: "Shawn, quantos trilionários você conhece?". Respondi, gracejando: "Muito poucos". Ele disse em seguida: "Quem for trilionário levante a mão". Todas as pessoas sentadas no chão, à nossa mesa, levantaram a mão. Vendo meu espanto, outra pessoa explicou: "Não há por que se impressionar. Na última vez que usei um dólar zimbabuano, gastei um trilhão para comprar uma barra de chocolate".

O Zimbábue tinha acabado de ser devastado pelo total colapso de sua moeda. Todas as instituições financeiras estavam com dificuldades para sobreviver; o país tinha chegado a adotar um sistema de escambo por um tempo. Em vista de tudo isso, preocupei-me com a possibilidade de minha pesquisa cair em ouvidos ensurdecidos por causa das concussões provocadas pelas repetidas crises. Mas, para a minha surpresa, deparei com pessoas mais ávidas do que nunca em conhecer os bastidores dos princípios. Elas queriam se recuperar das adversidades e sair da situação mais fortes do que nunca e sabiam que precisavam de um conjunto totalmente novo de ferramentas para isso.

O MUNDO REAL

Desde que descobri que meus sete princípios da psicologia positiva possuem extraordinárias aplicações no ambiente de trabalho tanto em épocas de dificuldade quanto de bonança, o colapso econômico cristalizou muito rapidamente a necessidade não só de ajudar empresas e profissionais a preservarem seu bem-estar como também de ajudá-los a maximizar sua energia, produtividade e desempenho quando eles mais se faziam necessários. O mundo dos negócios também reconheceu isso, já que muitas empresas antes invencíveis de repente passaram a estender a mão em busca de ajuda.

No intervalo de apenas um ano, dei palestras em empresas em 40 países de cinco continentes e constatei que os mesmos princípios preditores de sucesso em Harvard funcionavam por toda a parte. Para um rapaz de Waco que não tinha viajado muito, foi um privilégio conhecer tanta gente ao redor do mundo, cada qual com uma história diferente de felicidade, adversidade e resiliência. Aquele também foi um período de grande aprendizado. Aprendi mais sobre a felicidade durante minhas viagens na África e no Oriente Médio em meio a uma crise do que em 12 anos de estudos em um ambiente protegido. Este livro é o fruto desse trabalho e dessas pesquisas. Dos operadores de mercado em Wall Street, passando por professores do ensino fundamental na Tanzânia aos vendedores em Roma – todos eles poderiam aplicar os princípios reforçados pela crise para progredir.

Em outubro de 2008, a American Express me contratou para dar uma palestra a um grupo de vice-presidentes. A AIG tinha acabado de se tornar uma divisão do Banco Central Norte-americano. O Lehman Brothers tinha desmoronado. O Dow atingira baixas históricas. Dessa forma, uma nuvem negra pairava na sala da AmEx. Executivos de aparência cansada me olhavam com o semblante pálido, e seus Blackberries, que normalmente vibravam incessantemente no início de eventos como esse, permaneciam silenciosos. Demissões em massa, remanejamentos de cúpula e a decisão de reestruturar a empresa em um banco haviam sido anunciados 30 minutos antes da minha palestra de 90 minutos sobre felicidade. Aquela definitivamente *não* seria uma plateia muito receptiva. Ou pelo menos foi o que pensei.

Presumi, como havia presumido no Zimbábue, que a última coisa que um grupo de pessoas tão exauridas e desalentadas queria ouvir era sobre a psicologia positiva. Mais uma vez, aquele se mostrou um dos grupos mais envolvidos e receptivos que já encontrei. Os 90 minutos se transformaram em quase três horas enquanto os executivos cancelavam compromissos e adiavam reuniões. Assim como os quase mil estudantes que se matricularam para aquela primeira disciplina de Harvard sobre o tema, esses financistas altamente sofisticados estavam ávidos por conhecer a nova ciência da felicidade e aprender como ela poderia ajudá-los a ter sucesso no trabalho e na carreira.

Os primeiros a adotar o Benefício da Felicidade foram os maiores bancos do mundo, por terem sido os primeiros a ser atingidos pela crise. Comecei a pesquisar e ensinar os princípios apresentados neste livro a milhares de líderes seniores, diretores gerais e CEOs de algumas das maiores (e mais surradas) instituições financeiras do mundo. Depois, passei às pessoas e empresas em todos os outros setores que também haviam sido gravemente golpeadas pela crise. Os tempos não eram felizes nem as plateias estavam felizes. Mas, independentemente do setor, da empresa ou do cargo na organização, em lugar de resistência encontrei pessoas quase universalmente abertas a aprender como utilizar a psicologia positiva para repensar seu estilo de trabalho.

IMUNIDADE CONTRA O ESTRESSE

Enquanto isso, pesquisadores da psicologia positiva concluíam uma "meta-análise", um estudo de praticamente todos os estudos científicos disponíveis sobre a felicidade – mais de 200 feitos com 275 mil pessoas.[1] As conclusões desses pesquisadores corresponderam exatamente aos princípios que eu vinha ensinando – que a felicidade leva ao sucesso em praticamente todos os âmbitos, inclusive no trabalho, na saúde, amizade, sociabilidade, criatividade e energia. Isso me encorajou a aplicar os princípios em diferentes grupos.

Auditores fiscais, por exemplo, não são famosos pela sua felicidade. Mas, se vamos testar a eficácia do Benefício da Felicidade no mundo do trabalho, eu queria saber se ensinar os sete princípios poderia elevar o nível de felicidade, bem-estar e resiliência de uma empresa de contabilidade imediatamente antes de eles entrarem na temporada tributária mais estressante das últimas décadas. Dessa forma, em dezembro de 2008, conduzi um treinamento de psicologia positiva de três horas para 250 gestores da KPMG. Depois disso, voltei à empresa para ver se o treinamento havia ajudado a imunizar esses gestores contra os efeitos negativos do estresse. Os testes demonstraram que foi exatamente o que aconteceu, e muito rapidamente; o grupo de auditores que participou do treinamento apresentou pontuações de satisfação com a vida significativamente mais altas e pontuações de estresse mais baixas que um grupo de controle que não recebeu o treinamento.

E o mesmo aconteceu na UBS, Credit Suisse, Morgan Stanley e incontáveis outros gigantes feridos. Diante da maior retração econômica da história moderna, as empresas instituíram rigorosas restrições a seus colaboradores – similares a épocas de guerra –, apertando ao máximo os cintos na tentativa de sobreviver. E mesmo assim elas encontraram folga no orçamento para meus treinamentos baseados nessa pesquisa. Os líderes dessas empresas reconheciam que seriam necessárias mais do que habilidades técnicas para ajudar a empresa a sobreviver às difíceis circunstâncias.

Logo, faculdades de direito e empresas de advocacia também começaram a me procurar. E com razão: pesquisadores descobriram que os advogados apresentam um índice de depressão que ultrapassa mais de três vezes a média e que estudantes de direito padecem de níveis perigosamente elevados de angústia mental.[2] Vários alunos da Faculdade de Direito de Harvard me disseram que costumavam estudar na biblioteca da Pedagogia, menor, porque o simples fato de estar no mesmo ambiente que outros estudantes de direito, ainda que ninguém dissesse uma palavra, espalhava um estresse negativo parecido com a fumaça de cigarro que se aspira passivamente.

Para combater essa penosa realidade, ensinei os sete princípios a grupos específicos de advogados e estudantes de direito por todo o país. Falamos sobre como manter uma atitude positiva poderia lhes dar uma vantagem competitiva, como desenvolver seus sistemas sociais de apoio poderia acabar com a ansiedade e como eles poderiam se proteger da negatividade que se espalhava rapidamente de um cubículo da biblioteca ao outro. Mais uma vez, os resultados foram imediatos e impressionantes. Mesmo sob uma carga de trabalho pesada e da tirania de expectativas impossíveis, esses empenhados estudantes e profissionais conseguiram aplicar o

Benefício da Felicidade para reduzir o estresse e conseguir muito mais em sua vida acadêmica e profissional.

ESPALHANDO A NOTÍCIA

Apesar da explosão de estudos acadêmicos sobre psicologia positiva, suas revolucionárias descobertas ainda são em grande parte mantidas em segredo. Quando entrei na pós-graduação, soube que um artigo de um periódico acadêmico é lido, em média, por apenas sete pessoas. Estamos falando de uma estatística extraordinariamente deprimente, porque sei que esse número deve incluir também a mãe do pesquisador. Isso significa que efetivamente apenas seis pessoas leem esses estudos, o que é uma piada, considerando que os cientistas fazem diariamente descobertas incríveis que revelam como o cérebro humano funciona mais e como podemos nos relacionar melhor uns com os outros – e mesmo assim essas informações atingem apenas seis pessoas e uma mãe orgulhosa.

Quanto mais eu viajava, mais percebia que as revolucionárias descobertas da psicologia positiva ainda são em grande parte desconhecidas no mundo dos negócios e no ambiente de trabalho. Advogados expostos a um nível de estresse insuportável mal imaginam que técnicas específicas já foram desenvolvidas para protegê-los desse risco profissional. Professores de escolas dos ensinos fundamental e médio desconhecem o estudo que isolou os dois principais padrões de um bom ensino. Empresas da lista Fortune 500 ainda estão utilizando programas de incentivo que estudos científicos demonstraram ser ineficazes quase uma geração atrás.

Em consequência, elas perdem uma oportunidade incrível de progredir. Se já foi realizado um estudo comprovando como os CEOs podem se tornar 15% mais produtivos ou como os gestores podem aumentar em 42% a satisfação do cliente, penso que as pessoas que atuam no dia a dia nas trincheiras – e não apenas um punhado de acadêmicos – deveriam saber disso. O objetivo deste livro é muni-lo dessas pesquisas, para que você *saiba* exatamente como utilizar os princípios da psicologia positiva e conquistar uma vantagem competitiva na sua carreira e no seu trabalho.

DESENVOLVA O DESEMPENHO, NÃO A ILUSÃO

Baseados em duas décadas de pesquisas que revolucionaram o campo da psicologia e mais tarde influenciaram também meus estudos sobre a ciência da felicidade e do sucesso, os princípios que constituem a essência deste livro também foram testados na prática e refinados por meio do meu trabalho com pessoas tão variadas quanto financistas globais, professores do primário, cirurgiões, advogados, contadores e embaixadores das Nações Unidas. Em resumo, existe um conjunto de ferramentas que qualquer pessoa, não importa a profissão ou área de atividade, pode utilizar para elevar a cada dia seu nível de realização. A melhor parte é que essas ferramentas não funcionam apenas num ambiente de negócios. Elas podem ajudá-lo a superar obstáculos, livrar-se de maus hábitos, tornar-se mais eficiente e produtivo, beneficiar-se ao máximo das oportunidades e atingir as metas mais ambiciosas – na vida *e* no trabalho. Elas são basicamente um conjunto de sete ferramentas que você poderá utilizar para elevar seu nível de realização todos os dias.

Eis o que elas *não* farão. Elas não lhe dirão para estampar um sorriso no rosto, usar o "pensamento positivo" para se afastar dos seus problemas ou, pior, fingir que seus problemas não existem. Não estou aqui para lhe dizer que a sua vida será sempre um mar de rosas. Se existe algo que os últimos anos me ensinaram, foi que isso não passa de uma grande ilusão. Em certa ocasião, ouvi o diretor geral de uma grande instituição financeira reclamando: "Ainda é 1 hora da tarde e já ouvi seis vezes hoje que 'a empresa virou o jogo'. Se viramos o jogo seis vezes, não sei mais onde estamos".

O Benefício da Felicidade é bem diferente. Pede-nos que sejamos realistas em relação ao presente ao mesmo tempo que maximizamos nosso potencial para o futuro. Trata-se de aprender a cultivar a atitude e os comportamentos que comprovadamente promovem o sucesso e a realização. É uma ética do trabalho.

Ser feliz não é acreditar que não precisamos mudar, é perceber que podemos.

NOTAS

1. LYUBOMIRSKY, S.; KING, L.; DIENER, E. The benefits of frequent positive affect: Does happiness lead to success?" *Psychological Bulletin*, 2005. 131, p. 803-855.

2. Para uma análise mais abrangente dessa pesquisa, veja: PETERSON, T. D.; PETERSON, E. W. *Yale Journal of Health Policy, Law, and Ethics*, 9, 2009. p. 357-434.

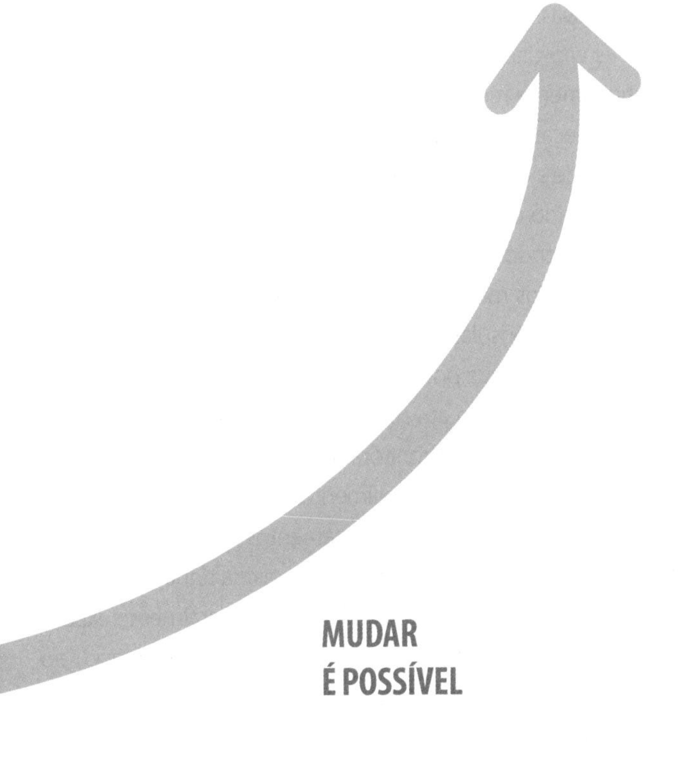

MUDAR É POSSÍVEL

Eis uma charada comportamental:

Você está em uma jaula e suas grades são feitas de titânio e a sua jaula está vazia. Para sobreviver, você deve consumir 240 pequenas cápsulas de alimento por hora. As cápsulas estão disponíveis para você, mas infelizmente ficam localizadas em minúsculos buracos do lado de fora da sua jaula, de forma que você inicialmente leva 30 segundos para estender as mãos por meio das grades e alcançar cada cápsula. Se você não encontrar um jeito de realizar a tarefa mais rapidamente, consumirá apenas a metade das calorias necessárias e acabará morrendo de fome. O que fazer?

A resposta: expanda a parte do seu cérebro encarregada dessa tarefa para conseguir pegar as cápsulas mais rapidamente.

Impossível, não é mesmo? Bem, não vamos nos precipitar. Essa charada na verdade se baseia em um famoso estudo da área da neurociência, tirando o fato de que os participantes do experimento não foram seres humanos, mas, sim, macacos-de-cheiro.[1] Depois de 500 tentativas, os macacos se tornaram extremamente competentes na tarefa de pegar as cápsulas de alimento, mesmo quando o tamanho do buraco passou a ser continuamente reduzido. Dessa forma, apesar de a tarefa ficar cada vez mais difícil, eles começaram a dominá-la com a prática, como um jovem estudante de piano que aprende a dominar uma escala. Intuitivamente, isso faz sentido. Todos nós já ouvimos o velho ditado "a prática leva à perfeição". Mas a história ficou realmente interessante quando os pesquisadores passaram a analisar o que estava acontecendo no cérebro dos macacos à medida que eles ficavam cada vez mais rápidos na tarefa de pegar as cápsulas.

Utilizando eletrodos estrategicamente posicionados, os pesquisadores conseguiram observar quais áreas do cérebro eram ativadas quando um macaco se via pela primeira vez diante do desafio. Depois eles monitoraram o funcionamento cerebral enquanto os macacos pegavam as cápsulas de alimento repetidas vezes. Quando os pesquisadores analisaram os resultados dos escaneamentos cerebrais no fim do experimento, descobriram que a região cortical ativada pela tarefa tinha aumentado várias vezes. Em outras palavras, só com a prática, cada macaco literalmente expandiu a região do cérebro necessária para realizar a tarefa. E isso não aconteceu ao longo de incontáveis gerações por meio do processo da evolução, mas no decorrer de um experimento conduzido no período de apenas alguns meses.

Isso é ótimo, você pode estar pensando, para os macacos-de-cheiro – mas, em geral, não contratamos macacos nas organizações (pelo menos não de propósito). Mas avanços recentes da neurociência têm comprovado que esse processo funciona de forma idêntica em seres humanos.

UMA BREVE LIÇÃO DE NEUROPLASTICIDADE

"Meu destino é ser infeliz." "Você não pode ensinar novos truques a um cachorro velho." "Algumas pessoas já nascem pessimistas e nunca mudarão." "As mulheres não são boas em matemática." "Eu simplesmente não sou divertido." "Ela já nasceu atleta." É assim que pensamos na nossa cultura. Nosso potencial é biologicamente determinado. A partir do momento que o cérebro atinge a maturidade, é inútil tentar mudá-lo.

Se não tivéssemos a capacidade de promover uma mudança positiva duradoura, um livro como este não passaria de uma piada cruel – um reconfortante tapinha nas costas para aqueles dentre nós que já são felizes e bem-sucedidos, mas inútil para os demais. Qual é a vantagem de saber que a felicidade pode levar ao sucesso se não sabemos como ser mais felizes?

A crença de que somos apenas nossos genes é um dos mitos mais perniciosos da cultura moderna – a noção insidiosa de que as pessoas vêm ao mundo com determinado conjunto de habilidades e que elas, e o cérebro delas, não têm como mudar. A comunidade científica é em parte culpada por isso, porque durante décadas os cientistas se recusaram a enxergar o potencial para a mudança que se encontrava debaixo do nariz deles.

Para explicar essa ideia, permita-me levá-lo de volta à África.

O UNICÓRNIO AFRICANO

No Egito antigo, uma criatura mítica, metade zebra e metade girafa, era representada com entalhes em pedra e descrita em textos. Quando comerciantes britânicos do século XIX encontraram esses entalhes, eles descreveram essa criatura como o "Unicórnio Africano", uma criatura fantástica e uma impossibilidade biológica. No entanto, os nativos da Bacia do Congo insistiam em que haviam visto um animal idêntico na floresta. Mesmo sem a ajuda da genética moderna, os exploradores britânicos sabiam que isso era ridículo. Girafas simplesmente não se acasalavam com zebras, e certamente não produziriam prole. (As zebras podem até achar que as girafas têm uma personalidade interessante, mas simplesmente não as considerariam atraentes.) Os biólogos ocidentais passaram anos ridicularizando a ignorância e a superstição dos nativos por acharem que uma criatura mítica como essa seria possível na natureza.

Em 1901, o intrépido Sir Harry Johnston encontrou nativos pigmeus que haviam sido sequestrados por um explorador alemão. Consternado com a atrocidade, Johnston interveio, oferecendo um generoso pagamento pela libertação dos pigmeus. Gratos, os nativos libertos o presentearam com couro e crânios que alegaram ser provenientes do lendário Unicórnio Africano. Como era de esperar, ele foi ridicularizado quando levou os presentes de volta à Europa. As pessoas o menosprezaram afirmando que as peles não poderiam ser de um Unicórnio Africano, porque esse animal simplesmente não existia. Quando Johnston protestou que, apesar de ele mesmo nunca ter visto a criatura, os pigmeus lhe mostraram as pegadas, a comunidade científica rejeitou suas alegações e passou anos discutindo sua sanidade mental.

Então, em 1918, um ocapi vivo – de fato um cruzamento entre a girafa e a zebra – foi capturado na floresta e exibido na Europa. Uma década depois, o primeiro acasalamento de ocapi foi bem-sucedido na Antuérpia. Hoje, os ocapis "míticos", que se comprovaram não ser tão míticos assim, são bastante comuns em zoológicos ao redor do mundo.

Nos anos 1970, o Dalai Lama afirmou que a mera força do pensamento poderia levar a mudanças na nossa estrutura cerebral. Mesmo sem a ajuda de técnicas modernas de escaneamento e ressonância magnética cerebral, os cientistas ocidentais presumiram que a ideia era ridícula. Eles diziam que, apesar de ser reconfortante acreditar que o nosso cérebro pode mudar, a ideia não passava de um mito. E que, sem dúvida, mesmo se o cérebro *pudesse* mudar, isso não poderia ser feito só pelo poder do pensamento ou pela força de vontade. A noção predominante da maior parte do século XX nos mais prestigiados círculos de pesquisas era de que, depois da adolescência, nosso cérebro se tornava fixo e inflexível. A neuroplasticidade, a ideia de que o cérebro é maleável e que, dessa forma, pode mudar ao longo da vida, era basicamente o "Unicórnio Ocidental".

Alguns anos mais tarde, os pesquisadores começaram a descobrir indícios da existência dessa nova quimera mítica. Dessa vez, os cientistas encontraram indicações não no crânio de um ocapi, mas dentro do crânio de um motorista de táxi. Os pesquisadores estavam estudando o cérebro de motoristas de táxi de Londres.[2] (Não é de surpreender o enorme número de piadas sobre o excesso de especificidade dos objetos de estudo dos cientistas.) Com essa pesquisa, eles descobriram algo antes inimaginável: o cérebro dos motoristas de táxi apresentava um hipocampo, a estrutura cerebral dedicada à memória espacial, significativamente maior do que a média.

O que poderia explicar isso? Para descobrir a resposta, decidi ir até a fonte – um autêntico motorista de táxi londrino. Ele me explicou que as ruas de Londres não são estruturadas em um sistema de grade, como boa parte de Manhattan ou Washington, D.C. Em consequência, dirigir por Londres é como percorrer um labirinto bizantino, o que requer que o motorista tenha um amplo mapa espacial na cabeça. (É tão difícil dirigir em Londres que os motoristas de táxi são obrigados a passar em um teste de navegação chamado The Knowledge antes de receber a licença para poderem sentar-se ao volante de um dos famosos táxis pretos da cidade.)

E quem se importa? Embora hipocampo maior possa não soar muito empolgante para você, a constatação forçou os cientistas a confrontarem o "mito" da neuroplasticidade, a ideia de que a mudança cerebral é possível dependendo de como se escolhe levar a vida. Diante desses dados, o cientista que sustentava um modelo cerebral baseado na inflexibilidade, afirmando que o cérebro não pode mais mudar depois da adolescência, viu-se diante de uma difícil encruzilhada.

Ele precisaria ora argumentar que (a) desde o nascimento, os genes de algumas pessoas desenvolvem um hipocampo maior porque elas sabem que um dia serão motoristas de táxi em Londres, ora admitir que (b) o hipocampo pode aumentar *em consequência* das muitas horas de prática dirigindo um táxi em uma cidade que mais se parece um labirinto.

À medida que as técnicas de escaneamento cerebral se tornaram cada vez mais sofisticadas e precisas, mais pegadas do "Unicórnio Ocidental" foram encontradas. Imagine alguém que chamaremos de Roger, que conseguia enxergar normalmente na infância mas que perde a visão subitamente depois de ter os olhos expostos a substâncias tóxicas durante um experimento de química no colegial.[3] Depois do acidente, Roger foi forçado a aprender a ler em braile, usando o dedo indicador da mão direita para sentir cada palavra lida. Quando os neurocientistas analisaram o cérebro de alguém como Roger em um aparelho de ressonância magnética, eles fizeram algumas descobertas surpreendentes. Quando eles estimulavam o dedo indicador da mão esquerda de Roger, nada fora do comum acontecia: uma pequena parte de seu cérebro simplesmente era acionada, da mesma forma como aconteceria se alguém estimulasse qualquer um dos nossos dedos. Mas aí aconteceu o mais incrível: quando os pesquisadores estimularam o dedo que Roger usava para ler em braile, uma área relativamente enorme da massa cortical era acionada, como uma lâmpada acendendo em seu cérebro.

Para explicar esse fenômeno, os cientistas mais uma vez se viram diante de duas opções. Ou (a) os nossos genes, desde o nascimento, são espertos o suficiente para prever um experimento desastroso em um laboratório de química e se preparam para providenciar um dedo indicador extremamente sensível em apenas uma mão ou (b) o nosso cérebro muda de acordo com as nossas ações e as circunstâncias.

A resposta dos cientistas nos dois casos acima é óbvia e inevitável. A mudança cerebral, antes considerada impossível, é hoje um fato bem conhecido, sustentado por algumas das pesquisas mais rigorosas e de vanguarda na área da neurociência.[4] E as implicações disso são enormes. Assim que se constatou que o nosso cérebro possui essa plasticidade estrutural, nosso potencial de crescimento intelectual e pessoal de repente passou a ser igualmente maleável. Como você está prestes a ler nas próximas sete seções, estudos têm revelado inúmeras maneiras pelas quais podemos reconfigurar o nosso cérebro para sermos mais positivos, criativos, resilientes e produtivos – e enxergar mais possibilidades no mundo. Com efeito, se os nossos pensamentos, atividades diárias e comportamentos podem mudar o nosso cérebro, a grande questão passa a ser não *se*, mas *quanta* mudança é possível?

DO POSSÍVEL AO PROVÁVEL

Qual é a sequência de números mais longa que uma pessoa é capaz de lembrar? Qual é a altura máxima que um ser humano pode crescer? Quanto dinheiro alguém pode ganhar? Quantos anos uma pessoa pode viver? O *Livro Guinness dos Recordes* relaciona muitos dos maiores recordes do mundo – os maiores potenciais já atingidos. Mas o *Livro Guinness dos Recordes* é um registro de fósseis. Ele só diz respeito ao que já foi feito, não ao quanto *pode* ser feito. E é por isso que ele precisa ser constantemente atualizado – os recordes estão sempre sendo quebrados, de forma que o livro está sempre obsoleto.

Vejamos o caso fascinante de Roger Bannister, corredor britânico de média distância. Nos anos 1950, após rigorosos testes e cálculos matemáticos dos aspectos físicos da nossa anatomia, os especialistas concluíram que o corpo humano não era capaz de correr uma milha em menos de quatro minutos. Uma impossibilidade física, afirmavam os cientistas. Foi então que chegou Roger Bannister, que em 1954 não parecia ter problema algum em provar que na verdade era possível correr uma milha em 3 minutos e 59,4 segundos. E, uma vez que Bannister rompeu a barreira imaginária, de repente as comportas se escancararam e um grande número de corredores começou a romper a marca dos quatro minutos todos os anos, cada um mais rápido que o outro. Com que rapidez um ser humano tem o potencial de correr uma milha – ou nadar 100 metros, ou terminar uma maratona – atualmente? Na verdade, não sabemos. É por isso que acompanhamos com tanta expectativa todas as Olimpíadas, para ver se um novo recorde mundial será estabelecido.

A questão é que desconhecemos os limites do potencial humano. Da mesma forma como desconhecemos os limites da velocidade com que um ser humano é capaz de correr ou como não podemos prever qual aluno crescerá para ganhar um Prêmio Nobel, não sabemos tampouco os limites do enorme potencial do nosso cérebro para crescer e se adaptar às circunstâncias. Tudo o que sabemos é que esse tipo de mudança *é*, de fato, possível. O restante deste livro mostra como capitalizar a capacidade de mudança do nosso cérebro para que possamos usufruir do Benefício da Felicidade.

MUDANÇA POSITIVA DURADOURA

Se a mudança é possível, a questão que se segue é quanto tempo ela dura? Será que a aplicação desses princípios pode fazer uma diferença real e duradoura na nossa vida? Em uma palavra, sim. Como veremos nos próximos sete capítulos, estudos vêm confirmando inúmeras maneiras pelas quais podemos aumentar permanentemente nosso patamar de felicidade e adotar uma atitude mais positiva. Considerando que o tema deste livro fala do Benefício da Felicidade, é muito reconfortante saber que as pessoas *podem* ser mais felizes, que mentes pessimistas *podem* ser treinadas para se tornarem mais otimistas e que cérebros estressados e negativos podem ser treinados para enxergar mais possibilidades. A vantagem competitiva está disponível a todos aqueles dispostos a se empenhar.

Também conduzi meus próprios testes para comprovar a eficácia duradoura dos treinamentos na área da psicologia positiva. Como mencionei anteriormente, os testes uma semana depois dos treinamentos conduzidos na KPMG confirmaram que os colaboradores estavam significativamente menos estressados, mais felizes e mais otimistas do que quando começaram a adotar os sete princípios. Mas, uma vez dissipado o "efeito lua de mel", será que o treinamento fez alguma diferença real na vida deles? Ou será que eles simplesmente voltaram aos antigos hábitos quando se viram diante de um aumento da carga de trabalho? Para responder a essa questão, voltei à KPMG quatro meses depois. Extraordinariamente, os efeitos positivos do estudo tinham sido mantidos. O estado de espírito do grupo de controle inevitavelmente melhorou à medida que a economia se recuperava da crise de dezembro de 2008. No entanto, os gestores que participaram do treinamento relataram uma satisfação significativamente maior em relação à vida, um maior sentimento de eficácia e menos estresse. As pontuações de satisfação em relação à vida, um dos fatores preditores mais cruciais de produtividade e desempenho no ambiente de trabalho, aumentaram consideravelmente entre aqueles que participaram do treinamento; e, o mais importante, análises estatísticas revelaram que o treinamento foi responsável pelos efeitos positivos. Mais uma vez, verificamos que pequenas intervenções positivas eram capazes de criar uma mudança sustentável, de longo prazo, no trabalho.

DA INFORMAÇÃO À TRANSFORMAÇÃO

Em certa ocasião, conversei com um pesquisador do sono que tinha dados demonstrando que, quanto mais uma pessoa dorme, melhor ela envelhece. "Você deve dormir 23 horas por dia", eu brinquei, como se ele nunca tivesse ouvido a piada antes. Ele assumiu uma expressão séria e disse: "Shawn, sou um pesquisador do sono. Passo a noite inteira acordado estudando pessoas dormindo. Eu nunca durmo". Dito isso, ele me revelou sua idade e era verdade – ele de fato parecia ser uns dez anos mais velho do que realmente era. Com muita frequência, a mera posse do conhecimento não basta para mudar o nosso comportamento e criar uma mudança verdadeira e duradoura.

No verão de 2009, eu também fui vítima dessa cilada tão comum. Eu vinha me esforçando tanto para divulgar esta pesquisa ao maior número possível de pessoas que me vi cruzando o Atlântico diversas vezes por mês, distanciando-me dos amigos e parentes e me sentindo absolutamente sobrecarregado. Em resumo, fazendo o contrário do que este livro prescreve. A gota d'água foi um voo de dez horas de Zurique a Boston que finalmente quebrou as costas deste camelo. Não só de maneira figurada, mas literalmente. De repente uma dor nas costas e nas pernas ficou tão insuportável que precisei me deitar nos fundos do avião com a ajuda dos comissários de bordo. Uma visita às pressas ao pronto-socorro revelou que eu tinha rompido um disco na coluna – a situação era tão grave que tive de passar o mês seguinte de cama ou deitado no chão. Só consegui voltar a andar com uma dose cavalar de cortisona epidural. Incapaz de viajar ou de dar prosseguimento às minhas pesquisas, fui forçado a desacelerar e finalmente passar algum tempo aplicando estes princípios na minha própria vida. E finalmente percebi o que estava faltando. Constatei que estes princípios foram tão eficazes para gerar uma mudança para mim em uma crise pessoal quanto para gerar uma mudança para trabalhadores na crise econômica. Serei eternamente grato por aquele mês, por me possibilitar um tempo para praticar o que eu vinha pregando, promovendo as mesmas mudanças na minha própria atitude e comportamento que vinha tentando convencer os outros a adotarem.

O que quero dizer com isso é que não basta simplesmente ler este livro. É necessário foco e empenho para aplicar estes princípios na prática e só então os resultados começarão a surgir. A boa notícia é que o retorno é enorme. O fato de que cada princípio se fundamenta em anos de estudos científicos significa que essas ideias foram testadas, retestadas e são comprovadamente eficazes. Os livros sobre como ter sucesso no trabalho podem ser inspiradores, mas muitas vezes são repletos de estratégias não comprovadas. Entretanto, a ciência pode ser fascinante, mas muitas vezes impossível de ser compreendida, e muito menos traduzida em ação. O meu objetivo ao escrever este livro foi fazer a ponte entre a teoria e a prática.

NOTAS

1. NUDO, R. J.; MILLIKEN, G. W.; JENKINS, W. M.; MERZENICH, M. M. Use-dependent alterations of movement representations in primary motor cortex of adult squirrel monkeys. *Journal of Neuroscience*, 1996. 16, p. 785-807.
2. MAGUIRE, E.; GADIAN, D.; JOHNSRUDE, I.; GOOD, C.; ASHBURNER, J.; FRACKOWIAK, S; FRITH, C. Navigation-related structural change in the hippocampi of taxi drivers. *Proceedings of the National Academy of Sciences*. USA: 97(8), 2000. p. 4.398-4.403.
3. A história de Roger foi elaborada com base na série de estudos conduzidos pelo neurocientista Alvaro Pascual-Leone com pessoas que estão aprendendo a ler braile. Veja DOIDGE, N. *The brain that changes itself*. New York: Penguin, 2007. p. 198-200.
4. Para dois livros de leitura acessível sobre a história e a ciência da neuroplasticidade, recomendo: DOIDGE, N. *The brain that changes itself*. New York: Penguin e SCHWARTZ, J. M. e BEGLEY; S. *The mind and the brain*: neuroplasticity and the power of mental force. New York: Harper Perennial, 2003.

PARTE 2

Os sete princípios

PRINCÍPIO 1: O BENEFÍCIO DA FELICIDADE

PRINCÍPIO 2: O PONTO DE APOIO E A ALAVANCA

PRINCÍPIO 3: O EFEITO TETRIS

PRINCÍPIO 4: ENCONTRE OPORTUNIDADES NA ADVERSIDADE

PRINCÍPIO 5: O CÍRCULO DO ZORRO

PRINCÍPIO 6: A REGRA DOS 20 SEGUNDOS

PRINCÍPIO 7: INVESTIMENTO SOCIAL

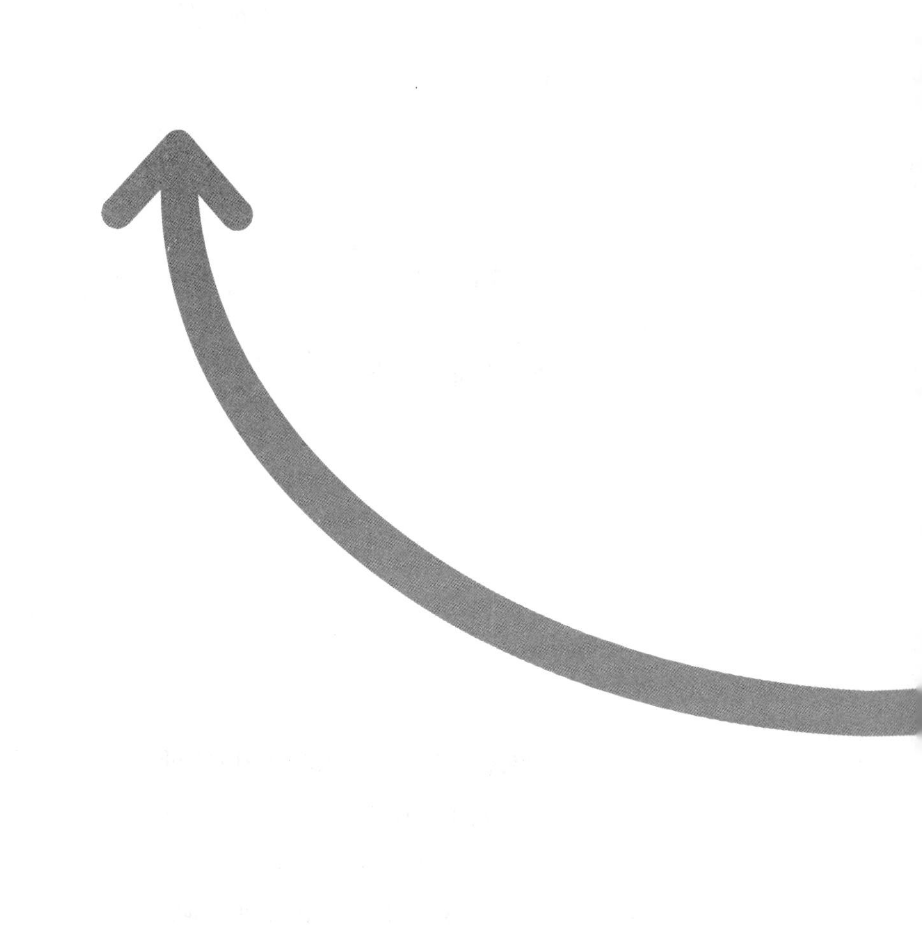

PRINCÍPIO 1:
O BENEFÍCIO DA FELICIDADE

Como a felicidade proporciona uma vantagem competitiva ao seu cérebro – e à sua organização

Em 1543, Nicolau Copérnico publicou *De Revolutionibus Orbium Coelestium* ("Da revolução de esferas celestes"). Até então, quase todo mundo acreditava que a Terra era o centro do universo e que o Sol girava ao redor do planeta. Mas Copérnico argumentou que, na verdade, o que acontecia era o contrário – era a Terra que girava ao redor do Sol –, uma revelação que acabou mudando o modo como os seres humanos viam o universo inteiro.

Hoje, uma mudança fundamental e similar a esta está a caminho no campo da psicologia. Por gerações e gerações, fomos levados a acreditar que a felicidade girava em torno do sucesso. Que, se nos empenharmos o suficiente, teremos sucesso e só quando tivermos sucesso é que poderemos ser felizes. Acreditava-se que o sucesso era o ponto fixo do universo do trabalho, com a felicidade gravitando em torno dele. Agora, graças às descobertas revolucionárias do campo emergente da psicologia positiva, estamos aprendendo que o que acontece na verdade é o contrário. Quando estamos felizes – quando a nossa atitude e estado de espírito são positivos –, somos mais inteligentes, mais motivados e, em consequência, temos mais sucesso. A felicidade é o centro, e o sucesso é que gira em torno dela.

Infelizmente, apesar de décadas de pesquisas que provam o contrário, muitas empresas e seus líderes ainda se apegam obstinadamente à sua crença equivocada. Os detentores do poder continuam a nos dizer que, se arregaçarmos as mangas e dermos duro agora, teremos sucesso e, portanto, seremos mais felizes – em algum futuro distante. Enquanto trabalhamos para atingir nossas metas, a felicidade é irrelevante, um luxo facilmente dispensável ou uma recompensa que só pode ser conquistada depois de uma vida inteira de trabalho duro. Alguns chegam a considerá-la uma fraqueza, um sinal de que não estamos nos empenhando o suficiente. Cada vez que nos convencemos dessa crença equivocada, minamos não apenas o nosso bem-estar mental e emocional, como também nossas chances de sucesso e realização.

As pessoas de maior sucesso, aquelas que possuem a vantagem competitiva, não consideram a felicidade como sendo alguma recompensa distante pelo empenho, nem passam os dias com uma postura neutra ou negativa; elas capitalizam os aspectos positivos e seguem colhendo as recompensas. Este capítulo mostrará como isso pode ser feito, por que funciona e como você também pode se beneficiar. Do seu jeito, o conceito do Benefício da Felicidade também é uma revolução copernicana – ele nos mostra que é o sucesso que gira ao redor da felicidade e não o contrário.[1]

A DEFINIÇÃO DA FELICIDADE

Ninguém vinha falar comigo. Eu estava prestes a dar uma palestra sobre a relação entre felicidade e desempenho no trabalho a um grupo de executivos da empresa coreana Samsung e só estava esperando que o diretor de RH me apresentasse à plateia. Eu normalmente gosto da oportunidade de conhecer pessoas durante esse breve intervalo antes de uma palestra, mas naquele dia todos os gestores estavam com o olhar vazio, ignorando minhas numerosas tentativas de puxar conversa.

Desanimado, fingi fazer os últimos ajustes na minha apresentação de PowerPoint (uma tática garantida para evitar o embaraço social que acompanha esse tipo de situação, apesar de não funcionar tão bem em coquetéis e jantares). Finalmente, alguém entrou na sala e se apresentou como Brian, o líder do grupo. Foi quando soube que os planejadores do evento tinham se esquecido de mencionar um pequeno detalhe: ninguém na plateia falava inglês.

Acontece que o tradutor que a Samsung normalmente contratava para essas ocasiões estava doente, de forma que Brian se ofereceu para traduzir. Quando começamos, ele se inclinou para mim e confessou: "Meu inglês não é muito bom".

Passei as três horas seguintes falando em intervalos de um minuto, voltando-me ao meu "tradutor", que ou parecia muito confuso ou começava a falar animadamente para o grupo, normalmente por cerca de três minutos a mais do que eu tinha falado. Eu não fazia ideia do nível de precisão da tradução de Brian, mas sei que ele recebeu todos os créditos pelas minhas piadas. Ao ver que o processo todo não estava fluindo, decidi parar de falar e incentivar os executivos a conversarem uns com os outros. "Para estudar como a felicidade afeta o desempenho", eu disse, "precisamos de uma definição. Então, a questão que proponho a vocês é: O que é a felicidade?" Orgulhoso de ter conseguido improvisar esse exercício, esperei Brian traduzir o que tinha acabado de dizer. Mas ele me lançou um olhar confuso e se inclinou para mim. "Você não sabe o que felicidade significa?", ele me perguntou nervosamente.

Minha expressão congelou. "Não, não. Estou dizendo que gostaria que o *grupo* propusesse uma definição de felicidade."

Ele cobriu o microfone e voltou a se inclinar para o meu lado, claramente tentando me salvar de uma situação embaraçosa. "Posso procurar no Google para você."

A CIÊNCIA DA FELICIDADE

Apesar de eu ser grato pela oferta, nem o onisciente Google tem uma resposta definitiva para essa questão. Isso acontece porque não *existe* um único significado; a felicidade depende da pessoa que a vivencia. É por isso que os cientistas muitas vezes se referem à felicidade em termos de "bem-estar *subjetivo*" – porque tudo depende de como nos sentimos em relação à nossa própria vida.[2] Em resumo, só você pode saber até que ponto é feliz. Dessa forma, para estudar empiricamente a felicidade, os cientistas devem se basear na autoavaliação das pessoas. Felizmente, depois de anos de testes com milhões de pessoas ao redor do mundo e ajustes das questões dos levantamentos, os pesquisadores desenvolveram métricas de autoavaliação que mensuram a felicidade individual com precisão e segurança.

Então, como os cientistas definem a felicidade? Basicamente, como a experiência de emoções positivas – prazer combinado com um senso mais profundo de sentido e propósito. A felicidade implica um estado de espírito positivo no presente e uma perspectiva positiva para o futuro. Martin Seligman, o pioneiro da psicologia positiva, a segmentou em três componentes mensuráveis: prazer, envolvimento e senso de propósito.[3] Seus estudos confirmaram (apesar de a maioria de nós já saber disso intuitivamente) que as pessoas que buscam apenas o prazer vivenciam somente parte dos benefícios que a felicidade pode trazer, enquanto aquelas que buscam os três caminhos têm a vida mais plena.[4] Talvez o termo mais preciso para a felicidade, portanto, seja o termo utilizado por Aristóteles: *eudaimonia*, que não quer dizer exatamente "felicidade", mas, sim, algo como "prosperidade humana". Essa definição faz muito sentido para mim por reconhecer que a felicidade não se restringe a carinhas sorridentes amarelas e arco-íris coloridos. *Para mim, felicidade é a alegria que sentimos quando buscamos atingir nosso pleno potencial.*

O principal propulsor da felicidade são as emoções positivas, já que a felicidade é, acima de tudo, um sentimento. Na verdade, alguns pesquisadores preferem o termo "emoções positivas" ou "positividade" em lugar de "felicidade", porque, apesar de serem essencialmente sinônimos, "felicidade" é um termo muito mais vago e impreciso. Barbara Fredrickson, pesquisadora da University of North Carolina e talvez a maior especialista do mundo sobre o tema, descreve as dez emoções positivas mais comuns: "alegria, gratidão, serenidade, interesse, esperança, orgulho, divertimento, inspiração, maravilhamento e amor".[5] Essas emoções nos dão uma ideia muito mais rica da felicidade do que a carinha sorridente amarela que não deixa muito espaço para sutilezas. Mesmo assim, para facilitar a discussão, você verá que, ao longo deste livro, os termos "emoções positivas", "positividade" e "felicidade" são utilizados de forma intercambiável. Não importa que termo você utilize, nossa incansável busca para atingir esse sentimento faz parte da nossa humanidade, um fato que foi registrado por escritores e filósofos muito mais eloquentes do que eu (incluindo Thomas Jefferson no documento da fundação dos Estados Unidos). Mas, como veremos em breve, a felicidade é muito mais que apenas uma sensação boa – ela também constitui um ingrediente indispensável do nosso sucesso.

O BENEFÍCIO DA FELICIDADE NO TRABALHO

Na Introdução, mencionei a impressionante meta-análise de pesquisas sobre a felicidade que reuniu os resultados de mais de 200 estudos científicos envolvendo

275 mil participantes – e revelou que a felicidade leva ao sucesso em praticamente todos os âmbitos da nossa vida, inclusive casamento, saúde, amizade, envolvimento comunitário, criatividade e, em particular, nosso emprego, carreira e negócios.[6] Há um enorme volume de dados demonstrando que trabalhadores felizes apresentam níveis mais elevados de produtividade, fecham mais vendas, são mais eficazes em posições de liderança, recebem uma melhor avaliação de desempenho e são mais bem remunerados. Eles também usufruem de maior segurança no emprego e são inclinados a tirar menos dias de afastamento por doença, pedir demissão ou ficar estafados. CEOs felizes são mais propensos a liderar equipes ao mesmo tempo mais felizes e saudáveis e criar um ambiente de trabalho propício ao alto desempenho. A lista de benefícios da felicidade no trabalho é praticamente interminável.

O OVO OU A GALINHA?

Neste ponto você pode estar pensando: talvez as pessoas sejam felizes justamente *porque* são mais produtivas e mais bem remuneradas. Como os estudantes de psicologia aprendem a repetir *ad nauseam*: "Correlação não é causação". Em outras palavras, os estudos muitas vezes só nos dizem que duas coisas estão relacionadas; para descobrir qual fator causa o outro, é necessário realizar uma análise mais rigorosa e descobrir qual deles veio primeiro. Então, o que vem antes, o ovo ou a galinha? A felicidade vem antes do sucesso ou o sucesso vem antes da felicidade?

Se a felicidade fosse apenas o resultado final do sucesso, a crença predominante em empresas e instituições de ensino estaria correta: concentre-se na produtividade e no desempenho, mesmo em detrimento do nosso bem-estar emocional e físico, e mais cedo ou mais tarde seremos mais bem-sucedidos e, em consequência, mais felizes. Mas, graças aos avanços da psicologia positiva, esse mito foi derrubado. Como os autores do levantamento puderam afirmar conclusivamente, "estudo após estudo demonstra que a felicidade *precede* importantes resultados e indicadores da prosperidade".[7] Em resumo, com base no enorme volume de dados compilados, eles descobriram que a felicidade *leva* ao sucesso e à realização, e não o contrário. Vamos analisar mais detalhadamente como isso acontece.

Uma das maneiras que os psicólogos têm para responder à questão do ovo e da galinha é acompanhar as pessoas durante longos períodos. Um estudo, por exemplo, mensurou o nível inicial de emoções positivas em 272 colaboradores e em seguida monitorou o desempenho no trabalho dessas pessoas ao longo dos 18 meses seguintes.[8] Com isso eles descobriram que, mesmo controlando outros fatores, as pessoas que se mostraram mais felizes no início acabaram recebendo avaliações de desempenho melhores e um salário mais alto em seguida. Outro estudo revelou que o nível de felicidade de calouros na faculdade era um fator preditivo de sua renda 19 anos mais tarde, independentemente do nível inicial de riqueza.[9]

Um dos estudos longitudinais mais famosos sobre a felicidade tem uma origem bastante improvável: os antigos diários de freiras católicas.[10] Essas 180 freiras da School Sisters of Notre Dame, todas nascidas antes de 1917, foram solicitadas a anotar seus pensamentos em diários autobiográficos. Mais de cinco décadas depois, um grupo de pesquisadores sagazes decidiu codificar o conteúdo emocional positivo dos diários. Será que o nível de positividade dessas freiras aos 20 anos de idade poderia prever como seria o resto da vida delas? A análise constatou que sim. As freiras cujos diários apresentavam um conteúdo mais abertamente alegre viveram aproximadamente dez anos a mais que as freiras cujos diários eram mais negativos ou neutros. Aos 85 anos, 90% do quartil mais feliz de freiras ainda estava vivo, em comparação com apenas 34% do quartil menos feliz.[11] As freiras que eram mais felizes aos 20 anos claramente não se sentiam assim porque sabiam que viveriam mais; sua saúde melhor e maior longevidade só poderiam ser o *resultado* de sua felicidade, e não a causa.

Esse estudo destaca outra pista para nos ajudar a solucionar o mistério do ovo e da galinha: a felicidade pode melhorar a nossa saúde física, o que, por sua vez, nos mantém trabalhando com mais rapidez e por mais tempo e, em consequência, aumenta nossas chances de sucesso. Essa revelação proporciona às empresas um incentivo adicional para se interessar pela felicidade de seus colaboradores, já que colaboradores mais saudáveis serão mais produtivos no trabalho. Pesquisas demonstram que colaboradores infelizes tiram mais dias de afastamento por doença, deixando de trabalhar em média 1,25 mais dias por mês ou 15 dias de afastamento a mais por ano.[12] E, mais uma vez, estudos constataram que a felicidade atua como a causa, não apenas o resultado, da boa saúde. Em um estudo para o qual fico contente de nunca ter me oferecido para participar, os pesquisadores pediram que os participantes respondessem a um questionário elaborado para mensurar os níveis de felicidade e depois injetaram neles uma linhagem de vírus da gripe.[13] Uma semana depois, os participantes mais felizes no início do estudo tinham combatido o vírus com muito mais eficácia do que os participantes menos felizes. E eles não só se sentiram melhor como também apresentaram menos sintomas objetivos da doença de acordo com a análise realizada por médicos – menos espirros, tosse, inflamação e congestão. O que isso significa é que empresas e líderes que tomam providências para cultivar um ambiente de trabalho feliz não apenas terão trabalhadores mais produtivos e eficientes como também terão menos absenteísmo e menos gastos com cuidados médicos.

A FELICIDADE NO CÉREBRO

Além desses estudos longitudinais, os cientistas descobriram mais evidências de que a felicidade causa o sucesso quando começaram a examinar como as emoções positivas afetam o funcionamento do nosso cérebro e alteram o nosso comportamento. Os psicólogos já sabem há um bom tempo que as emoções negativas limitam nossos pensamentos e amplitude de ações, o que teve um importante propósito evolucionário. Na época pré-histórica, se você visse um tigre dentes-de-sabre correndo em sua direção, o medo e o estresse ajudavam a liberar substâncias químicas para prepará-lo para lutar contra o tigre (o que nem sempre levava a um final feliz) ou fugir dele (em uma competição que você também poderia acabar perdendo). Mesmo assim, essas duas opções ainda eram melhores do que não fazer nada e simplesmente esperar pelo ataque. Então, qual seria o propósito evolucionário das emoções positivas? Até recentemente, os cientistas se satisfaziam em dizer que a felicidade só faz nos sentirmos bem, e as investigações terminavam por aí.

Felizmente, os últimos 20 anos mudaram tudo isso. Extensas pesquisas revelaram que a felicidade na verdade tem um propósito evolucionário muito importante, o que Barbara Fredrickson chamou de *Broaden and Build Theory*, ou teoria da expansão e construção.[14] Em vez de restringir as nossas ações a lutar ou fugir como fazem as emoções negativas, as positivas expandem o número de possibilidades que processamos, fazendo sermos mais ponderados, criativos e abertos a novas ideias. Por exemplo, participantes "preparados" – isto é, quando os cientistas os ajudam a evocar determinado estado de espírito ou emoção antes de realizar o experimento – para sentir-se entretidos ou contentes são capazes de ter uma variedade maior e mais ampla de pensamentos e ideias do que indivíduos preparados para sentir ansiedade ou raiva.[15] E, quando as emoções positivas ampliam nosso escopo cognitivo e comportamental dessa forma, não apenas fazem sermos mais criativos como também nos ajudam a desenvolver nossos recursos intelectuais, sociais e físicos com os quais vamos contar no futuro.

Pesquisas recentes demonstram que esse "efeito de expansão" na verdade é biológico; que a felicidade nos proporciona uma vantagem química concreta.

Como? Emoções positivas inundam o nosso cérebro com dopamina e serotonina, substâncias químicas que não apenas fazem nos sentir bem como também sintonizam os centros de aprendizado do cérebro em um patamar mais elevado. Elas nos ajudam a organizar informações novas, mantêm essas informações por mais tempo no cérebro e as acessam com mais rapidez no futuro. E nos permitem criar e sustentar mais conexões neurais, o que, por sua vez, nos possibilita pensar com mais rapidez e criatividade, ser mais hábeis em análises complexas e na resolução de problemas e enxergar e inventar novas maneiras de fazer as coisas.

Nós até chegamos a literalmente ver mais do que está ao nosso redor quando estamos nos sentindo felizes. Um estudo recente conduzido por pesquisadores da University of Toronto revelou que nosso estado de espírito é capaz de mudar o modo como o nosso córtex visual – a parte do cérebro responsável pela visão – processa as informações.[16] Nesse experimento, as pessoas foram predispostas à positividade ou à negatividade e depois solicitadas a olhar uma série de fotos. As que foram colocadas num clima negativo não processaram todas as imagens contidas nas fotos – deixando de ver partes substanciais do plano de fundo --, enquanto aquelas com estado de espírito positivo viram tudo. Experimentos de rastreamento do movimento ocular demonstraram a mesma coisa: as emoções positivas efetivamente expandem nosso campo de visão periférica.[17]

Pense nas vantagens que tudo isso nos proporciona no ambiente de trabalho. Afinal, quem não gostaria de enxergar soluções inovadoras, identificar oportunidades e perceber novos jeitos de pegar as ideias dos outros e desenvolvê-las? Hoje em dia, na nossa economia do conhecimento impulsionado pela inovação, o sucesso em praticamente todas as áreas de atuação profissional depende da capacidade de encontrar soluções novas e criativas para os problemas. Por exemplo, quando os pesquisadores da Merck começaram a estudar os efeitos de um medicamento chamado Finasterida, eles estavam em busca da cura para a hiperplasia prostática benigna, também conhecida como um crescimento do tamanho da próstata. No entanto, ao examinar os participantes da pesquisa, eles descobriram que muitos deles vinham apresentando um estranho efeito colateral: os cabelos deles estavam voltando a crescer. Felizmente, os pesquisadores da Merck foram capazes de enxergar o produto de bilhões de dólares no efeito colateral inesperado, e assim nasceu a Propecia, para o tratamento da calvície.

O Benefício da Felicidade explica por que empresas de software de vanguarda disponibilizam mesas de pebolim no *lounge*, por que o Yahoo! tem um salão de massagem e por que os engenheiros do Google são encorajados a levar o cachorro para o trabalho. Não se trata de meros estratagemas de relações públicas. Empresas inteligentes cultivam esses tipos de ambientes de trabalho porque, cada vez que os funcionários vivenciam uma pequena descarga de felicidade, eles se predispõem à criatividade e à inovação. Conseguem enxergar soluções que de outra forma passariam despercebidas. O famoso CEO Richard Branson disse que, "mais do que qualquer outro elemento, a diversão é o segredo do sucesso da Virgin". Isso não acontece só porque a diversão é... bem... divertida. Mas porque a diversão também leva a resultados concretos.

GELATINA NO ALMOÇO

Emoções positivas podem começar a abrir os nossos olhos e cabeça para novas soluções e ideias até quando criança. Em um estudo interessante, os pesquisadores pediram que crianças de 4 anos de idade realizassem uma série de tarefas de aprendizado, como separar blocos de diferentes formatos.[18] O primeiro grupo recebeu instruções neutras: por favor, junte esses blocos o mais rápido que puder. O segundo grupo recebeu as mesmas instruções, e depois foi instruído a pensar brevemente em algo que o faz feliz, antes de começar a tarefa. Com apenas 4 anos de idade, essas crianças obviamente não têm uma fartura de experiências felizes para escolher – elas não têm lembranças de realizações profissionais, cerimônias de casamento ou o primeiro beijo (pelo menos é o que esperamos). Dessa forma, muito provavelmente elas pensaram em algo como a gelatina que comeram no almoço. E mesmo assim bastou para fazer uma diferença. As crianças predispostas a se sentirem felizes apresentaram um desempenho significativamente mais elevado que as outras, concluindo a tarefa mais rapidamente e com menos erros.

Os benefícios de predispor o cérebro com pensamentos positivos também não terminam na infância. Pelo contrário, estudos revelaram que em todos os âmbitos, tanto acadêmicos quanto profissionais, esses mesmos benefícios se mantêm ao longo de toda a vida adulta. Por exemplo, estudantes instruídos a pensar no dia mais feliz da vida logo antes de realizar um teste de matemática padronizado apresentaram um desempenho melhor que os colegas.[19] E pessoas que expressaram mais emoções positivas ao negociar acordos foram mais eficientes e bem-sucedidas do que pessoas com uma postura mais neutra ou negativa.[20] As implicações desses estudos são inegáveis: as pessoas que mergulham de cabeça no trabalho esperando que isso mais cedo ou mais tarde lhes traga felicidade se colocam em uma enorme desvantagem, enquanto aquelas que capitalizam a positividade sempre que podem saem na frente.

DÊ UM PIRULITO AO SEU MÉDICO

Na faculdade de medicina, um dos métodos de treinamento dos futuros médicos para fazer diagnósticos é uma versão da arte da encenação. Eles são solicitados a diagnosticar pacientes hipotéticos, normalmente lendo uma lista dos sintomas do paciente e seu histórico médico. Trata-se de uma habilidade que requer muita criatividade, já que erros de diagnóstico muitas vezes resultam de uma inflexibilidade do raciocínio, um fenômeno chamado de "ancoragem". A ancoragem ocorre quando um médico tem dificuldade de abandonar um diagnóstico inicial (o ponto de ancoragem), mesmo diante de novas informações que contradizem a teoria inicial. Se você já assistiu a um episódio do seriado *House*, sabe como a criatividade é importante na medicina. As reviravoltas no estado de saúde dos pacientes exigem que o doutor House passe de um diagnóstico ao próximo na velocidade da luz. (O seriado exagera, é claro, mas na realidade mudanças como essas muitas vezes são de fato necessárias.) Dessa forma, para descobrir se emoções positivas poderiam afetar a eficácia do diagnóstico dos médicos, um trio de pesquisadores decidiu mandar um grupo de médicos experientes de volta à faculdade dando-lhes uma série desses conjuntos de sintomas para analisar.[21] Os médicos foram divididos em três grupos: um preparado para se sentir feliz, outro que recebeu afirmações neutras mas relacionadas à medicina para serem lidas antes do exercício e o grupo de controle, que não foi preparado.

O objetivo do estudo era não apenas verificar a velocidade com a qual os médicos chegavam ao diagnóstico correto como também o quanto eles conseguiam evitar a ancoragem. O resultado foi que médicos felizes chegaram aos diagnósticos corretos muito mais rapidamente além de serem muito mais criativos. Em média, eles chegaram ao diagnóstico correto depois de percorrer apenas 20% do roteiro – quase duas vezes mais rapidamente que o grupo de controle – e apresentaram duas vezes e meia menos ancoragem.

Mas a minha parte preferida do estudo foi o modo *como* os médicos foram predispostos a se sentirem felizes – com guloseimas! Não foi necessário oferecer uma recompensa em dinheiro, acenar com a possibilidade de uma promoção ou uma semana de férias para turbinar seu estado de espírito o suficiente para dobrar sua eficácia e mais do que dobrar sua criatividade. Bastou lhes dar um doce logo antes do início da tarefa. (E eles nem chegaram a comer o doce, para garantir que níveis mais elevados de glicose sanguínea não afetassem os resultados.) Isso revela algo importante sobre o Benefício da Felicidade na prática: até as menores descargas de positividade podem proporcionar uma vantagem competitiva substancial.

Duas implicações desses resultados nos vêm imediatamente à mente. Para começar, talvez os pacientes pudessem começar a oferecer pirulitos aos médicos, e não o contrário. Em segundo lugar, e o mais importante, talvez os hospitais devessem promover iniciativas mais sistemáticas para melhorar as condições de trabalho dos médicos, aumentando os benefícios, acrescentando mordomias ou só lhes possibilitando turnos mais curtos ou mais flexíveis. Se um simples docinho é capaz de aumentar a eficácia dos nossos médicos, imagine como o nosso sistema médico poderia ser mais preciso, mais eficiente e mais criativo se as políticas hospitalares se concentrassem mais na satisfação dos colaboradores (não apenas dos médicos, como também dos enfermeiros, estudantes de medicina e técnicos). Não é difícil perceber que esse estudo, e outros similares, apresenta lições de valor inestimável não apenas sobre como deveríamos administrar nossos hospitais como também nossas empresas e escolas.

O EFEITO DESTRUIDOR

Bryan, um vendedor de Des Moines, capital do estado de Iowa, já estava nervoso com a apresentação que estava prestes a dar quando ouviu alguém batendo à porta da sua sala. "Grande reunião às quatro", seu chefe o lembrou. "Você está pronto? A apresentação vai ser importantíssima. Precisamos fechar esse acordo. Não vá pisar na bola, amigo." Enquanto o chefe se distanciava pelo corredor, Bryan sentiu uma onda de estresse inundando seu corpo. Apesar de conhecer a apresentação de trás para frente, ele ficou tão nervoso que passou as próximas horas repassando-a repetidas vezes, tentando prever onde poderia se enganar e relembrando como seria terrível para a empresa se o negócio não fosse fechado.

Mal sabia Bryan que, quanto mais ele concentrava a mente nos efeitos potencialmente desastrosos de uma apresentação malsucedida, mais ele se fadava ao fracasso. Apesar de poder parecer um contrassenso para muitos calejados homens de negócios, hoje sabemos que a melhor coisa que Bryan poderia ter feito nessa situação era encontrar uma rápida descarga de felicidade.

Por que isso acontece? Porque, além de estender nossa capacidade intelectual e criativa, as emoções positivas também proporcionam um rápido antídoto para a ansiedade e o estresse físico, o que os psicólogos chamam de "efeito destruidor".[22] Em um experimento, os participantes eram solicitados a fazer uma apresentação difícil, com pouco tempo de preparação, e foram informados de que seriam filmados e avaliados pelos colegas.[23] Como você pode imaginar, isso levou a uma considerável ansiedade e uma elevação mensurável do ritmo cardíaco e pressão sanguínea

– exatamente como Bryan se sentiu antes de sua apresentação. Depois os pesquisadores dividiram aleatoriamente os participantes em grupos para assistir a um de quatro vídeos diferentes: dois induziam sentimentos de alegria e contentamento, um era neutro e o quarto era triste. E, como era de esperar, as pessoas preparadas com sentimentos positivos se recuperaram mais rapidamente do estresse e de seus efeitos físicos. Os filmes não apenas os fizeram se sentirem melhor como também destruíram os efeitos fisiológicos do estresse. Em outras palavras, uma rápida descarga de emoções positivas não apenas amplia nossa capacidade cognitiva como proporciona um rápido e poderoso antídoto contra o estresse e a ansiedade, o que, por sua vez, melhora o nosso foco e nossa capacidade de atingir nosso mais elevado nível de desempenho.

Dessa forma, em vez de intensificar o estresse de Bryan apontando tudo o que está em jogo com a apresentação, seu chefe se beneficiaria mais se salientasse os aspectos positivos, com algumas palavras de encorajamento ou lembrando Bryan de seus principais pontos fortes. Ou o próprio Bryan poderia ter empregado uma série de técnicas para estimular a positividade e desenvolver a confiança: visualizar-se fazendo uma apresentação clara e convincente, lembrando uma ocasião no passado na qual ele conseguiu fechar um grande negócio ou reservando um momento para fazer algo sem nenhuma relação com o trabalho, mas que o deixasse feliz – talvez dando um rápido telefonema a um amigo, lendo um artigo engraçado na Internet, assistindo a um vídeo divertido no YouTube ou dando uma volta no quarteirão. Algumas dessas sugestões podem soar excessivamente simples ou até ridículas em um ambiente de trabalho sério, mas, considerando que seu valor foi cientificamente comprovado, ridículo seria não utilizá-las. Todo mundo tem uma ou duas atividades rápidas que o faça sorrir e, por mais triviais que possam parecer, seus benefícios são inquestionáveis.

CAPITALIZAR O BENEFÍCIO DA FELICIDADE

É verdade que, para algumas pessoas, essa positividade vem mais naturalmente. Em uma ocasião, depois de ter detalhado o Benefício da Felicidade durante um treinamento corporativo, um executivo exasperado se levantou e disse: "Bem, isso tudo é muito bom para pessoas felizes, Shawn, mas e quanto a todas as outras pessoas? Nós também queremos desenvolver essa vantagem". Ele levantou uma boa questão e é verdade que, se o nosso nível de felicidade não pudesse ser mudado, todas essas informações seriam bastante deprimentes para os menos positivamente inclinados dentre nós. Felizmente, esse não é o caso. *Todos* nós podemos experimentar plenamente o

Benefício da Felicidade, se nos empenharmos nele o suficiente. Lembre-se de que a felicidade é mais do que apenas um estado de espírito – ela requer prática e empenho.

Antigamente, os cientistas acreditavam que a felicidade era quase totalmente hereditária (ditada por um "ponto de controle" geneticamente determinado). Mas, felizmente, eles descobriram que na verdade temos muito mais controle sobre o nosso próprio bem-estar emocional do que se costumava acreditar.[24] Apesar de cada um de nós ter um patamar de felicidade em torno do qual orbitamos todos os dias, se nos empenharmos sistematicamente, é possível elevá-lo de modo permanente de forma que, apesar das variações naturais, conseguiremos nos manter em um nível mais elevado.

Cada princípio apresentado neste livro contribui para pelo menos um, se não vários, dos fatores que os cientistas constataram ser mais cruciais para a felicidade humana, tais como buscar objetivos de vida que façam sentido, identificar oportunidades no mundo, cultivar uma postura otimista e de gratidão e manter relacionamentos sociais de valor.

Por mais importantes que possam ser essas grandes mudanças na forma de pensar e se comportar, é igualmente importante perceber que o Benefício da Felicidade também reside nos pequenos e momentâneos vislumbres de positividade que temos todos os dias da vida. Como já vimos, um mero vídeo engraçado, uma rápida conversa com um amigo ou até um pequeno presente ou doce é capaz de produzir grandes e imediatos aumentos de poder cognitivo e desempenho no trabalho. Como observa Barbara Fredrickson, apesar de a promoção de grandes mudanças e a busca da felicidade duradoura certamente constituírem objetivos valiosos, quando "paramos para analisar a dinâmica do processo", descobrimos que "deveríamos nos concentrar em como nos sentimos no dia a dia".[25]

Tendo isso em mente, existem várias maneiras comprovadas para melhorar nosso estado de espírito e elevar nosso nível de felicidade ao longo do dia. Cada atividade relacionada adiante não apenas nos proporciona uma rápida descarga de emoções positivas, melhorando nosso desempenho e nosso foco no momento, como também, se realizada habitualmente, nos ajuda a elevar permanentemente o nosso patamar de felicidade. Naturalmente, como a felicidade é subjetiva e não é igual para todas as pessoas, cada um de nós terá o seu próprio propulsor de felicidade predileto. Talvez no seu caso seja ouvir uma canção, conversar com um amigo, jogar basquete, fazer carinho em um cachorro ou até limpar a cozinha. Minha amiga Abby se sente estranhamente satisfeita limpando a casa. Pesquisadores descobriram que o "encaixe pessoa-atividade" muitas vezes é tão importante quanto a atividade em si, de forma que, se uma das dicas a seguir não fizer sentido para você, não a adote.[26] Em vez disso, encontre um substituto que se adapte melhor a você. A meta é simplesmente elevar seu estado de espírito e colocá-lo em uma condição mais positiva, para que você possa usufruir de tudo o que o Benefício da Felicidade tem a oferecer.

Medite. Os neurocientistas descobriram que monges que passam anos meditando apresentam um maior crescimento do córtex pré-frontal esquerdo, a principal parte do cérebro responsável pelo sentimento de felicidade. Mas não se preocupe. Você não precisa passar anos vivendo isolado e em silêncio como um celibatário. Bastam cinco minutos por dia observando sua respiração. Enquanto faz isso, tente ser paciente. Se perceber que a sua mente está se distraindo, induza-a a voltar ao foco. A meditação requer prática, mas é uma das intervenções mais poderosas para atingir a felicidade. Estudos demonstram que, nos minutos que se seguem à meditação, vivenciamos sentimentos de calma e contentamento, bem como uma maior conscientização e empatia. E pesquisas chegam a demonstrar que meditar regularmente pode reconfigurar permanentemente o cérebro para elevar os níveis de felicidade, reduzir o estresse e até melhorar o sistema imunológico.[27]

Encontre algo pelo qual aguardar com expectativa. Um estudo revelou que as pessoas que simplesmente *pensavam* em assistir a seu filme preferido, aumentavam seus níveis de endorfina em 27%.[28] Muitas vezes, a parte mais agradável de uma atividade é esperar por ela. Se você não puder tirar férias hoje mesmo ou não puder sair com os amigos esta noite, anote algo no calendário – mesmo se for para daqui a um mês ou um ano. Então, sempre que precisar de uma descarga de felicidade, lembre-se do evento que está por vir. Antecipar recompensas no futuro pode acionar os centros de prazer do seu cérebro tanto quanto a própria recompensa.

Adote gestos conscientes de bondade. Inúmeras pesquisas empíricas, inclusive um estudo com mais de 2 mil pessoas, demonstraram que atos de altruísmo – generosidade voltada tanto a amigos quanto a estranhos – reduzem o estresse e contribuem para uma melhor saúde mental.[29] Sonja Lyubomirsky, uma destacada pesquisadora e autora de *A ciência da felicidade*, descobriu que pessoas que realizaram cinco atos de gentileza no decorrer de um dia relatam sentirem-se muito mais felizes do que grupos de controle e que o sentimento se perpetua durante muitos dias, muito tempo depois de realizá-los.[30] Para tentar fazer isso, escolha um dia da semana e comprometa-se a realizar cinco atos de gentileza. Mas, se quiser colher os benefícios psicológicos, certifique-se de realizar esses atos deliberada e conscientemente – você não pode simplesmente lembrar o que fez nas últimas 24 horas e declarar posteriormente que eles foram atos de gentileza. ("Ah, é mesmo, eu abri a porta para aquele homem que estava saindo do banco. Foi gentil da minha parte.") E também não precisa ser nada grandioso. Um dos meus atos preferidos é pagar o pedágio para o carro atrás de mim na estrada. Em minha opinião, vale muito a pena pagar dois dólares a mais para combater os efeitos negativos do estresse provocado pelo trânsito.

Injete positividade no seu ambiente. Como veremos em detalhe no próximo capítulo, nosso ambiente físico pode ter um enorme impacto sobre o nosso estado de espírito e bem-estar. Apesar de nem sempre termos total controle sobre o nosso ambiente, podemos realizar atos específicos para injetar alguma positividade. Pense no seu escritório: quais sentimentos o ambiente inspira? As pessoas que enchem a mesa de fotos de pessoas queridas não estão apenas pensando na decoração – elas estão garantindo uma dose de emoção positiva cada vez que olham na direção das imagens. Reservar um tempo para dar um passeio em um belo dia de sol também resulta em uma enorme vantagem. Um estudo revelou que passar 20 minutos ao ar livre quando o tempo está bom não apenas eleva o estado de espírito positivo como também amplia o pensamento e melhora a memória operacional.[31] Os melhores chefes encorajam os colaboradores a dar uma saída do escritório pelo menos uma vez ao dia e colhem os benefícios na forma de um melhor desempenho da equipe.

Também podemos alterar o nosso ambiente evitando as emoções negativas. Se você se estressa cada vez que vê um painel de cotações da bolsa de valores, mude de canal para um filme relaxante. Por falar nisso, você também pode tentar assistir menos TV em geral. Estudos demonstram que, quanto menos programação negativa assistimos na TV, especialmente programas violentos, mais felizes somos. Isso não significa se isolar do mundo real ou ignorar os problemas, tapando o sol com a peneira. Psicólogos descobriram que pessoas que assistem menos à TV na verdade são capazes de julgar com maior precisão os riscos e as recompensas da vida do que aquelas que se expõem a histórias envolvendo criminalidade, tragédias e morte exibidas diariamente no noticiário.[32] Isso acontece porque essas pessoas se expõem menos a fontes de informações sensacionalistas ou parciais e, dessa forma, têm mais chances de ver a realidade com mais clareza.

Exercite-se. Você provavelmente já ouviu falar que o exercício físico libera substâncias químicas indutoras do prazer chamadas endorfinas, mas esse não é o único benefício. A atividade física pode melhorar o humor e nosso desempenho no trabalho de inúmeras outras maneiras, aumentando a motivação e intensificando sentimentos de controle, reduzindo o estresse e a ansiedade e nos ajudando a entrar "no fluxo" – aquela sensação fechada, de total envolvimento, que normalmente sentimos quando estamos no auge da nossa produtividade. Um estudo comprovou o poder dos exercícios físicos: três grupos de pacientes deprimidos foram alocados a diferentes estratégias de enfrentamento – um grupo tomou medicamentos antidepressivos, outro grupo se exercitou por 45 minutos três vezes por semana e um terceiro grupo utilizou uma combinação das duas estratégias.[33] Quatro meses depois, todos os três grupos vivenciaram melhorias similares no nível de felicidade. O simples fato de os exercícios se provarem tão úteis quanto os antidepressivos já é notável, mas a história não termina por aqui.

Os grupos foram testados seis meses depois para avaliar o índice de recaída. Do grupo que só tinha tomado os medicamentos, 38% voltaram a se deprimir. Os participantes do grupo de estratégias combinadas apresentaram resultados apenas ligeiramente melhores, com um índice de recaída de 31%. A maior surpresa, contudo, veio do grupo dos exercícios físicos: o índice de recaída deles foi de apenas 9%! Em resumo, a atividade física não apenas é um estimulador de humor incrivelmente poderoso como também tem ação duradoura. Caminhe, pedale, corra, jogue, alongue-se, pule corda, pula-pula... não importa, contanto que se mantenha em movimento.

Gaste dinheiro (mas não com "coisas"). Ao contrário do ditado popular, o dinheiro pode, sim, comprar a felicidade, mas só se utilizado para *fazer* coisas e não simplesmente *ter* coisas. Em seu livro *Luxury Fever*, Robert Frank explica que, apesar de os sentimentos positivos que obtemos de objetos materiais serem efêmeros a ponto de chegar a ser frustrantes, gastar dinheiro em experiências, especialmente aquelas envolvendo outras pessoas, produz emoções positivas ao mesmo tempo mais significativas e mais duradouras.[34] Por exemplo, quando os pesquisadores entrevistaram mais de 150 pessoas sobre suas compras recentes, descobriram que o dinheiro gasto em atividades – como shows de música ou jantares com os amigos – gerou muito mais prazer do que compras materiais, como sapatos, televisores ou relógios caros.[35] Gastar dinheiro com outras pessoas, a chamada "despesa social", também aumenta a felicidade. Em um experimento, 46 alunos receberam 20 dólares para gastar.[36] Aqueles que foram instruídos a gastar o dinheiro com os outros (por exemplo, pagando um almoço para um amigo, comprando um brinquedo para uma irmã caçula ou fazendo uma doação para uma instituição de caridade) se mostraram mais felizes no fim do dia do que aqueles que foram instruídos a gastar o dinheiro consigo mesmos.

Como você costuma gastar o seu dinheiro? Trace duas colunas em uma folha de papel (ou use dez minutos no trabalho para criar uma bela planilha eletrônica) e monitore as suas compras ao longo do próximo mês. Você gasta mais com coisas ou experiências? No fim do mês, repasse cada coluna e pense no prazer que o gasto lhe proporcionou e por quanto tempo. Você pode se ver rapidamente querendo realocar dinheiro da coluna "ter" para a coluna "fazer".

Exercite um dos seus pontos fortes. Todo mundo é bom em alguma coisa – você pode dar excelentes conselhos, pode lidar bem com crianças ou saber fazer um bolo de chocolate maravilhoso. Cada vez que utilizamos uma habilidade, não importa qual seja, vivenciamos uma descarga de positividade. Se você se vir precisando de uma bela dose de felicidade, recorra a um talento que passou um tempo sem usar.

Ainda mais gratificante do que utilizar uma habilidade, contudo, é exercitar o que se chama de "força de caráter", um traço profundamente inerente a quem somos. Uma equipe de psicólogos recentemente catalogou as 24 forças de caráter interculturais que mais contribuem para a prosperidade humana. Feito isso, eles elaboraram um levantamento abrangente identificando os cinco pontos mais fortes de uma pessoa, ou "assinaturas".[37] (Para saber quais são seus cinco principais pontos fortes, visite www.viasurvey.org e faça o levantamento de graça.) Quando 577 voluntários foram encorajados a escolher uma de suas forças características e utilizá-la de um jeito diferente todos os dias por uma semana, eles se sentiram significativamente mais felizes e menos deprimidos do que os grupos de controle.[38] E esses benefícios perduraram: mesmo depois do fim do experimento, seus níveis de felicidade permaneceram mais elevados até seis meses depois. Estudos constataram que, quanto mais você utiliza seus pontos fortes característicos na vida cotidiana, mas feliz é.

Um dos meus pontos fortes é o "amor pelo aprendizado", e me sinto visivelmente exaurido nos dias em que não tenho a chance de exercitar esse ponto forte. Dessa forma, tento encontrar maneiras de incorporar o aprendizado em algumas das minhas tarefas cotidianas mais enfadonhas. Por exemplo, meu trabalho me leva a viajar quase 300 dias por ano e o fluxo contínuo de aeroportos e hotéis pode afetar a minha saúde mental. Eu adoraria conhecer um museu em cada cidade que visito, mas infelizmente muitas vezes não tenho tempo para gastar. Então, decidi que, para cada nova cidade que visitar, aprenderia um fato histórico. Até esse pequeno exercício cognitivo faz uma enorme diferença no meu estado de espírito ao voar de um continente ao outro. Descubra no levantamento quais são os seus pontos fortes característicos e tente incorporar pelo menos um deles na sua vida todos os dias.

À medida que integrar esses exercícios de felicidade na sua vida cotidiana, você não apenas começará a se *sentir* melhor como também começará a notar de que forma a sua positividade reforçada melhora a sua eficiência, a sua motivação, a sua produtividade e abre oportunidades para maiores realizações. Mas o Benefício da Felicidade não termina por aqui. Ao mudar sua forma de trabalhar e a maneira como lidera as pessoas, você pode aumentar o sucesso da sua equipe e de toda a sua organização.

COLOQUE OS BOIS NA FRENTE DA CARROÇA: LIDERANDO COM O BENEFÍCIO DA FELICIDADE

Qualquer um pode propagar ondas de positividade no ambiente de trabalho. Mas uma das coisas que descobri trabalhando com gestores e empresas é que isso se aplica ainda mais a líderes ou pessoas em posição de autoridade – principalmente porque: (a) são eles que determinam as políticas da empresa e mais influenciam a cultura do ambiente de trabalho; (b) muitas vezes se espera que eles deem o exemplo aos colaboradores; e (c) eles tendem a interagir com o maior número de pessoas ao longo do dia. Infelizmente, no ambiente de trabalho moderno, os líderes muitas vezes menosprezam a ideia de que se concentrar na felicidade pode levar a resultados financeiros concretos. Chefes e gestores tendem a valorizar mais os colaboradores capazes de trabalhar sem tirar folgas ou férias e que não "perdem" tempo se socializando. Poucos executivos encorajam seus colaboradores a interromper o dia de trabalho para se exercitar ou meditar ou permitem que eles saiam 30 minutos mais cedo uma vez por semana para se envolver em algum trabalho voluntário – mesmo levando em conta que, como demonstram as pesquisas, o retorno sobre o investimento para cada uma dessas atividades é enorme.

Ainda mais equivocados, contudo, são os gestores que desencorajam até mesmo as atividades que envolvem um investimento de tempo relativamente pequeno. A maioria das pessoas com as quais trabalho admite que ficaria envergonhada ou constrangida se o chefe passasse por perto e as visse rindo de um vídeo no YouTube, conversando ao telefone com o filho de 5 anos ou contando uma piada aos colegas no corredor. Mas, como já vimos, todas essas práticas proporcionam exatamente o tipo de descarga rápida de emoções positivas que pode melhorar o nosso desempenho no trabalho. E os chefes que desencorajam a positividade em seus colaboradores estão em dupla desvantagem, porque eles mesmos tendem a ser as pessoas mais negativas. Em resumo, sacrificar a positividade em nome da administração do tempo e da eficiência acaba nos refreando.

Os melhores líderes usam o Benefício da Felicidade como uma ferramenta para motivar suas equipes e maximizar o potencial dos colaboradores. Todos nós sabemos como isso pode ser feito no nível organizacional. O Google tem a fama de disponibilizar lambretas nos corredores, videogames na sala de descanso e chefs gourmet no refeitório para seu pessoal. O fundador da Patagônia instituiu uma política que eles chamam de "Deixe Meu Pessoal Sair para Surfar". (Ele disse para os colaboradores que, se estiverem a fim, podem simplesmente pegar a prancha de surfe no armário do escritório e sair para pegar onda.) Os dados deixam absolutamente claro que políticas como essas – bem como propulsores convencionais da felicidade como grupos de ginástica, assistência médica ou creches no local de trabalho – invariavelmente rendem grandes dividendos. A Coors Brewing Company, por exemplo, divulgou um retorno de lucratividade de 6,15 dólares para cada 1 dólar gasto em seu programa corporativo de condicionamento físico.[39] A Toyota vivenciou uma explosão instantânea de produtividade quando instituiu um treinamento voltado ao desenvolvimento de pontos fortes para os funcionários de seu North American Parts Center.[40] Mas também é verdade que não é necessário promover mudanças políticas revolucionárias como essas para colher os benefícios da felicidade. Como vimos, até os momentos mais triviais de positividade no ambiente de trabalho podem aumentar a eficiência, a motivação, a criatividade e a produtividade.

Uma maneira de fazer isso é simplesmente reconhecer e encorajar com frequência os colaboradores. Como comprovam os estudos, os gestores que fazem isso veem um aumento substancial da produtividade de suas equipes. As melhorias são de fato significativas. Um estudo revelou que equipes de projeto com gestores encorajadores apresentaram um desempenho 31% melhor que equipes cujos gestores são menos positivos ou menos propensos a fazer elogios.[41] Com efeito, quando um elogio é específico e deliberado, chega a ser ainda mais motivador que um reconhecimento em dinheiro.[42]

O reconhecimento pode ser feito de maneira tradicional – um e-mail elogioso ou um tapinha nas costas pelo trabalho benfeito. Mas você também pode ser criativo. Um dos exemplos de que mais gosto é o citado pelo consultor de negócios Alexander Kjerulf, que fala de uma empresa automobilística dinamarquesa que instituiu "A Ordem do Elefante".[43] O elefante em questão é um bicho de pelúcia de 60 centímetros de altura que qualquer funcionário pode dar a outro como recompensa por alguma ação exemplar. Os benefícios não se evidenciam apenas ao dar e receber o merecido prêmio, perdurando ao longo do tempo. Como explica Kjerulf, "os colegas de trabalho que passam por perto imediatamente notam o elefante e dizem: 'Ei, você ganhou o elefante! O que você fez?', o que, é claro, significa que as histórias de sucesso e melhores práticas são contadas e recontadas inúmeras vezes".

Chip Conley, CEO de uma rede incrivelmente bem-sucedida de butiques de hotel, reserva um tempo no fim das reuniões de executivos para permitir que uma pessoa fale por um minuto sobre alguém na empresa que merece reconhecimento.[44] Pode ser um colega executivo ou alguém muito abaixo na hierarquia da organização, como um supervisor ou um faxineiro. Depois de o executivo explicar, em um minuto, por que essa pessoa merece o reconhecimento, outro executivo presente na reunião se oferece para telefonar para o colaborador, lhe enviar um e-mail ou visitá-lo pessoalmente para elogiá-lo pelo bom trabalho. Não se trata de uma mera gentileza; os benefícios são enormes. O colaborador que recebe o reconhecimento obviamente se sente muito bem e o mesmo pode ser dito dos dois executivos – o que fez a recomendação e o que fez o elogio. O estado de espírito de todos os outros também se eleva – eles ficam a par do bom trabalho que está sendo realizado na empresa e passam os próximos dias tentando identificar o bom trabalho de outros colaboradores que também gostariam de recomendar na próxima reunião.

Tão importante quanto *o que* se diz aos colaboradores é *como* a mensagem é transmitida – os melhores líderes sabem que dar instruções em um tom agressivo e negativo restringe o desempenho dos colaboradores antes mesmo de eles começarem a realizar a tarefa. Um estudo conduzido na Yale School of Management mostra perfeitamente o que acontece.[45] Estudantes que se oferecem para participar do experimento são alocados em equipes para realizarem juntos algumas tarefas com o objetivo de ganhar dinheiro para uma empresa imaginária. Então, entra, o "gerente" do projeto, que na verdade é um ator instruído para falar em determinado tom: com "alegria e entusiasmo", "cordialidade e tranquilidade", "apatia e desânimo" ou "irritabilidade e hostilidade". Desses quatro grupos, dois deles não apenas assumiram uma postura mais positiva como também se provaram muito mais eficazes que os outros, gerando mais lucros para suas empresas. De quais grupos você acha que estou falando?

Agora pense em qual desses quatro tons você usa com mais frequência. Você pode se surpreender, mas muitas vezes não temos nenhuma ciência das mensagens que enviamos. Lembro de uma ocasião, durante uma palestra, na qual uma mulher na plateia passou o tempo todo me encarando com uma expressão de desagrado. Mas, depois da palestra, ela fez questão de esperar na fila para me dizer pessoalmente o quanto gostou da apresentação. Eu fiquei chocado. Depois, fiquei pensando no tanto de negatividade que ela estava provavelmente espalhando em seu ambiente de trabalho todos os dias sem perceber. Dessa forma, da próxima vez que interagir com um colega ou subordinado direto, esforce-se para adotar um tom e uma expressão mais positivos. Isso não significa que você deve ser falso, ocultar seus verdadeiros sentimentos ou forçar sorrisos constrangidos. Mas, quanto mais você se empenhar para evitar um tom apático ou irritado, mais o desempenho de sua equipe será satisfatório.

Isso não se aplica somente a ambientes corporativos. Em ambientes considerados ainda mais estoicos do que a América corporativa – como, os militares –, os líderes que expressam abertamente a positividade são os que obtêm o melhor desempenho de suas equipes. Pesquisadores descobriram que, na Marinha dos Estados Unidos, prêmios anuais pela eficiência e prontidão são agraciados com muito mais frequência a esquadrões cujos comandantes são abertamente encorajadores.[46] Por outro lado, os esquadrões com as mais baixas pontuações de desempenho geralmente são liderados por comandantes com uma postura negativa, controladora e distante. Mesmo em um ambiente no qual seria natural achar que o estilo de liderança militar mais rigoroso é o mais eficaz, a positividade se mostra mais vantajosa.

A LINHA DE LOSADA

Infelizmente, sempre haverá os céticos e descrentes que admitem que a felicidade pode fazer o trabalho ser mais agradável, mas resistem à noção de que ela é capaz de proporcionar uma vantagem competitiva concreta e mensurável. Isso é péssimo. Eles podem achar que não é natural concentrar-se na felicidade em um ambiente de negócios sério, podem considerar isso um desperdício de tempo e esforço ou podem acreditar que o encorajamento e o reconhecimento deveriam ser utilizados como recompensas pelo bom desempenho, e não como ferramentas para melhorar o desempenho. E, para alguns líderes, a positividade simplesmente é menos natural do que para outros. Como disse o executivo de um banco londrino depois que lhe dei uma ideia de como ele poderia injetar alguma positividade em seu ambiente de trabalho: "É uma excelente ideia. Eu jamais farei isso". Para ajudar esses líderes a capitalizar o Benefício da Felicidade, costumo recomendar que eles mantenham uma coisa em mente: o número 2.9013. Pode parecer um número aleatório, mas sua importância é comprovada por uma década de pesquisas sobre níveis de desempenho altos e baixos em equipes acompanhadas pelo psicólogo e consultor de negócios Marcial Losada.[47]

Com base na extensa modelagem matemática desenvolvida por Losada, 2.9013 é a proporção mínima entre interações positivas e negativas necessária para fazer uma equipe corporativa ter sucesso. Isso significa que são necessárias cerca de três experiências, expressões ou comentários positivos para combater os efeitos debilitantes de uma experiência, expressão ou comentário negativo. Caia abaixo desse ponto crítico, atualmente conhecido como a Linha de Losada, e o desempenho no ambiente de trabalho entra rapidamente em colapso. Mantenha-se acima dele – de preferência, conforme os resultados da pesquisa, para uma razão de 6 para 1 – e as equipes apresentam seu desempenho máximo.

E essa não é apenas uma fórmula matemática hermética. O próprio Losada observou inúmeros exemplos na prática. Por exemplo, ele trabalhou em uma companhia mineradora global que apresentava perdas de processo superiores a 10% e não foi surpresa alguma quando ele descobriu que a razão de positividade na empresa era de apenas 1,15. Mas, depois que os líderes de equipe foram instruídos a dar feedbacks mais positivos e encorajar mais interações positivas, a razão das equipes subiu para uma média de 3,56. Isso levou a enormes avanços na produção, melhorando o desempenho em mais de 40%.

Apesar de originalmente cético, o CEO da empresa não pôde deixar de exultar a "notável transformação". Ele confidenciou a Losada: "Você desatou os nós que nos aprisionavam: hoje, nós temos uma postura diferente em relação uns aos outros, nós confiamos mais uns nos outros, aprendemos a discordar sem sermos desagradáveis. Não nos interessamos apenas pelo nosso sucesso pessoal, mas também nos interessamos pelo sucesso alheio. E, o mais importante, obtemos resultados tangíveis".

O coeficiente matemático de Losada se soma ao número cada vez maior de evidências em defesa do Benefício da Felicidade -- constituindo apenas mais uma maneira pela qual avanços científicos desencadearam uma revolução copernicana no ambiente de trabalho. Quando aceitamos essa nova ordem no universo do trabalho – que a felicidade é o centro ao redor do qual orbita o sucesso –, podemos mudar a forma como trabalhamos, interagimos com os colegas e lideramos nossas equipes, possibilitando uma vantagem competitiva na nossa carreira e na nossa organização como um todo.

NOTAS

1. Note que não estou afirmando que a felicidade é o centro de tudo, mas apenas uma importante causa do sucesso. Deixo o debate sobre ela ser o centro de tudo aos filósofos e teólogos, mais espertos do que eu. Ou a cada leitor.
2. DIENER, E.; BISWAS-DIENER, R. *Happiness:* unlocking the mysteries of psychological wealth. Malden, MA: Wiley-Blackwell, 2008. p. 4.
3. Sobre um estudo empírico desses três caminhos distintos para a felicidade, veja: PETERSON, C.; PARK, N.; SELIGMAN, M. E .P. Orientations to happiness and life satisfaction: the full life versus the empty life. *Journal of Happiness Studies*, 2005. 6, p. 25-41.
4. PETERSON, C. *A primer in positive psychology*. New York: Oxford University Press, 2006. p. 79.
5. FREDRICKSON, B. *Positivity*. New York: Crown Publishers, 2009. p. 39.
6. LYUBOMIRSKY, S.; KING, L.; DIENER, E. The benefits of frequent positive affect: Does Happiness Lead to Success? *Psychological Bulletin*, 2005, 131. p. 803-855.
7. LYUBOMIRSKY, S.; KING, L.; DIENER, E. The benefits of frequent positive affect: Does Happiness Lead to Success? *Psychological Bulletin*, 2005, 131, p. 834.

8. STAW, B.; SUTTON, R.; PELLED, L. Employee positive emotion and favorable outcomes at the workplace. *Organization Science*, 1994, 5, p. 51-71.

9. DIENER, E.; NICKERSON, C.; LUCAS, R. E.; SANDVIK, E. Dispositional affect and job outcomes. *Social Indicators Research*, 2002, p. 229-259.

10. DANNER, D.; SNOWDON, D.; FRIESEN, W. Positive emotions in early life and longevity: findings from the nun study. *Journal of Personality and Social Psychology*, 2001, 80, p. 804-813.

11. SELIGMAN, M. E. P. *Authentic happiness*. New York: Free Press, 2002. p. 4.

12. Gallup-Healthways Well-Being Index. (2008). Citado em artigo da Associated Press. *Poll:* unhappy workers take more sick days, 18 jun. 2008.

13. COHEN, S.; DOYLE, W. J.; TURNER, R. B.; ALPER, C. M.; SKONER, D. P. Emotional style and susceptibility to the common cold. *Psychosomatic Medicine*, 2003, 65, p. 652-657.

14. FREDRICKSON, B. L. What good are positive emotions. *Review of General Psychology*, 1998, 2, p. 300-319; FREDRICKSON, B. L. The role of positive emotions in positive psychology: the broaden-and-build theory of positive emotions. *American Psychologist*, 2001, 56, p. 218-226.

15. FREDRICKSON, B. L.; BRANIGAN, C. Positive emotions broaden the scope of attention and thought-action repertoires. *Cognition and Emotion*, 2005, 19, p. 313-332.

16. SCHMITZ, T. W.; DE ROSA, E.; ANDERSON, A. K. Opposing influences of affective state valence on visual cortical encoding. *Journal of Neuroscience*, 2009, 29, p. 7.199-7.207.

17. GALLAGHER, W. *Rapt*. New York: Penguin, 2009. p. 36.

18. MASTER, J. C.; BARDEN, R. C.; FORD, M. E. Affective states, expressive behavior, and learning in children. *Journal of Personality and Social Psychology*, 1979, 37, p. 380-90.

19. BRYAN, T.; BRYAN, J. Positive mood and math performance. *Journal of Learning Disabilities*, 1991, 24, p. 490-494.

20. KOPELMAN, S.; ROSETTE, A. S.; THOMPSON, L. The three faces of Eve: strategic displays of positive, negative, and neutral emotions in negotiations. *Organizational Behavior and Human Decision Processess*, 2006, 99, p. 81-101.

21. ESTRADA, C. A.; ISEN, A. M.; YOUNG, M. J. Positive affect facilitates integration of information and decreases anchoring in reasoning among physicians. *Organizational Behavior and Human Decision Processes*, 1997, 72, p. 117-135.

22. FREDRICKSON, B. L.; MANCUSO, R. A.; BRANIGAN, C.; TUGADE, M. M. The undoing effect of positive emotions. *Motivation and Emotion*, 2000, 24, p. 237-258.

23. FREDRICKSON, B. L.The role of positive emotions in positive psychology: The broaden-and-build theory of positive emotions. *American Psychologist*, 2001, 56, p. 218-226, p. 222.

24. LYUBOMIRSKY, S.; SHELDON, K.; SCHADE, D. Pursuing happiness: the architecture of sustainable change. *Review of General Psychology*, 2005, 9, p. 111-131.

25. WINTER, A. The science of happiness. *The Sun Magazine*, maio 2009.

26. LYUBOMIRSKY, S. *The how of happiness*. New York: Penguin, 2007. p. 70.

27. SHAPIRO, S. L.; SCHWARTZ, G. E. R.; SANTERRE, C. Meditation and positive psychology. In: SNYDER, C. R.; LOPEZ, S. J. (Ed.). *Handbook of Positive Psychology*. New York: Oxford University Press, 2005. p. 632-645.

28. Just the expectation of a mirthful laughter experience boosts endorphins 27 percent, HGH, 87 percent. *American Physiological Society*. Disponível em: <http://www.physorg.com/news63293074.html>. Acesso em: 3 abr. 2006.

29. POST, S. G. Altruism, happiness, and health: it's good to be good. *International Journal of Behavioral Medicine*, 2005, 12, p. 66-77; SCHWARTZ et al. Altruistic social interest behaviors are associated with better mental health.

Psychosomatic Medicine, 2003, 65, p. 778-785.

30. LYUBOMIRSKY, S. *The how of happiness*. New York: Penguin, 2007. p. 127-129.

31. KELLER, M. C.; et al. A warm heart and a clear head: the contingent effects of mood and weather on cognition. *Psychological Science*, 2005. 16. p. 724-731. GERBER, G. L.; et al. The 'main-streaming' of America: violence profile n. 11. *Journal of Communication*, 30, p. 10-29. Citado em Barbara Fredrickson, *Positivity*, 1980. p. 173.

32. BABYAK, M.; BLUMENTHAL, J.; HERMAN, S.; KHATRI, P.; DORAISWAMY, P.; MOORE, K.; CRAIGHEAD, W.; BALDEWICZ, T.; KRISHNAN, K. Exercise treatment for major depression: Maintenance of therapeutic benefit at ten months. *Psychosomatic Medicine*, 2000, 62, p. 633-638.

33. FRANK, R. H. *Luxury fever*. New York: Princeton University Press, 2000.

34. LANDAU, E.; Study: experiences make us happier than possessions, 10 fev. 2009. CNN.com. Disponível em: <http://www.cnn.com>. Para uma discussão muito mais aprofundada dos maiores benefícios psicológicos das experiências em relação aos bens materiais, veja o artigo: VAN BOVEN, L.; GILOVICH, T. To do or to have? That is the question. *Journal of Personality and Social Psychology*, 2003, 85(6), p. 1.193-1.202.

35. DUNN, E.; AKNIN, L. B.; NORTON, M. I. Spending money on others promotes happiness. *Science*, 2008, 319. p. 1.697-1.688.

36. Veja o website da VIA Signature Strengths Assessment, University of Pennsylvania. Disponível em: <http://www.authentichappiness.sas.upenn.edu/testcenter.aspx>.

37. SELIGMAN, M. E. P.; STEEN, T. A.; PARK, N.; PETERSON, C. Positive psychology progress: empirical validation of interventions. *American Psychologist*, 2005, 60, p. 410-421.

38. LOEHR, J.; SCHWARTZ, T. *The power of full engagement:* managing energy, not time, is the key to performance and personal renewal. New York: Free Press, 2003. p. 65.

39. CONNELLY, J. All together now. *Gallup Management Journal*, 2002, 2, p. 12-18.

40. GREENBERG, M. H.; ARAKAWA, D. Optimistic managers and their influence on productivity and employee engagement in a technology organization. Citado em ROBISON, J. The business benefits of positive leadership. *Gallup Management Journal*, 10 maio 2007.

41. Para saber mais sobre o que mais nos motiva, veja DECI, E. L. *Why we do what we do.* New York: Penguin, 1996.

42. KJERULF, A. Happy hour is 9 to 5. *Lulu Publishing*, 2006.

43. CONLEY, J. *Peak:* how great companies get their mojo from maslow. New York: Jossey-Bass, 2007.

44. BARSADE, S. G. The ripple effect: emotional contagion and its influence on group behavior. *Administrative Science Quarterly*, 2002, 47, p. 644-675.

45. BACHMAN, W. Nice guys finish first: A SYMLOG analysis of U.S. Naval commands. In: POLLEY, R. B. et al. (Ed.) *The SYMLOG Practitioner:* applications of small group research. New York: Praeger, 1988. Citado em GOLEMAN, D. *Working with emotional intelligence*. New York: Bantam, 1998. p. 188.

46. LOSADA, M. The complex dynamics of high performance teams. *Mathematical and Computer Modeling*, 199, 30, p. 179-192; LOSADA, M.; HEAPHY, E. The role of positivity and connectivity in the performance of business teams: a nonlinear dynamics model. *American Behavioral Scientist*, 2004. 47(6), p. 740-765. FREDRICKSON, B. L.; LOSADA, M. Positive affect and the complex dynamics of human flourishing. *American Psychologist*, 2005. 60(7), p. 678-686. Para saber mais sobre o fascinante trabalho de Losada e sua colaboração com Barbara Fredrickson, veja o livro de Fredrickson Positivity, p. 120-138.

47. LOSADA, M. Work teams and the Losada Line: new results. *Positive Psychology News Daily*. 9 dez. 2008. Disponível em: <http://positivepsychologynews. com/news/guest-author/200812091298>.

PRINCÍPIO 2:
O PONTO DE APOIO E A ALAVANCA

Melhore o seu desempenho mudando a sua atitude

Apaixonei-me pela psicologia no dia em que minha irmã caiu da cama.

Quando eu tinha 7 anos de idade, minha irmã Amy e eu estávamos brincando na cama de cima do nosso beliche. Amy tinha dois anos a menos que eu na época (a propósito, uma diferença que se mantém até hoje) e isso significava que ela tinha que fazer o que eu queria. Eu queria brincar de guerra (nasci no Texas), de forma que alinhei todos os meus G.I. Joes e soldados na parte de cima do beliche contra todas as bonecas e unicórnios dela na parte de baixo. Eu me sentia confiante em relação ao resultado; não é necessário ser um profundo conhecedor de história militar para saber que muito raramente os unicórnios derrotam soldados armados no campo de batalha.

No entanto, os relatos são discordantes no que se refere ao que aconteceu no calor da batalha naquele dia. Como sou eu quem está contando a história, então vou contar a versão correta. A minha irmã se empolgou um pouco demais e, sem nenhuma ajuda da minha parte, caiu do beliche de cima. Ouvi um baque no chão e espiei nervosamente pelo canto da cama para ver o que tinha acontecido com a minha irmãzinha.

Amy tinha caído de quatro no chão. Fiquei extremamente nervoso. Em primeiro lugar porque minha irmã era e ainda é minha melhor amiga. E o mais importante, contudo, era que eu tinha sido encarregado pelos meus pais de garantir que minha irmã e eu brincássemos no maior silêncio e segurança possível, enquanto eles tiravam um longo e merecido cochilo. Olhei para o rosto da minha irmã e notei que um urro de dor e sofrimento estava prestes a irromper descontroladamente da boca dela, ameaçando despertar meus pais. A crise é a mãe de todas as invenções, de forma que fiz a única coisa que ocorreu ao meu pequeno e desesperado cérebro de 7 anos de idade. Eu disse: "Amy, espere aí! Espere. Você viu como você caiu? Nenhum ser humano cai de quatro assim. Você é um unicórnio!".

Agora, aquilo foi uma grande trapaça, porque eu sabia que não havia nada no mundo que minha irmã mais desejava do que descobrir que não era apenas uma garotinha de 5 anos de idade, mas sim um unicórnio mágico. O urro congelou na garganta da minha irmã enquanto a confusão dominava seu rosto. Era possível ver o conflito nos olhos dela enquanto seu cérebro tentava decidir se ela devia se concentrar na dor física que estava sentindo ou em sua empolgação com sua recém-descoberta identidade de unicórnio. Felizmente, a empolgação venceu. Em vez de chorar, acordar meus pais e todas as consequências negativas que teriam se seguido a isso, um sorriso se abriu no rosto dela e ela pulou orgulhosamente de volta à cama superior com toda a graciosidade de um bebê unicórnio.

Minha irmã e eu não fazíamos ideia de que tínhamos deparado, nas tenras idades de 5 e 7 anos, com o que a vanguarda da revolução científica que viria a se desenvolver duas décadas mais tarde. Não, nós não aprendemos que você pode mentir e manipular as pessoas para que elas sejam felizes mesmo diante da dor e do sofrimento. O que aprendemos foi muito mais poderoso: uma grande verdade científica sobre o cérebro humano.

Apesar de nunca termos utilizado esses termos, minha irmã e eu começamos a perceber que o nosso cérebro é como um processador capaz de dedicar apenas um volume finito de recursos à experiência do mundo. Como os recursos do nosso cérebro são limitados, somos colocados diante de uma escolha: usar esses recursos finitos para ver só dor, negatividade, estresse e incerteza, ou utilizar esses recursos para ver o mundo através das lentes da gratidão, da esperança, da resiliência, do otimismo e de um senso de propósito.

Em outras palavras, apesar de naturalmente não ser possível mudar a realidade só pela força de vontade, podemos usar nosso cérebro para mudar o modo como *processamos* o mundo, o que, por sua vez, muda o modo como reagimos a ele. A felicidade não é uma questão de mentir para nós mesmos ou tentar tampar o sol da negatividade com a peneira, mas, sim, ajustar o nosso cérebro para enxergar maneiras de nos elevar acima das nossas circunstâncias.

A FÓRMULA DE ARQUIMEDES

Arquimedes, o maior cientista e matemático da Grécia antiga, ficou famoso por afirmar: "Dê-me uma alavanca longa o suficiente e um ponto de apoio, e moverei o mundo".

Dois mil e duzentos anos mais tarde, observando, no dormitório de Harvard, os estudantes se preparando para um exame, tive meu próprio momento eureca: o nosso cérebro também funciona de acordo com a fórmula arquimediana.

Pegue, por exemplo, uma gangorra. Em uma gangorra, o ponto de apoio fica exatamente no centro entre os dois lugares. Se dois garotos, cada um pesando 50 quilos, se sentarem à mesma distância do ponto de apoio em extremidades opostas da gangorra, eles se equilibrarão (até começarem a se impelir alternadamente para cima e para baixo). Agora imagine dois garotos, um pesando 50 quilos e o outro pesando 75 quilos, na mesma situação. O garoto menor ficará suspenso no ar até o maior impulsionar a gangorra para cima com os pés no chão ou (como os meninos algumas vezes gostam de fazer) até que o maior saia da gangorra fazendo o menor cair com tudo no chão.

Mas o que acontece se movermos o ponto de apoio? Quanto mais aproximamos o ponto central, o ponto de apoio, na direção do menino mais pesado, mais fácil fica elevá-lo. Se continuarmos movendo o ponto de apoio nessa direção, o menino mais leve vai acabar pesando mais que seu companheiro mais pesado. Aproxime o ponto de apoio o suficiente do garoto mais pesado e o mais leve pode sair da gangorra e com um único dedo usar a alavanca constituída pela gangorra para elevar seu amigo mais pesado. Em outras palavras, ao mover esse ponto de apoio em torno do qual a energia é aplicada, é possível transformar uma gangorra em uma poderosa alavanca.

Foi exatamente o que Arquimedes quis dizer com sua famosa frase. Se tivermos uma alavanca longa o suficiente e um bom lugar para nos posicionar – um ponto de apoio –, podemos mover o mundo inteiro.

O que percebi é que o nosso cérebro funciona exatamente da mesma maneira. Nosso poder de maximizar nosso potencial se baseia em dois fatos importantes: (1) o comprimento da nossa alavanca – quanto poder e potencial acreditamos ter e (2) a posição do nosso ponto de apoio – a atitude com a qual geramos o poder de mudar.

O que isso significa em termos práticos é que, não importa se você seja um estudante em busca de notas melhores, um executivo júnior em busca de um salário mais alto ou um professor procurando inspirar melhor seus alunos, você não precisa se empenhar tanto para gerar poder e produzir resultados. Como vimos na Parte I, o nosso potencial não é fixo. Quanto mais movemos o nosso ponto de apoio (ou atitude mental), mais a nossa alavanca se alonga e, em consequência, mais poder geramos. Mova o ponto de apoio de forma que toda a força vá para a atitude mental negativa e nunca sairá do chão. Mova o ponto de apoio para uma atitude mental positiva e o poder da alavanca é intensificado – e você pode levantar o que quiser.

Dito de forma simples, ao mudar o ponto de apoio da nossa atitude mental e alongar nossa alavanca de possibilidades, alteramos o que é possível. Não é o peso do mundo que define o que podemos realizar. São o nosso ponto de apoio e a nossa alavanca.

MOVA O PONTO DE APOIO, MUDE A REALIDADE

Na faculdade, fiz um curso chamado "A revolução de Einstein", com um dos professores mais apaixonados que já conheci, Peter Galison. No primeiro dia do curso, todos os estudantes da área de Humanas tremiam diante do difícil conteúdo. Lembro-me de ter sussurrado a um dos meus amigos durante a primeira aula, de apresentação do curso: "Se Einstein levou 20 anos, como conseguiremos aprender tudo isso em um semestre?". Mas de alguma forma Galison conseguiu pegar um dos temas mais complexos da física e o apresentou de uma maneira palatável.

Segundo a Teoria Especial da Relatividade de Einstein, muitas das leis aparentemente invioláveis do universo são alteradas de acordo com o observador. Em consequência, algumas incríveis impossibilidades em um mundo aparentemente "objetivo e fixo" de repente se tornaram possíveis. Por exemplo, pense em duas pessoas, uma parada e outra viajando quase na velocidade da luz. O bom senso pode lhe dizer que as duas envelhecerão na mesma velocidade, mas na verdade a pessoa que está parada envelhece mais rapidamente porque o tempo se dilata com o movimento, do ponto de vista do observador que está parado. Em outras palavras, o tempo, que antes se acreditava ser fixo e imutável, na verdade varia em relação ao movimento. De acordo com Einstein, tudo, inclusive fatores como comprimento, distância e tempo, é relativo. Se isso parece incrível, pense em como esse conceito revolucionou o mundo antes perfeitamente organizado da física clássica.

O conceito da relatividade não se limita ao âmbito da física. Cada segundo da nossa própria experiência deve ser vivenciado por um cérebro relativo e subjetivo. Em outras palavras, a "realidade" não passa do entendimento relativo que o nosso cérebro faz do mundo baseado em onde e como observamos o mundo. E, o mais importante, podemos mudar essa perspectiva a qualquer momento, alterando o modo como vivenciamos o mundo ao nosso redor. É isso que quero dizer com "mover nosso ponto de apoio". Basicamente, a nossa atitude mental e, por sua vez, a nossa experiência do mundo, nunca é fixa, mas muda constantemente em um fluxo contínuo. Se você se impressionou com essa ideia, imagine como um grupo de homens de 75 anos de idade se chocou quando se viu subitamente viajando de volta no tempo.

VOLTAR O RELÓGIO

Se existe uma coisa que acreditávamos saber com certeza é que o tempo só se move em uma única direção. Pelo menos essa era a visão predominante até a minha mentora, Ellen Langer, provar, de forma brilhante, que se trata de uma crença equivocada.

Em 1979, Langer elaborou um experimento de uma semana envolvendo um grupo de homens de 75 anos de idade.[1] Os homens não receberam muitas informações sobre a natureza do experimento, exceto que eles ficariam isolados durante uma semana em um retiro e que não poderiam levar consigo fotos, jornais, revistas ou livros datados a partir de 1959.

Quando chegaram, os homens foram reunidos em uma sala e informados de que, durante a próxima semana, deveriam fingir que estavam em 1959 – quando esses homens de 75 anos tinham meros 55 anos. Para reforçar o cenário, eles deveriam se vestir e agir como faziam na época e receberam documentos de identidade com fotos da época. No decorrer da semana, eles foram instruídos a conversar sobre o presidente Eisenhower e outros eventos que ocorreram na vida deles naquela época. Alguns começaram a se referir a seus antigos empregos no presente, como se nunca tivessem se aposentado. Edições de 1959 das revistas *Life* e *Saturday Evening Post* foram disponibilizadas nas mesas de café da manhã. Em resumo, todos os detalhes foram pensados para fazer eles verem o mundo pelas lentes da época em que tinham 55 anos.

Langer é uma psicóloga de vanguarda. Ela passou aproximadamente 40 anos questionando as expectativas da comunidade científica de maneiras absolutamente inesperadas. E, como era de esperar, nesse caso ela tinha uma hipótese verdadeiramente radical. Ela queria provar que a nossa "construção mental" – a maneira como pensamos sobre nós mesmos – influencia diretamente o processo de envelhecimento físico. Langer se referiu ao fenômeno com outros termos, mas ela basicamente estava argumentando que, ao mover o ponto de apoio e a alavanca desses homens de 75 anos de idade, era possível alterar a realidade "objetiva" da idade deles.

E foi exatamente o que aconteceu. Antes do retiro, os homens foram testados em todos os aspectos que acreditamos se deteriorar com a idade: força física, postura, percepção, cognição e memória de curto prazo. Após o retiro, a maioria dos homens tinha apresentado melhorias em todos os aspectos; eles se mostraram significativamente mais flexíveis, com uma postura melhor e até com muito mais força nas mãos. A visão deles chegou a melhorar quase 10% em média, bem como o desempenho em testes de memória. Em mais de metade dos casos, a inteligência, que há muito se acreditava ser fixa a partir da adolescência, também melhorou. Até a aparência física deles mudou; fotos dos homens antes e depois do experimento foram mostradas a pessoas que não sabiam nada sobre o experimento e lhes foi solicitado que adivinhassem a idade dos homens. Com base em classificações objetivas, os homens aparentaram ser, em média, três anos mais jovens do que antes do experimento. Essas constatações iam contra tudo o que acreditávamos saber sobre a fisiologia e o envelhecimento e revelou novas implicações radicais sobre o poder da atitude mental para influenciar a realidade.

Como veremos neste capítulo, nossa "realidade externa" é muito mais maleável do que pensamos e muito mais dependente dos olhos por meio dos quais enxergamos a realidade. Com a atitude mental correta, nosso poder de ditar essa realidade – e, por sua vez, os resultados das nossas ações – aumenta exponencialmente.

CANTORES EXECUTIVOS, PLACEBOS E CAMAREIRAS DE HOTEL

Passando os olhos pelos 70 diretores executivos e diretores gerais reunidos para a minha palestra na UBS em Stanford, Connecticut, vi muitos deles me encarando com uma expressão cética. A empresa deles estava passando por um enorme processo de reestruturação e demissões, conflitos legais e um preço das ações 80% abaixo de seu pico histórico. E lá estava eu, pedindo que uma sala repleta de banqueiros exaustos cantasse a alegre canção infantil "Row, Row, Row Your Boat", seguidamente. (Pelo menos dessa vez me lembrei de especificar que eles a cantassem mentalmente e não em voz alta – um detalhe que me esqueci de avisar em uma apresentação em Wall Street, na qual rapidamente conheci a verdadeira definição de "desafinado".)

Minhas instruções eram simples: "Feche os olhos e comece a cantarolar a canção na sua cabeça. Quando chegar ao fim, recomece. Continue fazendo isso até eu dizer 'Parem'". Eles seguiram as instruções apesar de os executivos mais céticos ocasionalmente abrirem os olhos para dar uma espiada e se certificar de não se tratar de uma pegadinha. Na verdade, eu estava com os olhos fixos no relógio. Finalmente, instruí a todos para parar, abrir os olhos e escrever quanto tempo eles acharam que o experimento tinha durado, em minutos e segundos. Um homem chutou dois minutos enquanto outro jurava que haviam sido quatro minutos. Uma mulher no fundo da sala afirmou que foram 45 segundos. Das 70 pessoas na sala, ouvi 70 respostas diferentes, variando de 30 segundos a 5 minutos. Todos os executivos estavam convencidos de que sua estimativa estava correta, mas, é claro, só poderia haver uma resposta correta, que, no caso, era de exatamente 70 segundos.

Conduzi esse experimento em aproximadamente 40 países e todas as vezes ouvi uma enorme variedade de respostas. (Por enquanto a maior variação que vi foi em Xangai: de 20 segundos a 7 minutos!) Naturalmente, a questão é que o que alguns sentem como um piscar de olhos outros percebem como uma eternidade. Dependendo da atitude mental, cada pessoa vivencia a realidade objetiva do tempo de maneira diferente. Talvez as pessoas que consideram a canção (ou o exercício, ou ambos) uma grande tolice e uma chateação e ficam impacientes para voltar ao trabalho, tendem a ter uma percepção mais longa do tempo, enquanto as pessoas interessadas e envolvidas na palestra ou que simplesmente apreciam o breve período de descontração tendem a achar que o tempo foi mais curto. Como todos nós sabemos, o tempo voa quando estamos nos divertindo.

Gosto tanto desse exercício porque ele demonstra que a atitude mental não apenas muda a forma como nos sentimos em relação a uma experiência como também altera os *resultados* objetivos dessa experiência. Qualquer pessoa que já tenha ouvido falar do efeito placebo, conhece o poder dessa ideia. Inúmeros estudos demonstram que, quando os pacientes recebem uma pílula de açúcar e são informados de que ela ajudará a aliviar algum sintoma, muitas vezes é o que de fato acontece – algumas vezes com a mesma eficácia que o medicamento em si. Em um artigo do *New York Times* intitulado "Placebos Prove So Powerful Even Experts are Surprised" (os placebos provam ser tão poderosos que até os especialistas se surpreendem), médicos descrevem estudos nos quais um falso produto capilar provocou o crescimento de cabelos em homens calvos e uma "cirurgia de mentira" reduziu o inchaço em joelhos doloridos.[2] Com efeito, uma revisão empírica de estudos sobre placebos revelou que "os placebos são cerca de 55% a 60% tão eficazes quanto a maioria dos medicamentos ativos como a aspirina e a codeína para o controle da dor". A simples mudança da atitude mental – isto é, a crença de que os pacientes estão tomando o medicamento verdadeiro – é poderosa o suficiente para fazer um sintoma objetivo efetivamente desaparecer.

E também há o "efeito placebo reverso", que em muitos aspectos chega a ser ainda mais fascinante. Em um dos meus experimentos preferidos, pesquisadores japoneses vendaram um grupo de estudantes e lhes disseram que uma urtiga venenosa estava sendo esfregada em seu braço direito.[3] Depois disso, o braço direito de todos os 13 estudantes que participaram do experimento apresentou reações com sintomas clássicos de urticária: coceira, queimação e vermelhidão. O resultado não é nada surpreendente... até que você descobre que a planta utilizada no estudo não era urtiga, mas apenas um arbusto inócuo. A crença dos estudantes foi intensa o suficiente para provocar os efeitos biológicos da urtiga, apesar de eles, na verdade, não terem sido expostos à planta.

Em seguida, no outro braço dos estudantes, os pesquisadores esfregaram urtiga, mas informaram que se tratava de uma planta inofensiva. Apesar de todos os 13 estudantes serem extremamente alérgicos, só dois deles apresentaram sintomas de urticária! (Eu adoro esse experimento, mas a parte mais impressionante é o fato de os pesquisadores terem, de alguma forma, recebido permissão de esfregar urtiga em pessoas extremamente alérgicas. Eu tive de esperar meses para receber uma permissão para chamar estudantes de Harvard para participar de um experimento com charadas.)

Então, como é exatamente que a nossa percepção relativa do que está acontecendo, ou o que achamos que acontecerá, pode afetar o que de fato acontece? Uma resposta para isso é que o cérebro é organizado para agir de acordo com o que prevemos que acontecerá em seguida, algo que os psicólogos chamam de "Teoria das Expectativas". O dr. Marcel Kinsbourne, um neurocientista da New School for Social Research em Nova York, explica que as nossas expectativas criam padrões cerebrais que podem ser tão reais quanto os criados por eventos no mundo real.[4] Em outras palavras, a expectativa de um evento aciona o mesmo conjunto complexo de neurônios como se o evento estivesse realmente ocorrendo, levando a um efeito dominó de eventos no sistema nervoso que leva a toda uma série de consequências concretas no mundo físico.

As implicações disso no ambiente de trabalho é que as crenças podem efetivamente alterar os resultados concretos do nosso empenho e do nosso trabalho. E não se trata de uma mera teoria; isso foi comprovado por inúmeros estudos científicos sérios. Em um desses estudos, conduzido alguns anos atrás, Ali Crum, um dos meus ex-alunos e hoje colega de pesquisas da Yale University, se uniu a Ellen Langer para conduzir um experimento com camareiras de sete hotéis diferentes.[5] Eles informaram a metade das camareiras quanto exercício físico elas faziam ao longo do dia de trabalho, quantas calorias suas atividades diárias queimavam, como passar aspirador de pó no tapete é similar a uma sessão de exercícios aeróbicos e assim por diante. A outra metade das camareiras, o grupo de controle, não foi informada de nada disso.

Ao final do experimento, várias semanas mais tarde, Crum e Langer descobriram que as camareiras que foram predispostas a pensar no trabalho como um exercício físico não só perderam peso como sua taxa de colesterol também caiu. Essas pessoas não se empenharam mais no trabalho, não trabalharam por mais tempo nem se exercitaram mais que o grupo de controle. A única diferença estava no modo como o cérebro delas pensava no trabalho que elas estavam realizando. Esse ponto é tão importante que vale a pena repetir: *A construção mental das nossas atividades diárias, mais do que a atividade em si, é que define a nossa realidade.*

UM DIA PODE TER MAIS DO QUE 24 HORAS?

Considerando tudo o que já sabemos sobre a natureza relativa do tempo, tente responder à seguinte pergunta: até que ponto você seria mais eficiente e produtivo (além de mais feliz) se mudasse a maneira como vê as horas do seu dia de trabalho? Em um cenário no qual a realidade pode ser vivenciada de incontáveis maneiras diferentes dependendo do posicionamento do seu ponto de apoio, a questão passa de "por que um dia tem apenas 24 horas?" a "como posso me beneficiar mais da minha experiência *relativa* de um dia de trabalho?".

As pessoas mais bem-sucedidas adotam uma atitude mental que não apenas faz seus dias de trabalho serem mais toleráveis como também as ajuda a trabalhar mais rapidamente, por mais tempo e se empenhar mais do que seus colegas com uma atitude mental negativa. Essas pessoas basicamente utilizam sua atitude mental positiva para assumir o controle (falando em termos relativos) do próprio tempo. Para elas, 24 horas por dia e sete dias por semana não passam de medidas objetivas do relógio ou do calendário: elas pegam as mesmas unidades de tempo disponíveis a todos e utilizam sua atitude mental para serem mais eficientes e produtivas.

Pense na última reunião interminável da qual você foi forçado a participar (você provavelmente não precisa pensar muito para se lembrar da última). Você pode ter decidido nos primeiros três minutos que o objetivo da reunião não seria atingido ou que você nem se interessava muito pelo objetivo. Aquelas duas horas que se seguiram de repente se transformaram em um tremendo desperdício de tempo, um desgaste da sua energia e produtividade e provavelmente também da sua motivação. Mas o que aconteceria se, em vez disso, você escolhesse encarar a reunião como uma oportunidade e criasse o próprio objetivo? E se você se forçasse a aprender três coisas novas antes do fim da reunião? Se não puder aprender três coisas com o conteúdo da reunião (e, sejamos sinceros, muitas reuniões nos oferecem um índice bastante baixo de conteúdo útil em relação aos minutos de participação), seja mais criativo: o que você pode aprender com o apresentador sobre como fazer (ou não) uma boa apresentação? Como você apresentaria a mesma ideia de outra forma? Qual é a melhor maneira de lidar com perguntas difíceis vindas de colegas? Qual é a melhor cor de fundo para slides de PowerPoint?

Agora pense em outras tarefas cotidianas que você considera tão enfadonhas quanto reuniões. Acredito que você descobrirá que, quanto mais pensa nelas como um trabalho penoso ou chato, mais elas se transformam justamente nisso. Tive a chance de testemunhar meu próprio cérebro quase sucumbir a essa armadilha quando eu estava pesquisando para escrever este capítulo. Normalmente adoro ler livros de psicologia em cafés e em seguida conversar sobre as ideias apresentadas com os colegas e alunos. Meu cérebro considera isso "divertido" e um "recreio". Mas, como eu tinha um prazo apertado para concluir este livro e precisava ler esses estudos para a pesquisa, minha atitude mental de repente mudou. Ler livros de psicologia se transformou em um "trabalho", e meu cérebro começou a tentar evitar o que normalmente adoro fazer. Tarefas que antes eu terminava rapidamente e com prazer se transformaram num pântano mental no qual eu avançava penosamente.

Percebi que era hora de deslocar o ponto de apoio. Pensei na forma como eu estava definindo mentalmente a tarefa (como uma labuta tediosa) e mudei conscientemente essa postura (para uma leitura enriquecedora). Também mudei os termos que utilizava para descrever a atividade aos outros. Depois de dizer a alguns amigos que estava em um café da Starbucks lendo por prazer, comecei a perceber que de fato era o que estava acontecendo. Também foi útil alterar minha percepção das limitações de tempo. Tal Ben-Shahar observou que o termo *deadline* (prazo final, em inglês) não poderia ser mais negativo. Que grande verdade! Em vista disso, ele prefere usar o termo *lifeline*. Para mim, o entusiasmo renovado pelo meu trabalho foi possibilitado quando ignorei completamente as restrições e pensei apenas no valor intrínseco que obtinha com a atividade em si, em vez de simplesmente me concentrar no prazo de "conclusão" da tarefa. Também ajudou parar de me concentrar em como eu "usaria" posteriormente o material que estava lendo. Quando nos reconectamos com o prazer dos "meios" em vez de nos concentrar apenas nos "fins", adotamos uma atitude mental mais propícia não apenas ao prazer mas também aos melhores resultados. (É com grande satisfação que informo que consegui entregar o manuscrito a tempo, caso você esteja se perguntando.)

Da mesma forma como a nossa percepção do trabalho afeta nossa experiência concreta dele, o mesmo ocorre com a nossa percepção do lazer. Se a nossa atitude mental considera o tempo livre, o tempo dedicado a um hobby ou à família como um tempo não produtivo, essas atividades de fato não passarão de um mero desperdício de tempo. Por exemplo, muitos líderes de negócios e alunos de Harvard com os quais trabalho apresentam os sintomas característicos da "maldição do *workaholic*". Eles consideram todo o tempo passado sem trabalhar como um obstáculo à produtividade, de forma que acabam desperdiçando esse tempo. Como me contou um CEO de uma empresa de telecomunicações da Malásia: "Eu queria ser produtivo porque é isso o que me faz feliz, então tentei maximizar o tempo que passava trabalhando. Mas, como percebi depois, eu tinha uma definição muito restrita do que significa 'ser produtivo'. Comecei a me sentir culpado quando fazia qualquer outra coisa que não fosse diretamente relacionada ao trabalho. Nada mais, nem exercícios físicos nem tempo passado com a minha mulher ou relaxando eram produtivos. Então eu nunca tinha tempo de recarregar minhas baterias, o que ironicamente implicou que, quanto mais eu trabalhava, mais a minha produtividade despencava".

Como vimos no capítulo anterior, nos permitir o luxo de nos envolver em atividades agradáveis na verdade pode melhorar muito o nosso desempenho no trabalho. Mas o simples envolvimento nessas tarefas não basta para obter resultados, da mesma forma como não bastou para as camareiras de hotel que só realizavam as tarefas sem pensar em todo o exercício físico que estavam fazendo. Quando o seu cérebro considera uma "perda de tempo" jantar com a família, se distrair fazendo sudoku, jogar um jogo de estratégia no computador ou conversar ao telefone com um amigo, essa mentalidade não o ajudará a colher os benefícios inerentes dessas atividades. Mas, se você mover o ponto de apoio de forma a pensar nesse tempo livre como uma chance de aprender e praticar coisas novas, de recarregar as baterias e se conectar com os outros, será capaz de alavancar o poder desse tempo de descanso e voltar ao trabalho mais forte do que antes.

A ALAVANCA DA POSSIBILIDADE

Da mesma forma como a sua atitude mental em relação ao trabalho afeta o seu desempenho, o mesmo acontece com a sua atitude mental em relação à sua própria capacidade. O que quero dizer com isso é que, quanto mais você acredita na própria capacidade de sucesso, maiores são as chances de atingir esse sucesso. Isso pode soar como uma grande besteira puramente motivacional (e, na verdade, a ideia de fato foi divulgada por algumas fontes pouco confiáveis ao longo dos anos). Mas as últimas décadas testemunharam uma explosão de estudos científicos sérios e rigorosos sustentando esse conceito.

Estudos demonstram que a simples crença de que é possível promover uma mudança positiva na nossa vida aumenta a motivação e melhora o desempenho no trabalho e que o sucesso, em essência, se transforma em uma profecia que acaba, inevitavelmente, se realizando. Um estudo com 112 contadores juniores revelou que aqueles que acreditavam que seriam capazes de atingir seus objetivos foram os mesmos que, dez meses mais tarde, tiveram o desempenho no trabalho mais bem avaliado pelos chefes.[6] É impressionante constatar que a crença na própria capacidade foi um fator preditor ainda mais preciso do desempenho no trabalho do que o nível de habilidade ou treinamento desses profissionais.

E, o mais importante, as nossas crenças em relação à nossa capacidade não são necessariamente inatas, mas podem mudar, da mesma forma que a nossa atitude mental está quase sempre em mutação. Em um estudo conduzido por Margaret Shih e colegas de Harvard, um grupo de mulheres asiáticas receberam testes de matemática similares em duas ocasiões distintas.[7] Na primeira vez, elas foram preparadas para pensar no fato de serem mulheres e, de acordo com os estereótipos, piores em matemática do que os homens. Na segunda vez, elas foram solicitadas a se concentrar em sua identidade como asiáticas, uma etnia em geral considerada habilidosa em matemática em comparação com outros grupos étnicos. O resultado: as mulheres apresentaram um desempenho muito melhor na segunda vez do que na primeira. O Q.I. matemático dessas mulheres não mudou e a dificuldade das questões também foi mantida inalterada. Mas, na segunda ocasião, elas estavam propensas a acreditar mais em sua capacidade, e isso bastou para fazer uma diferença substancial no desempenho.

Um exemplo real fascinante disso surgiu logo após as eleições presidenciais de 2008. Décadas de pesquisas demonstram que estereótipos raciais internalizados contribuem para a notável diferença no desempenho entre estudantes negros e brancos. (Por exemplo, estudantes afro-americanos apresentam um desempenho inferior aos dos brancos em testes padronizados quando são solicitados a preencher um formulário antes do teste revelando sua raça.) Uma equipe de pesquisadores se dedicou a descobrir se o fato de um afro-americano passar a ocupar o cargo mais elevado do país poderia reduzir esse fenômeno, de forma que submeteram um teste padronizado de 20 questões a mais de 400 americanos antes e depois das eleições.[8] No primeiro teste, os negros em geral apresentaram pontuações mais baixas, mas, no segundo, as pontuações aumentaram tanto que a diferença de desempenho entre os dois grupos foi completamente suprimida. Como relatou o *New York Times*, "o exemplo inspirador projetado pelo sr. Obama" eliminou todas as inseguranças que prejudicavam o desempenho dos negros. Apesar de ser apenas um estudo e seus efeitos provavelmente serem temporários, as conclusões mostram como as nossas crenças podem afetar a nossa capacidade.

Na empresa de treinamento de liderança IDology, os instrutores muitas vezes fazem uma pergunta aos clientes: "Qual é a sua identidade hoje?". Se você estiver inseguro, terá prejudicado o seu desempenho antes mesmo de começar. Dessa forma, diante de um desafio ou uma tarefa difícil, dê a si mesmo uma vantagem competitiva instantânea concentrando-se em todas as razões pelas quais você sairá vitorioso. Lembre-se das suas habilidades relevantes e não das que você não possui. Pense em uma ocasião na qual você se viu em circunstâncias similares e apresentou um bom desempenho. Anos de pesquisas demonstram que um foco específico e sistemático nos seus pontos fortes durante uma tarefa difícil produz os melhores resultados.

Você pode utilizar essa técnica em qualquer situação. Você foi encarregado de preparar a ceia de Natal, mas se preocupa com a possibilidade de a comida não sair tão boa quanto gostaria? Concentre-se no fato de você ser bom em administrar o tempo e seguir instruções. Precisa fazer uma grande apresentação, mas acredita que não fala bem em público? Concentre-se no fato de estar bem preparado e em toda a pesquisa que realizou para dominar o assunto. Isso não significa que você deve ignorar seus pontos fracos e se limitar a repetir para si mesmo afirmações vazias ou aceitar tarefas que você não está apto a realizar, significa apenas focar naquilo que você é bom enquanto atravessa o hall de entrada. Lembra-se dos seus pontos fortes característicos, que vimos no capítulo anterior? Escolha um que se aplica ao desafio em questão. Quando preciso dar uma palestra sobre um conteúdo novo e não sei ao certo como serei recebido, tento me concentrar no fato de que sou bom em decifrar as pessoas e em como isso me ajuda a criar um vínculo com a plateia. Existe uma diferença palpável na qualidade das minhas apresentações quando me lembro de adotar essa abordagem, em oposição a quando caio na armadilha de lamentar minha dificuldade de memorização ou propensão a andar nervosamente de um lado para o outro no palco.

ALAVANQUE A INTELIGÊNCIA

Mais importante ainda do que acreditar na própria capacidade é acreditar que é possível *melhorar* essa capacidade. Poucas pessoas provaram essa teoria de forma mais convincente que Carol Dweck, uma psicóloga de Stanford cujos estudos demonstram que o fato de alguém acreditar ou não que é possível desenvolver a inteligência afeta diretamente seu nível de realizações. Dweck descobriu que as pessoas podem ser divididas em duas categorias: aquelas com uma "atitude mental estanque" acreditam que suas competências já estão determinadas, ao passo que aquelas com uma "atitude mental em desenvolvimento" acreditam que podem melhorar suas qualidades básicas por meio de empenho. Uma atitude mental em desenvolvimento não despreza necessariamente a habilidade inata; ela simplesmente reconhece, como explica Dweck, que, "apesar de as pessoas poderem diferir em todos os aspectos – em seus talentos iniciais, aptidões, interesses ou temperamento –, qualquer um pode mudar e crescer por meio do empenho e da experiência".[9] Suas pesquisas revelam que as pessoas com atitudes mentais estanques deixam passar oportunidades de melhoria e apresentam um desempenho em geral inferior, ao passo que aquelas com uma "atitude mental em desenvolvimento" estão sempre ampliando suas habilidades.

Em um estudo, Dweck e seus colegas testaram 373 estudantes no início da sétima série para descobrir se eles tinham uma atitude mental estanque ou em desenvolvimento.[10] Feito isso, os pesquisadores monitoraram o desempenho acadêmico desses alunos ao longo de dois anos subsequentes. Eles descobriram que a atitude mental de um estudante começava a ter um efeito cada vez maior nas notas de matemática à medida que ele avançava pela sétima e oitava séries. A nota média dos alunos que tendiam à teoria da inteligência estanque permaneceu inalterada, ao passo que os estudantes com uma atitude mental em desenvolvimento apresentaram notas crescentes – em resumo, os estudantes que acreditavam que podiam melhorar de fato melhoravam. Os pesquisadores sugerem uma série de razões para explicar por que uma atitude mental em desenvolvimento impele os estudantes ao sucesso, mas a explicação básica se resume na motivação. Quando acreditamos que nosso empenho terá um resultado positivo, nos empenhamos mais em vez de nos entregar ao desamparo.

O enorme poder das crenças resulta do fato de elas determinarem os nossos esforços e as nossas ações. Em outro estudo – desta vez em Hong Kong –, Dweck mostrou como as atitudes mentais em desenvolvimento levam as pessoas a maximizar seu potencial, enquanto atitudes mentais estanques nos restringem. Na Hong Kong University, todas as aulas, materiais de estudo e provas são em inglês, de forma que o estudante deve dominar o idioma para ter sucesso. Mas muitos estudantes não são fluentes em inglês no início das aulas, de forma que, como diz Dweck "faria mais sentido para eles se apressarem em dominar o idioma".[11] A equipe de pesquisadores fez a seguinte pergunta a esses alunos: "Se a faculdade oferecesse um curso para estudantes que precisam melhorar o inglês, você o faria?".

Depois, os pesquisadores também avaliaram a atitude mental de cada estudante: eles acreditavam que sua inteligência era estanque e não podia ser mudada? Ou eles achavam ser possível desenvolver a inteligência? Acontece que os estudantes com uma atitude mental em desenvolvimento foram os que receberam com um "enfático sim" a possibilidade de fazer um curso de inglês, enquanto aqueles com uma atitude mental estanque invariavelmente escolheram não fazer o curso. Aqueles que simplesmente acreditavam no próprio poder de mudar seguiam uma linha de ação que maximizava seu desempenho acadêmico. Os outros, diante da mesma oportunidade, a deixavam passar.

Quando percebemos até que ponto a nossa realidade depende da nossa atitude em relação a ela, não nos surpreende constatar que as nossas circunstâncias externas são responsáveis por apenas cerca de 10% da nossa felicidade total.[12] É por isso que Sonja Lyubomirsky, uma líder no estudo científico do bem-estar, escreveu que prefere a expressão "criação ou construção da felicidade" à expressão mais popular "busca da felicidade", já que "pesquisas demonstram que está em nossas mãos criar a nossa própria felicidade".[13] Como demonstraram todos esses estudos sobre a atitude mental, isso se aplica ao sucesso e aos resultados positivos em qualquer âmbito. Ao mudar a forma como nos percebemos a nós mesmos e ao nosso trabalho, podemos melhorar acentuadamente os nossos resultados.

UTILIZE O PONTO DE APOIO E A ALAVANCA PARA DESCOBRIR SUA MISSÃO NO MUNDO

Amy Wrzesniewski, psicóloga de Yale, dedica a vida a estudar como as concepções mentais que temos do nosso trabalho afetam nosso desempenho. Depois de muitos anos e centenas de entrevistas com trabalhadores de todas as profissões imagináveis, ela descobriu que os colaboradores apresentam uma de três "orientações ao trabalho" – ou atitudes mentais em relação ao trabalho. Nós vemos o nosso trabalho como um Emprego, uma Carreira ou uma Missão.[14] As pessoas com um "emprego" veem o trabalho como um fardo e o salário como a recompensa. Elas trabalham porque precisam e estão sempre na expectativa do tempo que poderão passar fora do trabalho. Em contrapartida, as pessoas que veem seu trabalho como uma carreira, trabalham não só por necessidade mas também para progredir e ter sucesso. Elas se envolvem no trabalho e querem ser bem-sucedidas. Por fim, as pessoas com uma missão veem o trabalho como um fim por si só; seu trabalho é gratificante não devido a recompensas externas, mas porque elas sentem que contribuem para um bem maior, aplicando seus pontos fortes pessoais em um trabalho que lhes oferece um senso de propósito. Não é de surpreender que as pessoas com uma orientação de missão não apenas consideram seu trabalho mais gratificante como também se dedicam mais e por mais tempo em consequência dessa atitude. E, dessa forma, são elas as pessoas que em geral têm mais chances de sucesso.

Aqueles que já consideram seu trabalho uma missão estão em grande vantagem. Já os outros não precisam se desesperar. A descoberta mais interessante de Wrzesniewski não foi só que as pessoas veem seu trabalho de uma dessas maneiras, mas que fundamentalmente não importa que tipo de trabalho a pessoa exerce. Ela descobriu que existem médicos que consideram seu trabalho apenas um emprego e faxineiros que veem seu trabalho como uma missão. Com efeito, em um estudo com 24 assistentes administrativos, cada orientação foi representada praticamente na mesma proporção (um terço para cada postura), apesar de as situações objetivas das pessoas (descrições de cargo, salário e nível de educação) serem praticamente idênticas.

Isso significa que ver o trabalho como uma missão pode ser um resultado tanto da atitude mental quanto do trabalho em si. Em outras palavras, colaboradores infelizes podem encontrar maneiras de melhorar sua vida no trabalho que não envolvam pedir a demissão, mudar de emprego ou de carreira ou largar tudo para se encontrar. Os psicólogos organizacionais chamam a isso de elaboração ou construção do trabalho (*job crafting*), mas, em essência, o conceito envolve simplesmente um ajuste da atitude mental.[15] Como afirma Wrzesniewski, "novas possibilidades se abrem para o senso de propósito do trabalho" simplesmente pela maneira com a qual "ele é construído pelo indivíduo".[16]

Como isso funciona? Bem, se você não puder implementar mudanças concretas no seu trabalho cotidiano, pergunte-se qual é o seu sentido potencial e as fontes de prazer que já existem no que você faz. Imagine dois faxineiros na escola primária local.

Um se concentra apenas na sujeira que deve limpar todas as noites enquanto o outro acredita estar contribuindo para um ambiente mais limpo e mais saudável para os alunos. Os dois realizam as mesmas tarefas todos os dias, mas suas atitudes mentais diferentes ditam sua satisfação no trabalho, seu senso de realização e, em última instância, seu desempenho no trabalho.

No meu trabalho de consultoria corporativa, encorajo os colaboradores a reelaborarem sua "descrição de cargo", transformando-a em uma "descrição de missão". Depois peço que eles pensem em como as mesmas tarefas poderiam ser descritas de maneira a convencer os outros a se candidatarem para o cargo. A meta desse exercício não é representar o trabalho que eles fazem de maneira deturpada, mas, sim, destacar o senso de propósito que pode ser obtido dele. Depois peço que eles pensem nas próprias metas pessoais na vida. Como as tarefas do trabalho atual podem se vincular a esse propósito mais amplo? Pesquisadores descobriram que até as menores tarefas podem ser imbuídas de um senso de propósito maior se estiverem vinculadas a objetivos e valores pessoais. Quanto mais somos capazes de alinhar nossas tarefas cotidianas à nossa visão pessoal, mais chances temos de ver nosso trabalho como uma missão.

Tente fazer o seguinte exercício: pegue uma folha de papel e, no lado esquerdo, escreva uma tarefa que você é forçado a realizar no trabalho que aparentemente não apresenta nenhum senso de propósito mais elevado. Depois, se pergunte: Qual é o propósito dessa tarefa? Que resultado permitirá obter? Trace uma seta apontando para a direita e anote a sua resposta. Se o que você escreveu ainda parecer irrelevante, volte a se perguntar: que resultado possibilitará? Trace outra seta e anote a nova resposta. Continue fazendo isso até chegar a um resultado significativo para você. Fazendo isso, você pode vincular cada pequena tarefa realizada a uma realidade mais ampla, a um objetivo que o mantém motivado e energizado. Se você for um professor de direito e odeia as tarefas administrativas, trace as suas setas até conseguir vincular as tarefas a algo que faça diferença para você, como proporcionar a uma nova geração de jovens advogados os recursos dos quais eles precisam para ter sucesso.

Chip Conley, o hoteleiro inovador que mencionei no capítulo anterior, usa uma estratégia similar para envolver seus colaboradores. Ele gosta de dizer a cada um: "esqueça o seu cargo atual. Como os nossos clientes descreveriam o seu cargo caso escolhessem se basear apenas no impacto que você provoca na vida deles?[17]. Quando você consegue criar esses vínculos mais amplos, as suas tarefas corriqueiras não só passam a ser mais suportáveis como você também as realiza com mais dedicação e, consequentemente, enxerga maior retorno em termos de desempenho.

NÃO ESTAMOS SALVANDO GOLFINHOS

Antes de dar uma palestra em uma empresa da lista Fortune 500 em Nova York no verão passado, fui apresentado por um executivo de nível sênior, que explicou à plateia de 80 vendedores a razão pela qual eu tinha sido convidado. Como ainda não tinha ouvido a minha apresentação, ele brincou sobre a importância do treinamento: "Sei que vocês estão todos aqui no trabalho para ganhar dinheiro e estão frustrados com a redução da remuneração nos dois últimos trimestres. Então, não pensem nessa palestra como uma sessão sobre felicidade; pensem em como essas estratégias os ajudarão a ganhar mais dinheiro. Sinceramente, a palestra precisa ser sobre dinheiro: não estamos aqui para salvar golfinhos".

Algumas pessoas riram, mas não eu. Aquele executivo tinha predisposto sem querer seus colaboradores ao fracasso. Eis o que ele disse de fato: "Salvar os golfinhos é importante e tem um efeito positivo no mundo, ao passo que o trabalho que vocês realizam não proporciona nenhum senso de propósito ou valor além de lhes render muito dinheiro." Ele lembrou a todos que eles tinham empregos, não missões.

É verdade que a piada dos golfinhos causou um impacto imediato na sala. Foi um momento pungente e triste ver o estado de espírito do grupo murchar. Muitos dos colaboradores que poucos instantes atrás pareciam empolgados para falar sobre a felicidade no trabalho de repente começaram a mostrar sinais sutis, porém palpáveis, de decepção, desgosto, frustração, constrangimento ou desinteresse. A maneira mais rápida de indispor um colaborador é dizer que o único propósito do trabalho dele é o salário no fim do mês.

Isso não quer dizer que todos os trabalhos tenham o mesmo significado, mas até um trabalho mecânico ou rotineiro pode ser significativo se você encontrar uma boa razão para se envolver. Você se sente produtivo no fim do dia. Você mostrou às pessoas que é capaz ou eficiente. Você facilitou a vida para um cliente ou consumidor. Você desenvolveu uma habilidade. Você aprendeu com um erro. Conheci estudantes ensacando compras num supermercado perto de casa que trabalhavam como se fosse uma missão. Eles naturalmente não queriam passar a vida toda naquele emprego, mas, se estivessem trabalhando, davam tudo de si. E trabalhei com empreendedores que construíram empresas de 100 milhões de dólares e que viam o emprego como um enorme e desgastante fardo. Você pode ter o melhor emprego do mundo, mas, se não conseguir encontrar um sentido para ele, não o apreciará, seja você um cineasta ou um jogador de futebol profissional.

MUDE O PONTO DE APOIO E A ALAVANCA DAS PESSOAS À SUA VOLTA

Como vimos, algumas palavras bem colocadas podem alterar a atitude mental de uma pessoa, o que, por sua vez, pode mudar suas realizações. Para que as camareiras de hotel perdessem peso bastou uma breve palestra sobre como elas eram fisicamente ativas. Para que mulheres asiáticas se destacassem em um teste de matemática bastou um pesquisador lembrá-las de sua inteligência inata. Esses estudos demonstram como a atitude mental pode afetar o desempenho e também como nós podemos afetar a atitude mental dos outros. Algumas vezes algumas palavras-chave aqui e ali podem fazer toda a diferença.

Imagine, então, o poder que todos nós temos de influenciar o desempenho das pessoas ao nosso redor, de maneira positiva ou negativa. Por exemplo, quando os pesquisadores lembraram alguns idosos de que a cognição normalmente cai com a idade, eles apresentaram um desempenho pior em testes de memória do que aqueles que não foram lembrados disso.[18] Quantos gestores bem-intencionados deram um tiro no pé ao lembrar os membros da equipe de seus pontos fracos? Inversamente, como já vimos, quando um gestor expressa abertamente sua crença na capacidade de um colaborador, ele não apenas melhora o estado de espírito e a motivação como efetivamente melhora as chances de sucesso do colaborador.

Até a maneira como descrevemos tarefas aparentemente objetivas e diretas pode afetar o desempenho das pessoas. Em um experimento elaborado para mensurar a disposição das pessoas de cooperar em diferentes condições, os participantes foram solicitados a participar de um jogo que eles chamaram de "Jogo de Wall Street" ou de outro jogo, que chamaram de "Jogo Comunitário".[19] Na verdade, os dois jogos eram exatamente idênticos. Mas os participantes que foram predispostos a pensar em termo de comunidade se mostraram mais propensos a ser cooperativos do que aqueles que foram preparados para pensar em termos de competitividade no mercado financeiro. O que esperamos das pessoas (e de nós mesmos) se manifesta nas palavras que usamos e essas palavras podem ter um poderoso efeito nos resultados finais. Isso significa que, como veremos nos capítulos a seguir, os melhores gestores e líderes veem cada interação como uma oportunidade de predispor seus colaboradores para a excelência.

O EFEITO PIGMALEÃO

De acordo com o poeta romano Ovídio, o escultor Pigmaleão era capaz de olhar um pedaço de mármore e enxergar a escultura presa em seu interior. Em particular, Pigmaleão tinha uma visão de seu ideal, o auge de todas as suas esperanças e desejos – uma mulher que ele chamou de Galateia. Um dia, ele começou a entalhar o mármore visando concretizar sua visão. Quando terminou, ele deu um passo para trás e contemplou sua obra. A estátua era belíssima. Galateia era mais do que uma mulher: a estátua representava cada esperança, cada sonho, cada possibilidade, cada propósito – ela era a própria beleza. Pigmaleão inevitavelmente se apaixonou.

Veja bem, Pigmaleão não era nenhum idiota. Ele não caiu de amores por uma mulher de pedra, mas, sim, pela possibilidade de trazer ideal à vida. Dessa forma, ele pediu à deusa do amor, Vênus, que lhe concedesse esse desejo e fizesse de seu ideal uma realidade. E foi o que ela fez, pelo menos de acordo com o mito.

Agora, vamos avançar para o século XX, para um dos experimentos de psicologia mais famosos já realizados. Uma equipe de pesquisadores liderada por Robert Rosenthal aplicou testes de inteligência em alunos de uma escola primária.[20] Depois, os pesquisadores disseram aos professores de cada turma quais alunos – digamos, Sam, Sally e Sarah – os dados identificaram como gênios acadêmicos, aqueles que apresentavam o maior potencial de crescimento. Eles instruíram os professores a não mencionar os resultados do estudo a esses alunos e não passar nem mais nem menos tempo com eles. (Na verdade, os professores foram alertados de que seriam observados para que os pesquisadores se certificassem de que isso não aconteceria.) No final daquele ano, os alunos foram testados novamente e, com efeito, Sam, Sally e Sarah apresentaram um desempenho intelectual fora do comum.

Essa seria uma história previsível, se não fosse pela reviravolta do enredo no final. Na verdade, quando Sam, Sally e Sarah foram testados no início do experimento, eles apresentaram um desempenho absoluta e maravilhosamente *mediano*. Os pesquisadores escolheram os nomes aleatoriamente e mentiram para os professores sobre a capacidade desses alunos. Mas, ao final do experimento, eles de fato haviam se transformado em gênios acadêmicos. Então, o que fez esses alunos medianos se tornarem extraordinários? Apesar de os professores não terem dito nada diretamente àquelas crianças e terem dedicado o mesmo tempo a todos os alunos, dois fatos cruciais ocorreram. A crença de que os professores tinham no potencial daqueles alunos foi expressa, mesmo que de forma não verbal e inconsciente. E, o mais importante, essas mensagens não verbais foram captadas pelos alunos e transformadas em realidade.

Esse fenômeno é chamado de Efeito Pigmaleão: quando a nossa crença no potencial de alguém acaba concretizando esse potencial. Independentemente de estarmos tentando descobrir os maiores talentos em uma turma de uma escola primária ou em uma equipe de profissionais participando da reunião matinal, o Efeito Pigmaleão pode se fazer presente em qualquer contexto. As expectativas que temos em relação aos nossos filhos, colegas de trabalho e parceiros – não importa se essas expectativas são ou não diretamente expressas – podem muito bem se transformar em realidade.

MOTIVE UMA EQUIPE COM O EFEITO PIGMALEÃO

Nos anos 1960, Douglas McGregor, professor de administração do MIT, ficou famoso ao argumentar que os gestores necessariamente adotam uma das duas teorias de motivação humana. A Teoria X sustenta que as pessoas trabalham porque são pagas para isso e, se você não as monitorar, elas pararão de trabalhar. Já a Teoria Y sustenta o contrário: que as pessoas trabalham movidas por motivações intrínsecas, que elas trabalham melhor e com mais empenho sem um chefe olhando por cima de seus ombros e que elas fazem isso pela satisfação resultante de um trabalho benfeito.

Quando os pesquisadores tentam estudar o que acontece quando trabalhadores X (ou Y) são expostos a líderes com a visão oposta, eles deparam com um problema bastante revelador. Muito poucos gestores têm colaboradores que acreditam na teoria oposta. Os gestores que acreditam na Teoria X acabam tendo subordinados que requerem constante supervisão, ao passo que gestores que acreditam na Teoria Y têm colaboradores motivados pelo amor ao trabalho. Acontece que, não importa quais possam ser suas motivações antes de trabalhar para esses gestores, os funcionários normalmente se transformam no tipo de trabalhador que seu chefe espera que eles sejam. Estamos falando do Efeito Pigmaleão na prática.

Trata-se de um excelente exemplo de uma profecia que acaba se realizando: as pessoas agem como esperamos que elas ajam, o que significa que as expectativas de um líder em relação ao que ele acredita que vá motivar seus colaboradores muitas vezes acabam se concretizando. Quanto mais aquele executivo daquela empresa da lista Fortune 500 presumia que seus funcionários trabalhavam só tendo em vista o salário no fim do mês e não para "salvar golfinhos", mais a motivação deles tendia na direção da Teoria X, distanciando-se cada vez mais de um trabalho com um propósito. Com efeito, raramente vi um trabalhador otimista e motivado sob a supervisão de um gestor pessimista e apático. Os colaboradores acabam adotando a mesma visão que seus líderes.

Evidentemente, o Efeito Pigmaleão pode ser uma ferramenta poderosa nos negócios. Se você for um líder, não importa se liderar três ou 300 pessoas, lembre-se de que o poder de influenciar resultados está não apenas nas mãos da sua equipe mas também na forma como você alavanca a sua equipe. Toda segunda-feira, responda estas três perguntas: (1) Será que eu acredito que a inteligência e as habilidades da minha equipe não são estanques e que podem ser melhoradas com o empenho?; (2) Será que eu acredito que a minha equipe deseja se esforçar para melhorar, da mesma forma como deseja encontrar propósito e realização no trabalho realizado?; e (3) Como estou expressando essas crenças com as minhas palavras e ações no dia a dia?

A CAPA DO SUPER-HOMEM

Em alguns estados americanos, pede-se que as capas de Super-Homem que as pessoas podem comprar para se fantasiar no Halloween tragam uma advertência de que elas não as ajudarão a voar. Parece hilário, mas se trata de um bom lembrete da limitação do princípio do ponto de apoio e da alavanca. Apesar de ser importante mover nosso ponto de apoio para uma atitude mental mais positiva, não queremos movê-la demais – em outras palavras, precisamos tomar cuidado para evitar expectativas não realistas em relação ao nosso potencial. Apesar de grande parte de a nossa experiência ser relativa e depender da nossa atitude mental, naturalmente ainda existem restrições concretas (como a gravidade, para mencionar apenas uma). Mas isso nos devolve à pergunta que fiz no capítulo "Mudar é Possível": como sabemos qual é o nosso potencial e que tipo de limitações devemos impor a ele? Imagine, por exemplo, um tênis de corrida com a advertência: "não tente correr uma milha em menos de quatro minutos; isso pode resultar em lesões".

Advertências como essas podem ser necessárias em algumas situações, é claro. Só quando nos levam a reduzir artificialmente os nossos horizontes é que elas são problemáticas. Minha área de estudos tenta combater essas limitações ilusórias analisando os valores discrepantes – casos em que essas limitações se provaram equivocadas. Queremos estender ao máximo os limites das nossas possibilidades até onde elas *podem* ir e não restringi-las, da maneira como muitos chefes desestimulantes, pais, professores ou casos na mídia nos convencem de que elas *devem* ser. É verdade que não vamos começar a flutuar meramente porque acreditamos que podemos voar. Mas, se não acreditarmos nessa possibilidade, jamais teremos a chance de sair do chão. E, como a ciência tem mostrado, quando acreditamos que podemos fazer mais e realizar mais (e quando os outros acreditam no nosso potencial), muitas vezes este é precisamente o motivo que nos *faz* alcançar mais.

O desafio é parar de pensar no mundo como algo estanque quando na verdade a realidade é relativa. Vimos como homens de 75 anos de idade voltaram o relógio biológico, como algumas palavras bem escolhidas e crenças podem melhorar o desempenho em testes e como alguns colaboradores encontram missões onde os outros só enxergam um emprego. No entanto, tudo isso constitui apenas um vislumbre de todas as maneiras pelas quais a nossa atitude mental pode influenciar o mundo ao nosso redor. Os próximos capítulos nos mostrarão exatamente como é possível cultivar uma atitude mental positiva – e capitalizar essa positividade para progredir ainda mais no nosso trabalho, na nossa carreira e na nossa empresa.

NOTAS

1. LANGER, E. *Counterclockwise*: mindful health and the power of possibility. New York: Ballantine, 2009.
2. BLAKESLEE, S. Placebos prove so powerful even experts are surprised. *New York Times,* 13 out. 1998.
3. BLAKESLEE, S. Placebos prove so powerful even experts are surprised. *New York Times,* 13 out. 1998.
4. BLAKESLEE, S. Placebos prove so powerful even experts are surprised. *New York Times,* 13 out. 1998.
5. CRUM, A. J.; LANGER, E. J. Mindset matters: exercise and the placebo effect. *Psychological Science*, 2007, 18(2), p. 165-171.
6. SAKS, A. M. Longitudinal field investigation of the moderating and mediating effects of self-efficacy on the relationship between training and newcomer adjustment. *Journal of Applied Psychology*, 80(2), 1995, p. 211-225.

7. SHIH, M.; PITTINSKY, T.; AMBADY, N. Stereotype susceptibility: identity salience and shifts in quantitative performance. *Psychological Science*, 1999, 10, p. 80-83.

8. DILLON, S. Study sees an Obama effect as lifting black test-takers. *New York Times*, 22 jan. 2009.

9. DWECK, C. S. *Mindset:* the new psychology of success. New York: Ballantine, 2006. p. 7.

10. BLACKWELL, L. S. TRZESNIESWKI, K. H.; DWECK, C. S. Implicit theories of intelligence predict achievement across an adolescent transition: a longitudinal study and an intervention. *Child Development*, 2007, 78(1), p. 246-263.

11. DWECK, C. S. *Mindset:* the new psychology of success. New York: Ballantine, 2006. p. 17.

12. LYUBOMIRSKY, S.; SHELDON, K.; SCHADE, D. Pursuing happiness: the architecture of sustainable change. *Review of General Psychology*, 2005, 9, p. 111-131.

13. LYUBOMIRSKY, S. *The how of happiness*. New York: Penguin, 2007. p. 15.

14. WRZESNIEWSKI, A.; MCCAULEY, C.; ROZIN, P.; SCHWARTZ, B. Jobs, careers, and callings: People's relations to their work. *Journal of Research in Personality*, 1997, 31, p. 21-33.

15. Para saber mais sobre o job crafting, veja: WRZESNIEWSKI, A.; DUTTON, J. Crafting a job: revisioning employees as active crafters of their work. *Academy of Management Review*, 2001, 26(2), p. 179-201.

16. WRZESNIEWSKI, A. Finding positive meaning in work. In: CAMERON, K. S.; DUTTON, J. E.; QUINN, R. E. (Ed.). *Positive organizational scholarship*: foundations of a new discipline, 2003, p. 296-308. San Francisco: Berrett-Koehler, p. 304.

17. CONLEY, J. *Peak*: how great companies get their mojo from maslow. New York: Jossey-Bass, 2007. p. 98.

18. HASLAM, S. A.; SALVATORE, J.; KESSLER, T.; REICHER, S. D. How stereotyping yourself contributes to your success (or failure). *Scientific American Mind*, 4 mar. 2008.

19. LIBERMAN, V.; SAMUELS, S. M.; ROSS, L. The name of the game: predictive power of reputations versus situational labels in determining prisoners' dilemma game moves. *Personality and Social Psychology Bulletin*, 2004, 30, p. 1.175-1.185.

20. ROSENTHAL, R.; JACOBSON, L. *Pygmalion in the classroom*: teacher expectation and pupils' intellectual development. New York: Holt, Rinehart and Winston, 1968.

PRINCÍPIO 3:
O EFEITO TETRIS

COMO TREINAR O SEU CÉREBRO PARA CAPITALIZAR AS POSSIBILIDADES

Em uma manhã gelada em Massachusetts, em setembro de 2005, saí de Wigglesworth, o dormitório de calouros de Harvard (sim, este é seu verdadeiro nome), e quase tentei roubar um carro de polícia. Admito que isso teria sido um péssimo passo na minha carreira, especialmente considerando que parte da minha descrição de cargo era atuar como um exemplo positivo e ajudar a ensinar jovens e impressionáveis calouros a serem mais responsáveis. Então, o que poderia ter me levado a fazer algo assim? É difícil acreditar, mas foi um videogame chamado *Grand Theft Auto*, que eu passara a noite anterior jogando até as 4 da manhã.

Por cinco horas ininterruptas, meu cérebro se acostumou com o seguinte padrão: encontrar um carro para roubar, me envolver em uma perseguição em alta velocidade, receber a recompensa (no caso, dinheiro de mentira). É claro que se tratava apenas de um videogame bobo e não deveria ter influência alguma sobre o meu comportamento no mundo real. Mas, depois de tantas horas consecutivas de jogo, quando acordei na manhã seguinte, meu cérebro ainda estava preso naquele modo de pensar. Foi por isso que saí pela avenida Massachusetts e a primeira coisa que fiz foi passar os olhos pelo ambiente em busca de um possível carro. Para o prazer momentâneo do meu cérebro, o melhor carro para roubar – um carro de polícia – estava estacionado a poucos metros de mim. Bingo! Antes que a parte racional do meu cérebro tivesse tempo de se manifestar, eu me vi agindo de acordo com o padrão que passara a noite anterior inteira praticando.

A adrenalina invadiu meu corpo enquanto eu esticava a mão para abrir a reluzente maçaneta da viatura de polícia de Cambridge. O fato de haver um policial sentado no banco do motorista... bem, não tinha problema algum. Bastaria pressionar o botão X do controle do videogame para puxar automaticamente o policial para fora do carro. Eu precisei ver meu reflexo no vidro do carro para finalmente acordar da ilusão do Grand Theft Auto e voltar ao mundo real.

Essa história é real. Por sorte eu não fui em frente com o crime. (Você pode imaginar o julgamento? "Orientador de Harvard diz ao tribunal: 'Meu cérebro estava preso em *Vice City*, não tive como evitar'.") Apesar de eu obviamente não ter nenhum desejo real de cometer uma grandiosa rapinagem naquela manhã, por um instante só pude seguir o padrão que passara a noite inteira praticando. E, como logo descobri, isso não é totalmente incomum; tudo se resume ao modo como nosso cérebro é programado para funcionar no mundo real.

EMPILHAR AS PEÇAS

Em setembro de 2002, Faiz Chopdat, um jovem britânico de 23 anos de idade, foi preso por quatro meses por se recusar a desligar o celular em um voo do Egito à Inglaterra. A tripulação solicitou repetidamente que ele desligasse o aparelho para não interferir com o sistema de comunicações do avião e ele ignorou abertamente as solicitações. A razão para isso é que ele estava jogando Tetris.

Como você provavelmente já sabe, o Tetris é um jogo aparentemente simples no qual blocos de quatro tipos de formatos descem do alto da tela e o jogador pode girá-los ou movê-los até caírem por completo. Quando esses blocos criam uma linha horizontal cruzando toda a tela, a linha desaparece. O objetivo do jogo é organizar os blocos que caem de forma a criar o maior número de linhas possível. Pode parecer um jogo tedioso, mas, como Chopdat descobriu, de uma forma extremamente penosa, pode ser surpreendentemente viciante.

Em um estudo conduzido pelo Departamento de Psiquiatria da Faculdade de Medicina de Harvard, os pesquisadores pagaram 27 pessoas para que passassem várias horas por dia jogando Tetris, durante três dias.[1] Sempre que menciono esse experimento aos meus alunos, eles não conseguem se conformar quando ficam sabendo que perderam a oportunidade de ganhar dinheiro para jogar videogame. Mas eu lhes digo, esperem até ouvir os efeitos colaterais. Durante dias depois do estudo, alguns participantes literalmente não conseguiram parar de sonhar com blocos de diferentes formatos caindo do céu. Outros não conseguiram deixar de enxergar os blocos por toda a parte, mesmo enquanto despertos. Dito de forma simples, eles não conseguiram deixar de ver um mundo feito de sequências de blocos do Tetris.

Um viciado em Tetris descreveu sua experiência no jornal *Philadelphia City Paper*: "Percorrendo os corredores do supermercado, tentando decidir qual cereal comprar, notei como um grupo de caixas de cereais se encaixaria perfeitamente no buraco da fileira abaixo dele. Dando voltas na pista de corrida, para me exercitar, absolutamente entediado, me peguei encarando o muro de tijolos e calculando em qual direção teria de girar os tijolos ligeiramente mais escuros para que eles se encaixassem na fileira irregular de tijolos escuros alguns centímetros abaixo no muro. Dando uma saída para respirar ar fresco depois de passar horas no escritório, esfreguei meus olhos exaustos e lacrimosos, olhei para a silhueta de edifícios de Filadélfia e me perguntei: 'Se eu girar o prédio Victory Building para este lado, será que ele se encaixaria na lacuna entre os arranha-céus Liberty One e Two?'".[2] Os jogadores logo batizaram essa bizarra condição de Efeito Tetris.

O que estava acontecendo? Será que os viciados em Tetris ficam temporariamente loucos? Nada disso. O Efeito Tetris resulta de um processo físico bastante normal que jogos repetidos acionam no cérebro dos jogadores. Eles ficam ligados em um processo chamado de "imagem residual cognitiva". Sabe aqueles pontos azuis ou verdes que mancham a sua visão durante alguns segundos depois que alguém tira uma fotografia com flash de você? Isso acontece porque o flash gravou momentaneamente uma imagem no seu campo visual de forma que, quando vê o mundo, você enxerga esse mesmo padrão de luz – essa imagem residual – por toda parte. Quando esses jovens passaram um período prolongado jogando Tetris, eles ficaram presos a padrões que, de forma similar, "manchavam" a visão deles – no caso, um padrão cognitivo que fazia eles enxergarem involuntariamente blocos de Tetris onde quer que olhassem (da mesma forma como o Grand Theft Auto me fez involuntariamente só ver carros para roubar). Não se trata apenas de um problema de visão – passar horas a fio jogando Tetris efetivamente altera a configuração do cérebro. Especificamente, como estudos subsequentes revelaram, o jogo ininterrupto criava novos caminhos neurais, novas conexões que distorciam o modo como eles viam situações na vida real.

É verdade que isso seria uma excelente notícia se aqueles estudantes estivessem praticando para um torneio de Tetris. Mas o efeito colateral se provou extremamente disfuncional quando eles não estavam jogando; e, vamos encarar, muito poucas descrições de cargo incluem "jogar Tetris obsessivamente". É assim que o nosso cérebro funciona: ele fica preso muito facilmente a padrões de visão de mundo, alguns mais benéficos do que outros. Mas, é claro, o Efeito Tetris não se limita a videogames; como explicaremos em mais detalhe logo adiante, estamos falando de uma metáfora para a maneira como o nosso cérebro determina o modo como vemos o mundo ao nosso redor.

O EFEITO TETRIS NO TRABALHO

Todo mundo conhece alguém preso em alguma versão do Efeito Tetris – alguém incapaz de romper um padrão de pensamento ou comportamento. Esse padrão pode muitas vezes ser negativo. O amigo que entra em qualquer lugar e imediatamente encontra um motivo de reclamação. O chefe que se concentra no que um colaborador continua fazendo errado em vez dos aspectos nos quais está melhorando. O colega que prevê um desastre antes de cada reunião, não importa quais sejam as circunstâncias. Você conhece o tipo. Talvez você até seja um deles.

No meu trabalho com empresas da lista Fortune 500, aprendi uma lição extremamente valiosa: essas pessoas normalmente não estão *tentando* ser difíceis ou irritadiças. Na verdade, o cérebro delas apenas se destaca em encontrar elementos negativos no ambiente – em identificar imediatamente motivos de aborrecimento, contrariedade e estresse. E isso não é surpresa alguma, considerando que, da mesma forma como os jogadores de Tetris, o cérebro dessas pessoas foi preparado e treinado para isso ao longo de anos de prática. Infelizmente, a nossa sociedade só encoraja esse tipo de treinamento. Pense a respeito: no mundo do trabalho, bem como na nossa vida pessoal, muitas vezes somos recompensados por identificar os problemas que precisam ser solucionados, os pontos de estresse que devem ser controlados e as injustiças que devem ser reparadas. Algumas vezes isso pode ser bastante útil. O problema é que, se ficamos presos apenas nesse padrão, sempre procurando e identificando o negativo, até o paraíso pode se transformar em um inferno. E o pior é que, quanto mais desenvolvemos a nossa capacidade de procurar e encontrar elementos negativos, mais deixamos de ver o positivo – aquelas coisas na vida que nos deixam felizes e que, por sua vez, promovem o nosso sucesso. A boa notícia é que também podemos treinar nosso cérebro para procurar e encontrar também o positivo – as possibilidades latentes em todas as situações – e nos tornar especialistas em capitalizar o Benefício da Felicidade.

Durante o intervalo em uma das minhas palestras na Austrália, dei uma saída do prédio para tomar um ar fresco e topei com dois funcionários que também estavam fazendo uma pausa. Um deles olhou para o céu e disse: "Que bom que o céu está limpo hoje". O outro disse: "Seria melhor se não estivesse tão quente". As duas afirmações se baseavam na realidade. O céu *estava* limpo e o dia *estava* quente. Mas o segundo funcionário estava se entregando a um hábito que se provaria prejudicial à sua produtividade e ao seu desempenho no instante em que voltasse ao escritório. Ele literalmente não conseguia enxergar os elementos positivos em sua vida e em seu trabalho – as oportunidades, as possibilidades, as chances de crescimento – e, em consequência, ele não tinha como capitalizá-los. Isso é muito importante. Procurar constantemente o negativo no mundo implica um custo muito alto. Esse hábito desgasta a nossa criatividade, eleva nossos níveis de estresse e reduz nossa motivação e nossa capacidade de atingir metas.

APLIQUE O EFEITO TETRIS EM CASA

Ao longo do último ano, trabalhando com a KPMG, empresa global de consultoria na área de contabilidade fiscal, para ajudar seus auditores fiscais e gestores a se tornarem mais felizes, comecei a perceber que muitos dos funcionários sofriam de um deplorável problema. Muitos deles precisavam passar de 8 a 14 horas por dia analisando formulários fiscais em busca de erros e, ao fazer isso, seu cérebro era configurado para procurar erros. Isso aumentava a eficiência deles no trabalho mas eles desenvolveram tanto a habilidade de identificar erros e armadilhas potenciais que esse hábito se estendeu a outras áreas da vida deles.

Da mesma forma como os jogadores de Tetris que de repente começavam a ver os blocos do jogo por toda parte, aqueles contadores viviam cada dia como se se tratasse de uma auditoria fiscal, eternamente procurando o pior no mundo. Como você pode imaginar, não era nada divertido e, pior ainda, o hábito estava prejudicando os relacionamentos deles no trabalho e em casa. Em avaliações de desempenho, eles só enxergavam os defeitos dos membros de sua equipe, nunca os pontos fortes. Quando eles voltavam para casa, eles só reparavam nas notas baixas dos filhos, nunca as notas altas. Quando iam a restaurantes, só conseguiam ver que as batatas estavam mal cozidas – nunca que o bife fora perfeitamente preparado. Um auditor fiscal me confidenciou que estava deprimido havia três meses. Conversando sobre as razões de sua depressão, ele mencionou casualmente que um dia, durante um intervalo no trabalho, ele elaborou uma planilha de Excel relacionando todos os erros cometidos pela esposa nas últimas seis semanas. Imagine a reação da esposa (ou futura ex-esposa) quando ele levou para casa aquela lista de defeitos na tentativa de melhorar o casamento.

Auditores fiscais estão longe de serem os únicos que se veem presos nesse tipo de padrão. Os advogados são tão suscetíveis a esse fenômeno, ou até mais – uma das razões pelas quais estudos revelaram que eles têm 3,6 vezes mais chances de sofrer de transtorno depressivo maior em comparação com outros profissionais.[3] (Quando mencionei essa estatística em um hospital na Califórnia, os médicos, que não são grandes fãs de processos judiciais por imperícia, fizeram questão de se levantar para aplaudir.) Pode parecer uma constatação relativamente surpreendente considerando que os advogados possuem níveis mais elevados de educação, remuneração e status, mas, na verdade, pensando no que eles precisam fazer o dia inteiro, isso até seria de se esperar.

O problema começa na faculdade de direito, onde os níveis de angústia sobem acentuadamente assim que os estudantes entram em sala de aula e começam a aprender as técnicas de análise crítica.[4] Por que isso acontece? Porque, como explica um estudo publicado no *The Yale Journal of Health Policy, Law, and Ethics*, "as faculdades de direito ensinam os estudantes a procurar defeitos na argumentação e os treinam a serem críticos e não tolerantes".[5] E, apesar de naturalmente se tratar de "uma habilidade crucial para os advogados", quando essa forma de pensar começa a se estender para além dos tribunais, atingindo a vida pessoal desses profissionais, isso pode ter "significativas consequências negativas". Treinados para identificar falhas em qualquer argumento e fraquezas em cada caso, eles começam a "superestimar a importância e a permanência dos problemas que encontram", o caminho mais rápido para a depressão e a ansiedade – o que, por sua vez, interfere em seu desempenho no trabalho.

Ao longo dos anos, conversei com muitos advogados que admitiram envergonhados terem desenvolvido o hábito de "interrogar" os filhos quando chegavam em casa do trabalho (*"Mas, se você realmente estava, como sugere seu álibi, no cinema até as 22h30, de que forma explicaria ao júri como chegou 15 minutos depois do toque de recolher?"*). Outros revelaram que se pegam pensando sem querer no tempo com o marido ou esposa em termos de horas quantificáveis e faturáveis. Até nos momentos de lazer, os advogados sabiam dizer exatamente quanto dinheiro tinham acabado de desperdiçar discutindo a cor do novo papel de parede. Da mesma forma como os contadores identificadores de erros, o cérebro desses advogados estava preso em um padrão. E o mesmo acontece com qualquer profissão ou área de atuação. Ninguém está imune a isso. Os atletas não conseguem deixar de competir com amigos ou parentes. Assistentes sociais do sexo feminino que lidam com casos de violência doméstica não conseguem deixar de desconfiar dos homens. Operadores do mercado financeiro não conseguem parar de avaliar o risco inerente em tudo o que fazem. Gestores não podem evitar gerenciar a vida dos filhos.

É verdade que ficar preso nesses padrões pode fazer uma pessoa ter muito sucesso em um aspecto particular de seu trabalho. Os auditores fiscais *devem* procurar erros. Os atletas *devem* ser competitivos. Operadores do mercado de ações *devem* aplicar uma rigorosa análise de risco. O problema começa quando essas pessoas não conseguem mais "compartimentalizar" suas habilidades. E, quando isso acontece, elas não apenas deixam de usufruir do Benefício da Felicidade como sua atitude mental pessimista e identificadora de erros, falhas e problemas faz com que elas sejam muito mais suscetíveis à depressão, ao estresse, a doenças e até ao abuso de drogas.

Essa é a essência de um Efeito Tetris Negativo: um padrão cognitivo que *reduz* nossas taxas de sucesso em geral. Mas o Efeito Tetris não precisa ser disfuncional. Da mesma forma como o nosso cérebro pode ser configurado de maneira que nos restrinja, podemos retreiná-lo para procurar as coisas boas da vida – para nos ajudar a enxergar mais possibilidades, nos sentir mais energizados e atingir o sucesso em níveis mais elevados. O primeiro passo é saber até que ponto o que enxergamos é unicamente uma questão de foco. Como disse William James, "a minha experiência é o que concordo em dar atenção".

SEU CÉREBRO COM UM FILTRO DE *SPAM*

Todos os dias somos bombardeados por mensagens que disputam nossa atenção. Pense em todas as coisas às quais o nosso cérebro deve prestar atenção mesmo quando estamos envolvidos em uma atividade relativamente passiva, como tomar um café no Starbucks. Não é humanamente possível ouvir a música, apreciar o sabor do café, ouvir o que as pessoas da mesa ao lado estão falando e analisar como as pessoas que passam pelo café estão vestidas, enquanto pensamos no que precisamos fazer no trabalho naquele dia, o que vamos cozinhar para o jantar e como conseguiremos pagar aquela grande reforma da casa. Para lidar com essa sobrecarga, o nosso cérebro possui um filtro que só permite que as informações mais pertinentes cheguem à nossa consciência.

Esse filtro é muito parecido com o bloqueador de spams da sua caixa de e-mails. O seu bloqueador de spams segue determinadas regras que o instruem a deletar e-mails irrelevantes e nocivos sem que você precise vê-los ou processá-los. A mesma coisa ocorre no nosso cérebro. Cientistas estimam que só nos lembramos de uma em cada cem informações que recebemos; o resto é efetivamente filtrado e jogado no arquivo de spams do cérebro.[6] Agora, tudo isso poderia funcionar muito bem, se realmente pudéssemos confiar que o nosso filtro neuronal de spams sabe exatamente o que é melhor para nós. Infelizmente, não é o caso. Os filtros de spams, seja na nossa cabeça ou no nosso e-mail, só identificam o que são programados para encontrar. Se programarmos o filtro do nosso cérebro para deletar os elementos positivos, os dados deixarão de existir para nós da mesma forma como e-mails de anúncios e correntes deixam de existir na nossa caixa de entrada. Como você está prestes a aprender, nós enxergamos o que procuramos e deixamos passar o resto.

GORILAS E PRIUS

Em um dos experimentos de psicologia mais conhecidos, voluntários assistem a um vídeo que mostra duas equipes de basquete – uma usando camisetas brancas e a outra vestindo camisetas pretas – que passam uma bola de basquete de um jogador ao outro.[7] Enquanto acompanham a partida, os participantes são instruídos a contar o número de vezes que a equipe branca passa a bola. Mais ou menos aos 25 segundos do vídeo, uma pessoa vestindo uma fantasia completa de gorila entra no meio do enredo, cruzando a tela da direita para a esquerda em um percurso que leva 5 segundos inteiros, enquanto os jogadores continuam a passar a bola. Terminado o vídeo, os participantes são solicitados a anotar o número de passes contados e a responder uma série de perguntas adicionais nos seguintes termos: você notou qualquer coisa incomum no vídeo? Você viu alguém no vídeo além dos seis jogadores de basquete? Será que você não notou, digamos... um gorila gigante?

Inacreditavelmente, quando os psicólogos repetiram o experimento com mais de 200 pessoas (isso antes de o vídeo ter se tornado um sucesso no YouTube), aproximadamente metade dos participantes – 46% – simplesmente deixou de ver o gorila. Depois do experimento, quando os pesquisadores lhes informaram sobre o gorila, muitos deles se recusaram a acreditar que deixaram de ver algo tão óbvio e pediram para ver o vídeo novamente. Da segunda vez, agora que estavam procurando o gorila, eles, é claro, não puderam deixar de vê-lo. Então, por que tantas pessoas deixaram de ver o gorila na primeira vez? Porque elas estavam tão concentradas em contar os passes que seus filtros neurais simplesmente jogaram a visão do gorila diretamente para a pasta de spams.

Esse experimento destaca o que os psicólogos chamam de "cegueira não intencional", nossa incapacidade frequente de ver o que muitas vezes está bem debaixo do nosso nariz se não estivermos focados diretamente nele. Esse aspecto da biologia humana implica que podemos deixar de ver um número incrivelmente grande de coisas que poderiam ser consideradas "óbvias". Por exemplo, estudos demonstram que, quando as pessoas deixam de olhar um pesquisador por 30 segundos depois voltam sua atenção a ele, muitas não notam que ele de repente está usando uma camisa de cor diferente. Outros experimentos constataram que, quando pedestres foram parados na rua e uma pergunta lhes foi feita, um grande número não chegou a notar quando a pessoa que fazia a pergunta trocou rapidamente de lugar com outra pessoa, de forma que os pedestres deram a resposta a uma pessoa completamente diferente daquela que lhes fez a pergunta.[8] Em resumo, nós tendemos a não perceber o que não estamos procurando.

Essa percepção seletiva também explica por que, quando estamos *de fato* procurando alguma coisa, a vemos por toda parte. Você provavelmente já passou por isso um milhão de vezes. Você escuta uma canção uma vez e de repente parece que ela está sempre tocando no rádio. Você compra um novo par de tênis e imediatamente todas as pessoas da academia de ginástica passam a usar exatamente o mesmo modelo. Lembro que, no dia em que decidi comprar um Prius da Toyota, as ruas foram subitamente invadidas por Prius – um de cada quatro carros parecia ser um Prius azul (exatamente a cor que eu estava pensando em comprar). Será que os moradores da minha cidade decidiram todos, naquele mesmo dia, entrar em uma concessionária e comprar um Prius azul? Será que os anunciantes descobriram que eu estava vacilando e inundaram estrategicamente a minha cidade com o produto para me ajudar a tomar uma decisão? É claro que não. Nada tinha mudado, a não ser o meu foco.

Tente este pequeno experimento. Feche os olhos e pense na cor vermelha. Visualize-a mentalmente. Agora abra os olhos e olhe em volta do aposento. O vermelho não está destacado por toda parte? Presumindo que os elfos não repintaram os seus móveis e objetos enquanto seus olhos estavam fechados, a sua percepção melhorada se deve apenas à mudança no seu foco. Estudos demonstraram repetidas vezes que duas pessoas podem ver a mesma situação e efetivamente enxergar coisas diferentes, dependendo do que esperam ver. Não é só que elas se saem com interpretações diferentes do mesmo evento, mas elas de fato viram coisas diferentes em seu campo visual.[9] Por exemplo, um estudo revelou que duas pessoas podem olhar para a mesma foto de um amigo e enxergar expressões completamente diferentes no rosto dele.[10] Isso não afeta apenas os nossos relacionamentos sociais; se estamos programados para sempre ver as pessoas de maneira negativa, esse fenômeno também pode prejudicar o nosso trabalho. Pense nas consequências de interpretar a expressão de um cliente potencial como desinteresse, quando na verdade ele está expressando satisfação. Ou interpretar a atitude de um colega como arrogância, quando na verdade ele só está querendo ser solícito.

Foi basicamente esse fenômeno que estava sendo expresso nos dois colaboradores que ouvi do lado de fora do escritório na Austrália. Os dois aspectos do clima estavam presentes para que eles vivenciassem em partes iguais – o céu limpo e o calor. O primeiro homem deu mais atenção ao céu limpo. O segundo homem não estava tentando ser um estraga prazeres – ele simplesmente só conseguia sentir o calor insuportável.

Apesar de sempre haver diferentes maneiras de ver algo, nem todas as maneiras de ver são criadas iguais. Como demonstram as pessoas presas no Efeito Tetris Negativo, as consequências podem desgastar tanto a nossa felicidade quanto o nosso desempenho no trabalho. Por outro lado, imagine uma forma de ver que pinça constantemente os elementos positivos de cada situação. Essa é a meta do Efeito Tetris Positivo: em vez de criar um padrão cognitivo que procura elementos negativos e bloqueia o sucesso, ele treina o nosso cérebro para procurar no mundo oportunidades e ideias que multipliquem nossas chances de ter sucesso.

O PODER DO EFEITO TETRIS POSITIVO

Quando o nosso cérebro está constantemente procurando e se concentrando no positivo, nós nos beneficiamos das três ferramentas mais importantes: felicidade, gratidão e otimismo. O papel exercido pela felicidade deveria ser óbvio – quanto mais atentamos para o positivo que nos cerca, mais nos sentimos melhor – e já vimos as vantagens que isso traz para o desempenho. O segundo mecanismo é a gratidão, porque, quanto mais oportunidades de positividade vemos, mais gratos nos tornamos. O psicólogo Robert Emmons, que passou praticamente sua carreira inteira estudando a gratidão, descobriu que poucas coisas na vida são tão fundamentais para o nosso bem-estar.[11] Inúmeros outros estudos demonstraram que pessoas em geral gratas são mais energizadas, emocionalmente inteligentes, tolerantes e menos propensas à depressão, ansiedade ou solidão. E não é que as pessoas sejam gratas só *porque* são mais felizes; a gratidão provou ser uma *causa* importante dos resultados positivos. Quando os pesquisadores escolhem aleatoriamente voluntários e os treinam para serem mais gratos em um período de algumas semanas, eles passam a ser mais felizes e mais otimistas, sentem-se mais socialmente conectados, usufruem de mais qualidade no sono e até chegam a ter menos dores de cabeça do que os grupos de controle.

O terceiro propulsor do Efeito Tetris Positivo é o otimismo. Isso instintivamente faz sentido; quanto mais o seu cérebro presta atenção ao positivo, mais é possível esperar que essa tendência se mantenha e, em consequência, mais otimista você será. E acontece que o otimismo é um fator preditor enormemente poderoso do desempenho no trabalho. Estudos demonstraram que os otimistas determinam mais metas (e metas mais difíceis) do que os pessimistas e se empenham mais em alcançar essas metas, se mantêm mais envolvidos diante de provações e superam obstáculos com mais facilidade.[12] Os otimistas também lidam melhor com situações de estresse intenso e são mais capazes de manter altos níveis de bem-estar em momentos de adversidade – todas estas habilidades são cruciais para o alto desempenho em um ambiente de trabalho difícil.

Como vimos brevemente no capítulo anterior, esperar resultados positivos efetivamente aumenta suas chances de sucesso. Poucas pessoas comprovaram esse fenômeno de maneira mais astuta que o pesquisador Richard Wiseman, que se empenhou em descobrir por que alguns de nós parecem ter tanta sorte enquanto tudo parece dar errado com os outros.[13] Como você pode ter imaginado, acontece que não existe essa coisa de sorte – pelo menos no sentido científico. A única diferença (e, a propósito, uma enorme diferença) é se as pessoas *acreditam* ou não que têm sorte – em outras palavras, se esperam que coisas boas ou ruins lhes acontecerão.

Wiseman pediu que voluntários lessem um jornal e contassem o número de fotos publicadas. As pessoas que acreditavam ter sorte levaram apenas alguns segundos para realizar a tarefa, enquanto as que se consideravam azaradas levaram em média dois minutos. O que explica tamanha diferença? Bem, na segunda página do jornal, uma mensagem enorme dizia: "Pare de contar, há 43 fotos neste jornal". A resposta, em resumo, era clara como o dia, mas os azarados apresentaram muito mais chances de deixar de ver a mensagem, enquanto os sortudos estavam propensos a vê-la. Como bônus adicional, no meio do jornal havia outra mensagem dizendo: "Pare de contar, diga ao pesquisador que você viu esta mensagem e ganhe 250 dólares".

As pessoas que afirmaram não ter sorte na vida mais uma vez deixaram passar essa oportunidade. Presas no Efeito Tetris Negativo, elas foram incapazes de ver o que para os outros era tão claro e seu desempenho (e suas carteiras) sofreram o resultado disso. O mais extraordinário no estudo de Wiseman é que a *mesma* possibilidade de ganhar a recompensa estava latente no ambiente de todos os participantes – era só uma questão de eles perceberem ou não.

Pense nas consequências disso no seu sucesso profissional, que se baseia quase totalmente na sua capacidade de identificar e capitalizar as oportunidades. Com efeito, 69% dos estudantes do colegial e universitários afirmaram que suas decisões de carreira dependeram do acaso.[14] A diferença entre as pessoas que capitalizaram o acaso e aquelas que deixaram passar as oportunidades (ou simplesmente não a identificaram) é uma questão de foco. Quando alguém está preso no Efeito Tetris Negativo, seu cérebro é literalmente incapaz de enxergar as oportunidades. Mas, munido de positividade, o cérebro se mantém aberto às possibilidades. Os psicólogos chamam esse fenômeno de "codificação preditiva": predispor-se a esperar um resultado favorável efetivamente codifica o seu cérebro para reconhecer o resultado quando ele surgir.[15]

Um executivo com o qual trabalhei me falou de um teatro em sua cidade natal. Os figurinos estavam mostrando ser um grande peso financeiro, já que as indumentárias eram utilizadas apenas uma vez e passavam a ser inúteis depois. Em vez de se resignar a ser este um custo fixo dos negócios, os proprietários mudaram sua perspectiva da situação e partiram em busca de diferentes possibilidades. Primeiro, eles começaram alugando os figurinos para o público, criando um lucrativo negócio paralelo. Depois, eles doaram o dinheiro proveniente das locações a uma organização sem fins lucrativos que trabalhava no combate ao abuso infantil. Como eles se mantiveram otimistas, foram capazes de pensar em uma brilhante utilização do figurino ao mesmo tempo que desenvolveram uma linha de ação comunitária socialmente responsável. Eles ajudaram a comunidade a prosperar ao mesmo tempo que também aumentaram a receita do teatro.

Imagine um escritório como há tantos por aí. A realidade objetiva do ambiente físico será sempre a mesma: paredes, carpete, grampeadores, computadores. Mas, como todo o resto, a forma como vemos esse espaço depende de nós. Algumas pessoas verão o ambiente como restritivo, aprisionador e deprimente; outras o verão como energizante e capacitador. Em outras palavras, para alguns é um escritório e para outros uma cela de prisão (apesar de eu esperar que você não tenha grades nas janelas do seu escritório). Quem você acha que tem mais chances de prosperar nesse ambiente? Quem enxergará mais oportunidades de crescimento e sucesso? Quem perceberá o anúncio no jornal oferecendo 250 dólares ou verá como transformar uma derrota inicial em um negócio paralelo lucrativo?

Agora que sabemos o quanto o Efeito Tetris Positivo pode ser poderoso, precisamos saber como exatamente podemos treinar o nosso cérebro para se manter aberto a essas mensagens que nos ajudam a ser mais adaptativos, mais criativos e mais motivados – mensagens que nos permitem identificar e nos beneficiar de mais oportunidades no trabalho e no lazer.

ANCORADO NO EFEITO TETRIS POSITIVO

Da mesma forma como dominar um videogame requer dias de prática focada, treinar o seu cérebro para perceber mais oportunidades requer prática na concentração do positivo. A melhor maneira de dar início a esse processo é fazendo uma lista diária dos aspectos positivos do seu trabalho, de sua carreira e de sua vida. Pode parecer uma grande bobagem, ou algo ridiculamente simples – e de fato a atividade em si é simples –, no entanto, mais de uma década de estudos empíricos comprovou o profundo efeito que isso provoca na configuração do nosso cérebro. Ao elaborar uma lista das "três coisas boas" que aconteceram durante o dia, o seu cérebro será forçado a rever as últimas 24 horas em busca de elementos positivos potenciais – coisas que levaram a pequenas ou grandes risadas, sentimentos de realização no trabalho, o estreitamento de laços com a família, um vislumbre de esperança no futuro. Em apenas cinco minutos por dia, esse exercício treina o cérebro a perceber e se focar melhor nas possibilidades de crescimento pessoal e profissional e a aproveitar oportunidades de concretizar essas possibilidades. Ao mesmo tempo, como temos um número limitado de coisas nas quais conseguimos nos concentrar simultaneamente, o nosso cérebro empurra para o plano de fundo pequenos aborrecimentos e frustrações que antes se destacavam no primeiro plano, e até chega a excluir totalmente esses elementos negativos do nosso campo de visão.

E o exercício também leva a resultados duradouros. Um estudo revelou que os participantes que anotaram três coisas boas por dia durante uma semana relataram se sentir mais felizes e menos deprimidos nas entrevistas de acompanhamento de um, três e seis meses.[16] E ainda mais impressionante: mesmo depois de interromperem o exercício, eles permaneceram significativamente mais felizes e continuaram apresentando níveis mais elevados de otimismo. Quanto mais eficientes eles se tornavam em identificar coisas boas no mundo para anotar na lista, mais coisas boas eles viam, sem precisar se esforçar, onde quer que olhassem. Os itens que você escolhe anotar a cada dia não precisam ser profundos nem complicados, só específicos. Você pode mencionar a deliciosa comida tailandesa que comeu no jantar, o abraço de urso que ganhou da sua filha quando chegou em casa depois de um longo dia de trabalho ou o tão merecido elogio que recebeu do chefe no trabalho.

Uma variação do exercício das Três Coisas Boas é escrever um breve parágrafo em um diário sobre uma experiência positiva. Já é de conhecimento comum que desabafar sobre as dificuldades e o sofrimento pode proporcionar alívio, mas os pesquisadores Chad Burton e Laura King descobriram que manter um diário sobre as experiências *positivas* tem um efeito pelo menos tão poderoso quanto se expressar sobre o negativo. Em um experimento, eles instruíram os participantes a escrever sobre uma experiência positiva por 20 minutos três vezes por semana e os compararam com um grupo de controle que escreveu sobre temas neutros.[17] O primeiro grupo não apenas vivenciou mais felicidade como, três meses depois, chegou a apresentar menos sintomas de doenças.

Além de todos esses benefícios, você também notará que passará a realizar todas as atividades propostas nos dois capítulos anteriores com mais naturalidade. Por exemplo, o Efeito Tetris Positivo ajuda os líderes a elogiar e encorajar seus colaboradores com mais frequência, o que eleva suas equipes acima da Linha de Losada. Você também terá mais facilidade de enxergar o propósito e o sentido do seu trabalho, de forma que você pode começar a vinculá-lo à sua missão. Será mais fácil para você adotar um tom expressivo e positivo ao distribuir tarefas, o que predispõe seus funcionários a desenvolver a criatividade e as aptidões para resolver problemas. E você também será mais feliz, o que significa que o seu cérebro estará funcionando em um nível mais elevado por mais tempo.

PRATIQUE, PRATIQUE, PRATIQUE

Naturalmente, só é possível desenvolver esse Efeito Tetris por meio da persistência. Como acontece com qualquer habilidade, quanto mais praticamos, mais fácil e natural ela será. Como a melhor maneira de assegurar que uma atividade desejada continuará sendo realizada é transformando-a em um hábito (leia mais a respeito no Princípio 6), o segredo aqui é ritualizar a tarefa. Por exemplo, escolha o mesmo horário todos os dias para escrever sua lista de gratidão e mantenha os itens necessários sempre à mão. (Eu deixo um pequeno bloco de notas e uma caneta sobre o meu criado-mudo para esse fim.)

Quando trabalhei com funcionários da American Express, sugeri que eles configurassem um alerta no Microsoft Outlook para as 11 da manhã, todos os dias, para lembrá-los de anotar suas três coisas boas. Os banqueiros com os quais trabalhei em Hong Kong preferiram escrever sua lista todas as manhãs, antes de verificar seus e-mails. Os CEOs que treinei na África escolheram expressar as três gratidões à mesa de jantar com os filhos, todas as noites. Não importa que momento escolher, contanto que o faça regularmente.

Quanto mais você envolver os outros, mais os benefícios se multiplicam. Quando os CEOs da África incluíram os filhos na atividade, eles não apenas descobriram mais coisas pelas quais eram gratos como também se sentiram mais motivados a continuar com o exercício. Vários dos CEOs me contaram que, sempre que tinham um dia especialmente terrível no trabalho e tentavam pular a atividade das Três Coisas Boas, os filhos se recusavam a jantar enquanto o exercício não fosse realizado. Esse tipo de apoio social aumenta substancialmente as chances de desenvolver esses hábitos positivos. É por isso que sugiro que lideranças façam esses exercícios com a esposa ou o marido antes de dormir à noite ou ao café da manhã, antes de sair para o trabalho. E o exercício ainda lhes rendeu um bônus adicional: à medida que se tornaram mais eficientes em identificar os elementos positivos ao redor, eles começaram a ver melhor as coisas pelas quais ser grato também no casamento. Além disso, esses exercícios funcionam tão bem com crianças pequenas quanto com estudantes universitários e tão bem com gerentes de nível médio ou microempresários quanto com poderosos executivos de grandes corporações e analistas financeiros de Wall Street. O que importa não é a sua idade nem a sua profissão, mas o treino e a persistência.

LENTES "ROSADAS"

Quando falo sobre as virtudes do Efeito Tetris Positivo, não é raro alguém me fazer a seguinte pergunta: "Se eu só me concentrar no bom, não ficarei cego para os verdadeiros problemas? Não tenho como liderar uma empresa usando óculos de lentes cor-de-rosa".

Em certo sentido, isso é verdade. Ver o mundo por meio de lentes que eliminam completamente todos os elementos negativos do seu campo de visão leva a vários problemas. É por isso que gosto de apresentar uma versão ligeiramente modificada da metáfora: lentes rosadas. Como o nome implica, lentes rosadas (e não cor-de--rosa) deixam passar problemas realmente importantes para o seu campo de visão ao mesmo tempo que mantêm o seu foco em grande parte no positivo. Dessa forma, eu responderia ao executivo que você não apenas *pode* liderar uma empresa usando lentes rosadas como é o que *deveria* fazer. A ciência tem comprovado que buscar o positivo apresenta vantagens tangíveis demais para ser desprezado como mero otimismo infundado ou esperanças despropositadas.

Mesmo assim, com base nessa pergunta, seria possível exagerar na busca do positivo? Sem dúvida alguma. Como se tornou tão evidente nos últimos anos, o otimismo irracional explica, por exemplo, a formação das bolhas de mercado – e sua inevitável explosão. O otimismo irracional nos leva a comprar casas que não temos como pagar e a viver além das nossas possibilidades. Ele faz líderes de negócios dourarem a pílula do presente e acabarem despreparados para o futuro. Ele pode nos cegar para os problemas que precisam ser solucionados ou para áreas que requerem melhorias (estudos sobre as "ilusões positivas" concluem que o otimismo se torna disfuncional quando nos leva a superestimar excessivamente a nossa capacidade atual).[18] Também há momentos em que o pessimismo pode ser útil – como quando ele nos impede de fazer aquele investimento temerário, dar aquele péssimo passo na carreira ou apostar com a nossa saúde. O senso crítico também pode ser útil não apenas para pessoas e empresas como também para a sociedade como um todo, especialmente quando isso nos leva a reconhecer as desigualdades e combatê-las.

O segredo, portanto, é não impedir completamente a percepção do negativo o tempo todo, mas, sim, cultivar um senso de otimismo razoável, realista e saudável. A atitude mental ideal não é se descuidar dos riscos, mas, sim, priorizar *de fato* o positivo. Não só porque isso nos faz mais felizes, mas por constituir justamente um fator que gera *mais* positivismo. Diante da escolha entre ver o mundo por meio de lentes rosadas ou andar por aí com uma nuvem cinza pairando sobre a sua cabeça, acredito que você não terá dúvidas. No trabalho e na vida, o otimista razoável vencerá em cada circunstância.

Quando treinamos o nosso cérebro para adotar um Efeito Tetris Positivo, estamos não apenas aumentando nossas chances de sermos felizes como também estamos dando início a uma cadeia de eventos que nos ajudará a colher todos os benefícios de um cérebro positivo. Concentrar-se no positivo não é só uma questão de superar a tendência de ver o copo meio vazio. É uma questão de abrir nossa cabeça a ideias e oportunidades que nos ajudarão a ser mais produtivos, eficazes e bem-sucedidos no trabalho e na vida. As possibilidades, como o bônus de 250 dólares, estão aí para todo mundo ver. Você vai deixar que elas passem despercebidas ou treinará o seu cérebro para enxergar mais além?

NOTAS

1. STICKGOLD, R.; MALIA, A.; MAGUIRE, D.; RODDENBERRY, D.; O'CONNOR, M. Replaying the game: hypnagogic images in normals and amnesics. *Science*, 290, 2000, p. 350-353.
2. EARLING, A. The tetris effect: do computer games fry your brain. *Philadelphia City Paper*, 21-28 mar. 1996.
3. EATON, W. W.; ANTHONY, J.; MANDEL, W.; GARRISION, R. Occupations and the prevalence of major depressive disorder. *Journal of Occupational Medicine*, 1990, 32, p. 1.079-1.087.
4. BENJAMIN, G. A. H.; KASZNIAK, A.; SALES, B.; SHANFIELD, S. B. The role of legal education in producing psychological distress among law students and lawyers. *American Bar Foundation Research Journal*, p. 225-252. Para uma análise completa da literatura sobre a angústia em estudantes de direito, veja: PETERSON, T. D.; PETERSON, E. W. (2009). *Yale Journal of Health Policy, Law, and Ethics*, 1986, 9, p. 357-434.
5. PETERSON, T. D.; PETERSON, E. W. *Yale Journal of Health Policy, Law, and Ethics*, 2009, 9, p. 357-434.
6. Para uma discussão mais aprofundada sobre a ciência da atenção, ver: GALLAGHER, W. *Rapt:* attention and the focused life. New York: Penguin, 2009.

7. SIMONS, D. J.; CHABRIS, C. F. Gorillas in our midst: sustained inattentional blindness for dynamic events. *Perception*, 1999, 28, p. 1.059-1.074.

8. Muitos estudos sobre a nossa tendência à cegueira para a mudança foram desenvolvidos. Um exemplo é SIMONS, D. J.; LEVIN D. T. Failure to detect changes to people in a real-world interaction. *Psychonomic Bulletin and Review*, 5, 1998, p. 644-649.

9. MASSAD, C. M.; HUBBARD, M.; NEWTSON, D. Selective perception of events. *Journal of Experimental Social Psychology*, 1979, 15(6), p. 513-532.

10. HALBERSTADT, J.; WINKIELMAN, P.; NIEDENTHAL, P. M.; DALLE, N. Emotional conception: how embodied emotion concepts guide perception and facial action. *Psychological Science*, 2009, 20, p. 1.254-1.261.

11. EMMONS, R. A. Thanks! *How the new science of gratitude can make you happier*. New York: Houghton Mifflin, 2007.

12. Para uma amostra da extensa literatura científica sobre o otimismo, veja CARVER, C. S.; SCHEIER, M. F. Optimism. In: SNYDER, C. R.; LOPEZ, S. J. (Ed.). *Handbook of Positive Psychology*. New York: Oxford University Press, 2005. p. 632-645; SCHEIER, M. F. WEINTRAUB, J. K.; CARVER, C. S. Coping with stress: divergent strategies of optimists and pessimists. *Journal of Personality and Social Psychology*, 1986, 51, p. 1.257-1.264.

13. WISEMAN, R. The luck factor. *The Skeptical Inquirer*, 2003, 27, p. 1-5.

14. BRIGHT, J. E.; PRYOR, R. G. L.; HARPHAM, L. The role of chance events in career decision making. *Journal of Vocational Behavior*, 2005, 66, p. 561-576.

15. SCHNEIDER, L. Life decisions & career paths — Leave it all to chance? Huffington Post. Em seu artigo, Schneider cita Colleen Seifert, um professor de psicologia da University of Michigan e especialista em codificação preditiva. Para saber mais sobre esse fenômeno, veja SEIFERT, C.; PATALANO, A. L. Opportunism in memory: preparing for chance encounters. *Current Directions in Psychological Science*, 2001, 10, p. 198-201.

16. SELIGMAN, M. E. P.; STEEN, T. A.; PARK, N.; PETERSON, C. Positive psychology progress: empirical validation of interventions. *American Psychologist*, 2005, 60, p. 410-421.

17. BURTON, C.; KING, L. The health benefits of writing about intensely positive experiences. *Journal of Research in Personality*, 2004, 38, p. 150-163.

18. TAYLOR, S. E. *Positive illusions*. New York: Basic, 1988.

PRINCÍPIO 4:
ENCONTRE OPORTUNIDADES NA ADVERSIDADE

Capitalizar as quedas para ganhar impulso para subir

Quando eu ainda estudava, muitas vezes fui encorajado a vender meu corpo. O Departamento de Psicologia estava sempre oferecendo dinheiro para voluntários para participar de pesquisas; e, como eu vivia duro, fui uma cobaia frequente em experimentos que variavam da mera humilhação a completas enganações – incluindo interações sociais constrangedoras, repetidos procedimentos de ressonância magnética e testes exaustivos de habilidades mentais e físicas. Mas o experimento mais memorável de todos foi um estudo que prometia ser agradável, apelidado de "Ajudando os Idosos".

O estudo teve três horas de duração e deveria pagar 20 dólares. Logo de cara, dois assistentes de pesquisa me entregaram um conjunto de refletores de bicicleta com tiras de velcro e uma bermuda de ciclista branca. Um dos assistentes disse, em tom formal: "Por favor, coloque esses refletores nas articulações do seu corpo e vista a bermuda. E, ah, não temos mais camisetas brancas, então você precisará ir sem camiseta. Deseja prosseguir?".

Por 20 dólares? Eles claramente me subestimaram. Alguns minutos depois, cheio de sensores reflexivos cobrindo meus cotovelos, pulsos e joelhos, eu mais parecia um robô nu da cintura para cima. Foi quando eles me explicaram o estudo: os pesquisadores estavam estudando como os idosos caem no chão, visando ajudá-los a evitar lesões e ferimentos. Eles não podiam, naturalmente, pedir que os velhos caíssem repetidamente para o estudo e para isso recrutaram os estudantes universitários. Fez muito sentido para mim.

Fui instruído a caminhar por um corredor acolchoado no escuro enquanto uma câmera de vídeo registrava a posição dos refletores nas minhas articulações. Enquanto eu caminhava, uma de quatro coisas aconteceria: (1) O chão desviava subitamente para a esquerda, derrubando-me com tudo no corredor acolchoado; (2) O chão desviaria subitamente para a direita, desequilibrando-me e fazendo-me cair com tudo para a esquerda; (3) Uma corda presa à minha perna direita seria puxada, fazendo-me cair de cara no corredor; e (4) Se nenhuma dessas coisas acontecesse até eu chegar ao fim do corredor, eu deveria simplesmente me jogar no chão. A última opção me pareceu especialmente ridícula – que tipo de idoso se joga intencionalmente no chão?

Mas havia 20 dólares em jogo, de forma que passei a próxima hora caindo uma vez a cada aproximadamente 30 segundos. Quando cheguei a 120 quedas, os assistentes de pesquisas apareceram, deram uma risadinha sem graça e admitiram que tinham se esquecido de ligar a câmera. Eu precisaria repetir todas as quedas. "Você deseja prosseguir?" Mais uma vez, respondi que sim.

Mais 120 quedas depois, eu estava contundido, abatido e exausto. Com todo o equipamento, o mero ato de me levantar do chão demandava uma energia enorme e meu corpo estava todo dolorido com o suplício. Quando finalmente saí do corredor, os assistentes de pesquisa estavam acompanhados de um professor de aparência distinta, que fora chamado para investigar uma importante irregularidade: o experimento nunca tinha durado tanto tempo.

Acontece que o estudo não tinha nada a ver com "ajudar os idosos". (Nota para mim mesmo: *nunca* confie no nome de um estudo do Departamento de Psicologia.) Aqueles pesquisadores na verdade estavam estudando motivação e resiliência.

Eles queriam saber: a quanta dor e desconforto era possível submeter as pessoas antes de elas desistirem? O quanto uma pessoa era capaz de suportar para ganhar a recompensa prometida? No meu caso, a resposta foi: muito. O professor tinha ido ao hospital em um sábado porque eu fui o único que resistiu a três horas seguidas. Enquanto eles me explicavam o verdadeiro experimento, não pude deixar de me perguntar se eu deveria me sentir um idiota por suportar tanto abuso por meros 20 dólares. Mas, antes de eu poder dizer qualquer coisa, o professor me entregou dez notas novinhas de 20 dólares. "É o mínimo que podemos fazer por submetê-lo a isso", ele disse. "Quanto mais os participantes se levantam do chão e se dispõem a continuar, maior é a recompensa. Você ganhou o Grande Prêmio: 200 dólares."

Foi gentil da parte dele. Mas mais memoráveis que o generoso prêmio foram as lições que aprendi sobre a natureza da resiliência – sobre nos levantar quando caímos. Dez anos mais tarde, eu estava repetindo uma variação do experimento Ajudando os Idosos com dezenas de milhares de líderes de negócios do mundo todo. Em meio à maior crise econômica dos nossos tempos, os executivos sentiam que o chão tinha sumido debaixo de seus pés, os investidores sentiram um violento desvio do chão no qual caminhavam e os colaboradores de todos os níveis sentiram a perna sendo subitamente puxada por forças além de seu controle. Em todos os continentes para os quais eu viajava, o refrão era o mesmo: como estou exausto de cair seguidamente, como encontrarei a energia necessária para voltar a me levantar?

Na época em que fui uma cobaia humana na universidade, eu não teria uma boa resposta para eles, mas desta vez eu tinha: uma estratégia que observei pela primeira vez em 2006, estudando os mais resilientes dos estudantes de Harvard – encontrar oportunidades na adversidade.

MAPEAR O CAMINHO DO SUCESSO

O cérebro humano está constantemente criando e ajustando mapas mentais para nos ajudar a navegar por este mundo complexo e em constantes mudanças – um pouco como um cartógrafo incansável e apaixonado pelo que faz. Essa tendência foi programada em nós por meio de milhares de anos de evolução: para sobreviver, devemos criar mapas físicos do nosso ambiente, delinear estratégias para obter comida e sexo e mapear os possíveis efeitos das nossas ações. Mas esses mapas não são cruciais para a sobrevivência apenas na natureza. Eles também são vitais para ter sucesso e prosperar no mundo dos negócios.

Se você estiver conversando com um cliente, por exemplo, e tentando decidir se deve fazer uma oferta alta ou baixa, o seu cérebro está inconscientemente (e algumas vezes conscientemente) criando um mapa do evento com dois caminhos possíveis e tentando prever para onde esses caminhos levarão: se você fizer uma oferta baixa, pode prever que esse caminho levará o cliente a tentar reduzir ainda mais a oferta ou a aceitar a oferta oferecida, o que acabará levando ao destino final de um negócio fechado. Se fizer uma oferta alta, por outro lado, o caminho pode levar ao cliente se ofendendo e escolhendo outro fornecedor. Todas as decisões humanas envolvem esse tipo de mapeamento mental: elas começam com um ponto do tipo "Você Está Aqui" (o *status quo*), a partir do qual uma variedade de caminhos se irradiam, e cujo número depende da complexidade da decisão e da clareza do seu pensamento no momento. As melhores decisões surgem quando pensamos com clareza e criatividade suficientes para reconhecer todos os caminhos disponíveis e prever com precisão para onde aquele caminho levará. O problema é que, quando estamos estressados ou em crise, muitos de nós deixam de ver o caminho mais importante de todos: o caminho que nos leva a encontrar oportunidades na adversidade.

Em todo mapa mental depois de uma crise ou adversidade, três caminhos mentais se fazem presentes. Um deles meramente orbita ao redor de onde você está no momento (isto é, o evento negativo não gera nenhuma mudança e você acaba no ponto de partida). Outro caminho mental o leva na direção de outras consequências negativas (isto é, você acaba em uma situação pior depois do evento negativo; este caminho explica por que tememos conflitos e desafios). E há ainda outro caminho, que chamarei de Terceiro Caminho, que nos leva do fracasso ou do revés a um ponto ao qual chegamos ainda mais fortes e mais capazes do que antes da queda. É verdade que não é fácil encontrar esse caminho em momentos de dificuldade. Em uma crise, econômica ou de outra natureza, tendemos a formar mapas mentais incompletos e, ironicamente, o caminho que mais temos dificuldade de ver muitas vezes é o mais positivo e produtivo. Com efeito, quando nos sentimos impotentes e desesperançados, deixamos de acreditar na existência de um caminho como esse, de forma que nem nos damos ao trabalho de procurá-lo. Mas esse é justamente o caminho que *deveríamos* procurar, porque, como veremos, a nossa capacidade de encontrar o terceiro caminho é que faz a diferença entre aqueles que se deixam abater pelo fracasso e aqueles que sacodem a poeira e dão a volta por cima.

Estudo após estudo demonstra que, se formos capazes de considerar um fracasso como uma oportunidade de crescimento, teremos muito mais chances de crescer. Inversamente, se pensarmos numa queda como a pior coisa do mundo, ela acaba se transformando justamente nisso. Jim Collins, autor de *Empresas feitas para vencer*, nos lembra de que "não somos aprisionados pelas nossas circunstâncias, nossos revezes, nossa história, nossos erros nem mesmo as descomunais derrotas ao longo do caminho. Na verdade, somos libertados pelas nossas escolhas".[1] Ao analisar nosso mapa mental em busca de oportunidades positivas e ao rejeitar a crença de que cada queda na vida só nos leva mais para baixo, oferecemos a nós mesmos o maior poder possível: a capacidade de nos elevar não *apesar* dos contratempos, mas *devido a* eles. Neste capítulo, você aprenderá como.

CRESCIMENTO PÓS-TRAUMÁTICO

Na sociedade de hoje, é muito fácil deixar passar o Terceiro Caminho. Um exemplo particularmente notável disso é o fato de que, quando os soldados se dirigem ao combate, os psicólogos normalmente os advertem de que eles voltarão ou "normais" ou com um Transtorno por Estresse Pós-Traumático (TEPT). O que isso faz na prática é dar a esses soldados um mapa mental com apenas dois caminhos – a normalidade e o sofrimento psíquico. Apesar de o TEPT naturalmente ser uma consequência grave e bem documentada da guerra (e apesar de a experiência da guerra poder ser tão terrível que voltar "normal" pode ser uma promessa bastante atraente), outra grande série de pesquisas comprova a existência de um terceiro caminho, muito melhor: o Crescimento Pós-Traumático.

Ataque cardíaco, agressão física, câncer de mama, confronto militar, desastre natural, deslocamento de refugiados, doença crônica, morte na família, transplante de medula. Se isso mais parece a descrição randômica de um pesadelo em ordem alfabética das piores coisas que podem nos acontecer, é porque basicamente é exatamente isso. Mas também é uma lista de eventos que, segundo pesquisas, levam a um profundo crescimento positivo em muitas pessoas.[2] Os psicólogos se referem a essa experiência como Crescimento Contraditório ou Crescimento Pós-Traumático para distingui-lo do termo mais conhecido, Estresse Pós-Traumático. Quando soube dessas pesquisas mais recentes, fiquei bastante perturbado. Como eu nunca tinha ouvido falar nisso antes? Senti que o mundo estava censurando as pesquisas que não apenas eram surpreendentes como também poderiam melhorar milhares de vidas. E não estamos falando apenas de alguns estudos independentes e periféricos, mas de um grande volume de estudos extremamente respeitáveis.

Ao longo das duas últimas décadas, o psicólogo Richard Tedeschi e seus colegas se dedicaram ao estudo empírico do Crescimento Pós-Traumático. Apesar de Tedeschi admitir que a ideia é antiga – você com certeza já ouviu a máxima "O que não nos mata só nos faz mais fortes" –, ele explica que "foi só mais ou menos nos últimos 25 anos que esse fenômeno, a possibilidade de algo bom surgir das dificuldades, passou a ser o foco de uma iniciativa sistemática de teorização e investigação empírica".[3] Graças a esse estudo, hoje podemos afirmar com certeza que um intenso sofrimento ou trauma pode de fato levar a uma grande mudança positiva em uma ampla variedade de experiências. Depois das bombas que explodiram em Madri em 11 de março de 2004, por exemplo, os psicólogos constataram que muitos madrilenos vivenciaram um crescimento psicológico positivo.[4] O mesmo aconteceu com a maioria das mulheres diagnosticadas com câncer de mama.[5] E de que tipo de crescimento positivo estamos falando? Maior espiritualidade, compaixão pelos outros, abertura e até mesmo, em alguns casos, mais satisfação com a vida em geral. Depois do trauma, as pessoas também relatam maior força pessoal e mais autoconfiança, bem como mais valorização e mais intimidade nos relacionamentos sociais.[6]

Isso naturalmente não se aplica a todos. Então, o que distingue as pessoas que conseguem crescer com essas experiências daquelas que não conseguem? Há inúmeros mecanismos envolvidos, mas, como era de esperar, a atitude mental ocupa o centro do palco. A capacidade das pessoas de encontrar o caminho que as leva a enxergar oportunidades na adversidade se fundamenta em grande parte em como elas concebem a situação na qual estão. Portanto, as estratégias que levam com mais frequência ao Crescimento Contraditório incluem a reinterpretação positiva da situação ou evento, o otimismo, a aceitação e os mecanismos de enfrentamento que incluem encarar o problema de frente (em vez de tentar evitá-lo ou negá-lo). Como um grupo de pesquisadores explica, "aparentemente não é o tipo de evento em si que influencia o crescimento pós-traumático, mas, sim, a experiência subjetiva do evento".[7] Em outras palavras, as pessoas que conseguem se levantar da queda com mais sucesso são aquelas que se definem não pelo que aconteceu com elas, mas pelo que elas podem fazer com o que aconteceu. São essas as pessoas que conseguem utilizar o infortúnio para encontrar o caminho que as leva a perceber oportunidades na adversidade. Elas falam não apenas de se recuperar, mas de se recuperar *e seguir em frente*.[8]

"EURECA, NÓS FRACASSAMOS!"

Apesar de muitos de nós, felizmente, vivermos uma vida livre de traumas sérios, todos vivenciamos algum tipo de adversidade em algum ponto da vida. Erros. Obstáculos. Fracasso. Decepção. Sofrimento. Temos muitas palavras para descrever os graus de provação que podem nos acometer a qualquer momento na vida pessoal ou profissional. No entanto, cada contratempo vem acompanhado de alguma oportunidade de crescimento que podemos nos treinar a perceber e aproveitar. Como meu mentor Tal Ben-Shahar gosta de dizer, não é que tudo acontece para o melhor, mas, sim, que podemos obter o melhor de tudo o que acontece.

As pessoas mais bem-sucedidas veem a adversidade não como um obstáculo intransponível, mas como um trampolim para a excelência. Com efeito, é o fracasso que muitas vezes leva a ideias que acabam revolucionando indústrias inteiras, geram lucros recordes e reinventam carreiras. Todos nós já ouvimos os famosos exemplos: Michael Jordan excluído de sua equipe de basquete no colégio, Walt Disney demitido por um editor de jornal por não ser suficientemente criativo, os Beatles rejeitados pelo executivo de uma gravadora que lhes disse que "bandas de guitarra não estão com nada". Na verdade, muitos dos seus mantras vencedores basicamente descrevem a noção de encontrar oportunidades na adversidade: "Fracassei seguidamente na minha vida", Jordan disse certa vez, "e é por isso que saí vitorioso." Robert F. Kennedy disse praticamente a mesma coisa, mas em outras palavras: "Só os que ousam fracassar completamente, podem alcançar a totalidade". E Thomas Edison afirmou que seu sucesso foi o resultado de uma sucessão de fracassos. Por essa razão, muitos investidores de risco só contratam gestores que já vivenciaram algumas derrotas. Um currículo imaculado não é tão promissor quanto outro que inclua fracassos e crescimento. Dessa forma, como explica um consultor, em vez de construir "um muro ao redor do fracasso como se ele fosse radioativo", as empresas deveriam promover "festas do fracasso".[9]

A Coca-Cola coloca essa ideia em prática com excelentes resultados. Em 2009, o CEO da Coke abriu seu encontro anual com os investidores não exaltando os inúmeros sucessos da empresa, mas relacionando todos os seus fracassos. (Você já ouviu falar da OK Soda, do Surge ou do Choglit? Provavelmente não.) O objetivo de destacar todos esses fracassos foi mostrar aos investidores que às vezes se cometem erros e às vezes se perde dinheiro, mas esses fracassos levam a valiosas lições e todas essas lições têm contribuído para as inúmeras vitórias da Coca-Cola.

A *Harvard Business Review* observa que as melhores empresas chegam a cometer erros de propósito só para instigar o tipo de resolução criativa de problemas que leva a ideias e soluções mais inovadoras.[10] Por exemplo, durante os dias de glória da Bell Telephone nos Estados Unidos, a empresa normalmente exigia depósitos antecipados de seus clientes considerados de alto risco, mas em uma ocasião deixou propositadamente 100 mil desses clientes passarem sem pagar o depósito para ver quais deles pagariam as contas antes do vencimento de qualquer maneira. Munida dessas informações, a empresa conseguiu elaborar um processo de faturamento muito mais eficiente, que acabou acrescentando milhões de dólares de receita. Como concluem os autores da *Harvard business*, cometer erros como esse constitui "uma maneira poderosa de acelerar o aprendizado e aumentar a competitividade".

É por essa razão que, por mais que possa parecer um contrassenso, os psicólogos recomendam que fracassemos logo e com frequência. Em seu livro *The pursuit of perfect*, Tal Ben-Shahar escreve que "só podemos aprender a lidar com o fracasso se de fato o vivenciarmos e sobrevivermos a ele. Quanto antes enfrentarmos dificuldades e contratempos, mais estaremos preparados para lidar com os obstáculos inevitáveis ao longo do nosso caminho".[11] Vários estudos comprovam essa afirmação. Em um experimento no qual 90 pessoas participaram de um treinamento para aprender a utilizar um software, metade foi instruída a impedir a ocorrência de erros, enquanto a outra metade foi levada a cometer erros durante o treinamento.[12] E, surpresa!, o grupo incentivado a cometer erros não apenas relatou maiores sentimentos de eficiência como também, por ter sido levado a encontrar o próprio caminho para evitar os erros, também se mostrou depois muito mais rápido e preciso na utilização do software.

COMO O TERCEIRO CAMINHO FICA OCULTO

Infelizmente, nem sempre é fácil encontrar o caminho do fracasso para o sucesso. Em meio à crise, podemos ficar tão atolados no tormento da situação que nos esquecemos da existência de outros caminhos disponíveis. Vi isso em primeira mão quando a crise financeira de 2008 rápida e implacavelmente quebrou as pernas de toda a força de trabalho. Um dia em particular ficou gravado na minha memória. Eu estava em um arranha-céu de Manhattan, com vista para a lacuna deixada sete anos antes pelos ataques de 11 de setembro. Aquela lembrança terrível talvez já fosse razão suficiente para sentir um frio na barriga antes de dar uma palestra sobre psicologia da felicidade a um grupo de vice-presidentes seniores de uma empresa global de cartões de crédito. Quando entrei na sala, fui recebido com um desalento palpável, e o frio na barriga só se intensificou. Em vez dos sorrisos confiantes e do contato visual direto que todo palestrante espera receber da plateia, fui recebido com rostos pálidos e o mais completo silêncio. Ainda faltava cerca de meia hora para começar minha palestra e os funcionários estavam em um intervalo depois da reunião matinal. Normalmente, durante intervalos como esses, todos teclam furiosamente o Blackberry enquanto tomam grandes goles de café e conversam com pelo menos quatro pessoas ao mesmo tempo. Mas não dessa vez.

O diretor de RH rapidamente me chamou de lado e começou a falar em um tom ansioso e abafado. Ele disse que o grupo tinha acabado de ser informado do plano da empresa para reagir à crise econômica, que incluía uma ampla reestruturação, mudanças drásticas em cargos e responsabilidades e demissões em massa. Aquelas pessoas ainda estavam empregadas, ele me disse, mas muitas delas iam perder valiosos membros da equipe e estimados colegas e a carreira delas jamais seria a mesma depois daquele dia. Antes de conseguir processar as informações, vi que um microfone estava sendo colocado na minha camisa. Eu raramente senti tanta apreensão antes de falar sobre a felicidade, mas essa era a vez.

Ao longo das próximas semanas e meses, andei nervosamente de um lado para o outro nos corredores de empresas da lista Fortune 500 em Hong Kong, Tóquio, Cingapura, Sydney, Londres e Nova York, esperando para dar a minha palestra logo depois de anúncios de que bônus estariam sendo reduzidos e que a força de trabalho seria cortada praticamente pela metade. Em cada empresa, vi vários gestores e colaboradores tão paralisados pelo medo a ponto de se sentirem incapazes de realizar qualquer ação. O mapa mental deles parecia ancorado no presente sombrio ou, pior, concentrado apenas nos caminhos que levavam ainda mais para baixo, para destinos como o desemprego ou a falência.

Uma gestora bastante infeliz de uma pequena empresa manufatureira de Seattle me contou que, apesar de sua equipe ser outrora famosa na empresa pelas suas reuniões animadas, se via agora diante de "olhares de zumbi" e bocas silenciosas. Outro executivo de uma empresa de construção em Joanesburgo lamentou que sua força de vendas normalmente extrovertida agora estava evitando atender os telefonemas dos clientes para não ter de lhes dar mais más notícias. Eles não conseguiam enxergar um futuro positivo para os clientes nem para si mesmos, então para que se dar o trabalho? Na matriz de uma empresa financeira global, percorri a passarela acima do piso de operações, famoso por ter o tamanho de quatro campos de futebol americano. Normalmente repleto de gente e vibrando de energia e atividade, o gigantesco espaço estava tomado por murmúrios sinistros. As pessoas passavam cabisbaixas pelas mesas vazias, evitando o contato visual e, em minha opinião, evitando até mesmo trabalhar.

Justamente no momento em que um empenho adicional se fazia necessário, as pessoas que eu mantinha reunidas pareciam paralisadas, como se tivessem desistido. O que estava acontecendo? Para entender a psicologia do fracasso e do sucesso no mundo dos negócios moderno, precisamos retroceder brevemente para o fim da Era de Aquário. Nos anos 1960, Martin Seligman ainda não havia fundado a psicologia positiva. Ele era apenas um modesto estudante de pós-graduação, estudando justamente o contrário da felicidade no laboratório de sua universidade.

Pesquisadores mais velhos no laboratório de Seligman realizavam alguns experimentos com cachorros, aliando sons, como o toque de um sino, a pequenos choques para ver como os cães reagiriam somente ao toque do sino.[13] Então, concluído esse condicionamento, os pesquisadores colocavam cada cão em uma *shuttlebox*, uma grande caixa com dois compartimentos separados por uma divisória baixa. Em um compartimento, os cães levavam choques, mas no outro lado eles estariam a salvo dos choques e era fácil saltar a divisória. Os pesquisadores previam que, assim que os cães ouvissem o sino, eles pulariam imediatamente para o lado seguro da caixa para evitar o choque que eles sabiam que se seguiria ao som. Mas não foi o que aconteceu.

Seligman conta que se lembra de entrar no laboratório um dia e ouvir os pesquisadores mais velhos reclamando. "São os cachorros", eles lamentavam. "Os cachorros não fazem nada. Tem algo de errado com eles." Antes do início do experimento, os cães se mostraram capazes de saltar facilmente pela divisória, mas durante o experimento eles se limitavam a ficar deitados. Enquanto os pesquisadores contemplavam o que parecia ser um experimento fracassado, Seligman percebeu o valor do que eles tinham acabado de descobrir: eles acidentalmente ensinaram os cães a serem impotentes. Antes, os cães haviam aprendido que, ao toque do sino, um choque invariavelmente se seguiria, não importava o que acontecesse. Então, nessa nova situação, eles nem tentavam saltar para a metade segura da caixa porque acreditavam que não havia nada que pudessem fazer para evitar o choque. Da mesma forma como os trabalhadores da empresa de construção de Joanesburgo, eles basicamente raciocinaram: "Para que me dar o trabalho?".

Depois de décadas estudando o comportamento humano, Seligman e seus colegas descobriram que os mesmos padrões de desamparo que ele viu naqueles cachorros são incrivelmente comuns nos seres humanos. Quando fracassamos, ou quando a vida nos dá um choque, podemos ficar tão desamparados que reagimos simplesmente desistindo. O fato é que, no nosso mundo dos negócios moderno e muitas vezes exposto a níveis extremos de estresse, os cubículos são as novas *shuttleboxes* e os trabalhadores são os novos cães. Com efeito, um estudo mostra até que ponto nós, seres humanos, somos semelhantes aos nossos primos caninos. Os pesquisadores levaram dois grupos de pessoas a uma sala, reproduziram em volume elevado a gravação de um ruído insuportável e instruíram os participantes a descobrir como desligar a gravação pressionando botões em um painel.[14] O primeiro grupo tentou todas as combinações possíveis de botões, mas nada funcionava para interromper o ruído. (Mais um exemplo de psicólogos malignos em ação!) O segundo grupo, o grupo de controle, recebeu um painel de botões que de fato funcionava para desligar o ruído. Depois disso, os dois grupos receberam a mesma segunda tarefa: eles foram levados a uma nova sala, o equivalente a uma *shuttlebox*, e mais uma vez foram forçados a ouvir o ruído insuportável.

Dessa vez, os dois grupos podiam facilmente interromper o ruído simplesmente movendo uma alavanca de um lado ao outro, da mesma forma como os cachorros poderiam passar facilmente para o outro lado da caixa. O grupo de controle descobriu rapidamente como parar o ruído desagradável. Mas o grupo que havia sido exposto ao ruído sem poder interrompê-lo na primeira vez simplesmente ficou parado, sem se dar o trabalho de mover as mãos ou tentar fazer o ruído parar. Como disse um dos pesquisadores, "foi como se eles tivessem aprendido que eram impotentes para interromper o ruído, de forma que eles nem mesmo tentavam, apesar de toda a situação – o horário e o local, tudo isso – ter mudado. Eles levaram consigo aquele desamparo ao novo experimento".[15]

UM GOLPE ECONÔMICO PELAS COSTAS

Xangai é uma cidade notável pela rápida e impressionante prosperidade. Ainda em meados dos anos 1990, grande parte da cidade, atualmente com 19 milhões de habitantes, ainda era rural. Mas, à medida que os investimentos estrangeiros fluíram para a China e o desenvolvimento decolou, prédios de escritórios de 20 andares, antes os mais altos da cidade, se viram subitamente diminuídos ao lado de gigantes de cem andares que se apinhavam na linha do horizonte, parecendo prometer uma prosperidade sem fim.

Na minha primeira viagem a Xangai, no verão de 2008, essa promessa tinha ficado em suspenso, não apenas na China, mas por todo o planeta. Por toda a parte, do 104º andar do prédio de escritórios em Pudong, o distrito financeiro de Xangai, até o pregão da bolsa de valores de Nova York, eu via pessoas paralisadas pelo estresse. Incapaz de prever o próximo destino do tsunami financeiro, elas estavam congeladas pelo desespero e se consideravam incapazes de seguir em frente. Nunca entendi completamente o que as mantinha tão ancoradas na inação, até que um gestor me explicou a situação nos seguintes termos: "As tendências do mercado estão fora do meu controle. Os preços das ações estão fora do meu controle. As decisões dos meus chefes estão fora do meu controle. Então, não há nada que eu possa fazer. Eu me sinto submergindo cada vez mais a cada dia que passa".

O que percebi com base no que testemunhei nas muitas empresas para as quais dei palestras ao longo dos últimos dois anos é que a crise de 2008 e suas consequências instilaram uma forma de desamparo aprendido – uma crença na futilidade das nossas ações – em muitos trabalhadores do mundo todo. Mas o problema é que, quando eliminamos do nosso mapa mental quaisquer caminhos que nos possibilitem encontrar oportunidades na adversidade e, pior ainda, quando perdemos a motivação para procurar esses caminhos, acabamos minando a nossa capacidade de lidar com o desafio em questão.

E a coisa não termina por aqui. Quando as pessoas se sentem impotentes em uma área da vida, elas não apenas desistem dessa área como muitas vezes "aprendem exageradamente" a lição e a aplicam a outras situações. Elas se convencem de que um caminho que leva a um beco sem saída é uma prova de que todos os caminhos possíveis também terminam em um beco sem saída. Um revés no trabalho pode nos levar à apatia no casamento ou um desacordo com um amigo pode nos desencorajar a tentar formar vínculos com os colegas e assim por diante. Quando isso acontece, nosso desamparo sai do controle, impedindo o nosso sucesso em todas as áreas da vida. Essa é a própria definição de pessimismo e depressão – um mapa mental com todos os caminhos levando a becos sem saída – e uma receita garantida para o fracasso. Não precisamos ir muito longe para ver esse ciclo negativo em uma escala social mais ampla – o desamparo aprendido é endêmico em escolas de periferia, prisões e outros ambientes destituídos. Quando as pessoas não acreditam na existência de um caminho no qual elas podem encontrar oportunidades na adversidade, elas não têm praticamente opção alguma além de ficar tão por baixo quanto estão.

ENCONTRE AS OPORTUNIDADES NA ADVERSIDADE

Você provavelmente já ouviu falar da famosa história dos dois vendedores de sapatos que foram enviados à África no início dos anos 1900 para avaliar as oportunidades. Eles enviaram telegramas separadamente ao chefe. Um deles dizia: "Situação desesperadora. Eles não usam sapatos". O outro telegrama dizia: "Enorme oportunidade! Eles ainda não têm sapatos".

Uma probabilidade seria que os mesmos dois vendedores mandassem e-mails similares hoje se fossem enviados ao Alasca para vender aparelhos de ar-condicionado ou ao deserto de Gobi para vender roupas de banho. A questão é, naturalmente, que, quando algumas pessoas deparam com adversidades, elas simplesmente deixam de procurar maneiras de transformar fracassos em oportunidades ou transformar o negativo em positivo. Outras pessoas – as mais bem-sucedidas dentre nós – sabem que não é a adversidade em si, mas o que fazemos com ela, que determina o nosso destino. Algumas desistirão, desalentadas, enquanto outras reunirão as forças, capitalizarão seus pontos fortes e seguirão em frente.

A HISTÓRIA DE DOIS CORRETORES DA BOLSA

Imagine dois corretores da bolsa. Vamos chamá-los de Ben e Paul. Os dois ganham salários polpudos, além de bônus. Os dois têm anos de experiência no cargo e esperam continuar atuando nele por muito mais tempo. De repente, eles se veem diante de um tsunami financeiro que os atinge profundamente. Paul fica arrasado: seu estilo de vida está em risco (bem como o seu Mercedes). E cada dia lhe traz notícias cada vez piores, um convite para mergulhar mais profundamente no desespero. Ben, apesar de ter ficado inicialmente tão arrasado quanto Paul, escolhe ver o evento como uma oportunidade de reavaliar suas metas e se envolver em um novo projeto. Formações similares, experiências profissionais quase idênticas e resultados radicalmente diferentes.

Todos nós conhecemos pessoas que reagiram à adversidade como Paul. Mas a história de Ben é absolutamente verdadeira. Ben Axler exercia o cargo de diretor associado na divisão de bancos de investimento da Barclays quando foi inesperadamente demitido.[16] Em vez de se limitar a lamentar a própria sorte, ele decidiu que aquele era o melhor momento para realizar a tão sonhada mudança de carreira e abriu um fundo *hedge*. Em resumo, Ben capitalizou sua má sorte transformando-a em uma oportunidade. E a oportunidade acabou se comprovando excelente. Apesar da crise na economia, ele conseguiu a adesão de um grande número de clientes e acabou ao mesmo tempo mais feliz e em melhores condições financeiras do que quando começou, tudo porque foi capaz de encontrar o Terceiro Caminho.

A CRISE COMO CATALISADOR

Felizmente, da mesma forma como crises pessoais podem proporcionar as bases para um crescimento individual positivo, o mesmo pode ocorrer no caso de crises econômicas. Elas muitas vezes impelem as empresas ao sucesso e, com efeito, muitas potências dos negócios do século XX – como a Hewlett-Packard e a Texas Instruments – foram lançadas durante a Grande Depressão. De forma similar, as empresas de maior sucesso na América muitas vezes utilizaram as recessões para reavaliar e melhorar suas práticas de negócios. Como a *Time* observou já em 1958 (apesar de a mensagem ser tão relevante ainda hoje), "para cada empresa que reduz suas operações, outra descobre novas maneiras de fazer as coisas que deveriam ter sido implementadas há anos, mas foram negligenciadas durante épocas de prosperidade".[17] A adversidade econômica força as empresas a encontrar maneiras criativas de cortar custos e inspira os gestores a retomar o contato com os colaboradores e as operações no chão de fábrica. O presidente de uma empresa admitiu que passar por uma recessão acabou se provando de valor inestimável: "Descobrimos todas as espécies de revisões que poderíamos realizar para melhorar nossas operações. Hoje essas revisões funcionam tão bem que não voltaríamos ao nosso antigo estilo de fazer as coisas mesmo se a recessão acabasse amanhã".[18] Isso poderia ter sido escrito mais de 50 anos atrás, mas basta dar uma olhada em como as empresas de maior sucesso conseguiram se recuperar da última recessão para verificar que o princípio continua válido nos dias de hoje.

Os melhores líderes são aqueles que mostram do que são feitos não durante os anos de vacas gordas, mas em momentos de dificuldade. Apesar de a reação natural de um líder diante de uma crise financeira poder ser recuar e esperar para ver o que vai acontecer, o *Wall Street Journal* salienta que essa abordagem é totalmente equivocada. Em vez disso, os gestores devem redobrar os esforços, porque "as crises podem ser catalisadores da criatividade".[19] Os líderes que se permitem ficar paralisados diante dos obstáculos que encontram deixam passar essa grande oportunidade. O desamparo prejudicará não apenas o desempenho deles como também o bem-estar dos funcionários e os resultados financeiros da empresa.

Por outro lado, os líderes que se sentem energizados pelos desafios e motivados pelo fracasso se beneficiam de todos os tipos de recompensas incríveis. Por exemplo, enquanto outros líderes estavam com dificuldade de manter suas empresas em operação, Indra Nooyi, CEO da PepsiCo, viu a recessão como uma oportunidade de viajar pelo mundo, para motivar pessoalmente os colaboradores e garantir que eles continuassem confiando na empresa. E essa manobra rendeu dividendos: ela não apenas elevou o moral e o desempenho de sua empresa como, em 2009, a revista *Fortune* a elegeu a mulher mais poderosa do mundo dos negócios.

A questão é que, quando nos vemos diante de obstáculos ou fracassos, sucumbir ao desamparo nos mantém caídos no chão, ao passo que buscar o caminho da oportunidade nos ajuda a nos levantar. Com isso em mente, veja a seguir algumas estratégias para encontrar o Terceiro Caminho na sua carreira e vida profissional.

ALTERE OS FATOS ALTERNATIVOS

Considere o seguinte cenário, que apresentei a líderes de negócios em países ao redor do globo, sempre com os mesmos resultados. Imagine por um momento que você entra em um banco. Há 50 outras pessoas no banco. Um ladrão entra e dispara sua arma uma vez. Você é atingido no braço direito.

Agora, se você estivesse descrevendo esse evento aos amigos e colegas no dia seguinte, você se descreveria como um sortudo ou um azarado?

Quando faço essa mesma pergunta aos executivos nas minhas sessões de treinamento, a resposta geralmente (e enfaticamente) se divide na proporção de cerca de 70/30: 70% afirmam ter sido um evento extremamente infeliz; os outros 30% consideram que teriam tido muita sorte. É revelador que o mesmo evento é capaz de inspirar interpretações tão diferentes, mas o verdadeiro *insight* surge quando peço que eles expliquem como chegaram a essa conclusão.

As pessoas que se considerariam azaradas argumentam na seguinte linha:

"Eu poderia ter entrado em qualquer banco a qualquer momento. Esse tipo de coisa quase nunca acontece. Não é muito azar eu estar justamente naquele banco e naquele exato momento? E *ainda por cima* ter sido baleado?!"

"Tem uma bala no meu braço; como posso achar que tive sorte?"

"Entrei no banco perfeitamente saudável e saí em uma ambulância. Não sei quanto a você, Shawn, mas não é o que eu chamaria de diversão."

Uma das minhas respostas preferidas veio de uma banqueira chamada Elsie, com um sotaque britânico impecável. "Isso seria fundamentalmente inconveniente", ela disse em tom seco.

Mas a minha resposta preferida e que, na verdade, ouvi mais de uma vez (e sempre de alguém do mercado financeiro) é: "Havia pelo menos 50 outras pessoas no banco. Sem dúvida alguém lá mereceria ser baleado mais do que eu". (Com uma resposta como essa, não estou certo de que isso seja verdade.)

Essas pessoas não conseguem entender como algo tão corriqueiro como ir ao banco pode se transformar em um tiroteio e ainda ser visto como um evento auspicioso. Mas então eles ouvem as explicações do outro grupo para o mesmo evento:

"Eu poderia ter sido baleado em uma parte do corpo bem pior que o braço. Poderia ter morrido. Eu me consideraria incrivelmente sortudo".

"É incrível que mais ninguém tenha se ferido. Havia pelo menos 50 outras pessoas no banco, inclusive crianças. É uma enorme sorte que todo mundo tenha vivido para contar a história."

Apesar de as respostas diferirem acentuadamente, a questão é que cada cérebro na sala faz exatamente a mesma coisa. Ele *inventa* – e este é um termo importante – um "fato alternativo". Um fato alternativo é um cenário alternativo que nosso cérebro cria para nos ajudar a avaliar e compreender o que realmente aconteceu.[20] Veja o que quero dizer com isso. As pessoas que se consideraram azaradas imaginaram um cenário alternativo no qual elas não foram baleadas; em comparação, o resultado lhes parece ter sido um grande azar. Mas o outro grupo inventou um cenário alternativo bastante diferente: eles poderiam ter sido baleados na cabeça e morrido ou muitas outras pessoas poderiam ter sido feridas. Em comparação com isso, teria sido uma grande sorte sobreviver ao evento.

O ponto crucial é que os dois fatos alternativos são completamente hipotéticos. Considerando que esse fato é inventado, temos o poder, em qualquer situação, de escolher conscientemente um fato alternativo que nos faça sentir sortudos e não desamparados. E a escolha de um fato alternativo positivo, além de simplesmente fazer nos sentirmos melhor, nos predispõe a toda uma série de benefícios à motivação e ao desempenho que, como já sabemos, acompanha uma atitude mental positiva. No entanto, escolher um fato alternativo que nos leva a temer mais a adversidade na verdade faz o obstáculo parecer mais imponente do que realmente é. Por exemplo, em um estudo interessante, pesquisadores da University of Virginia pediram que os participantes subissem em um skate no alto de um morro e estimassem a inclinação do morro.[21] Quanto mais temeroso e perturbado o participante se sentia sobre o skate, mais o morro aparentava ser alto e íngreme. Quando escolhemos um fato alternativo que faz nos sentirmos pior, na verdade estamos alterando a nossa realidade, permitindo que o obstáculo exerça uma influência muito maior sobre nós do que deveria.

MUDE O SEU ESTILO EXPLANATÓRIO

A maioria dos profissionais enfrenta empecilhos no dia a dia, mas a vida de um vendedor é, quase por definição, repleta de fracasso e rejeição. Em muitas áreas, apenas um em cada dez contatos leva a uma venda, o que significa que esses vendedores enfrentam rejeições 90% das vezes. Isso pode ser bastante desanimador depois de um tempo, o que ajuda a explicar por que a rotatividade de vendedores de seguros de vida costuma ser tão alta. No final dos anos 1980, a rotatividade aumentou tanto na MetLife que metade dos novos vendedores desistia no primeiro ano e apenas um de cada cinco permanecia na empresa até o quarto ano. No total, a empresa estava perdendo mais de 75 milhões de dólares por ano só com custos de contratação.[22]

Foi quando a MetLife procurou Martin Seligman, que já tinha deixado de estudar o desamparo aprendido em cães e estava então utilizando os resultados desses estudos para explorar como as pessoas se recuperam de todos os tipos de adversidade. Seligman notou que, apesar de a maioria dos participantes das pesquisas de fato começar a se sentir angustiada e impotente depois de enfrentar um contratempo depois do outro, uma minoria parecia imune. Não importava qual dificuldade eram forçados a encarar, eles sempre se recuperavam imediatamente. Ele logo descobriu que todos tinham em comum um estilo positivo de interpretar a adversidade – ou o que os pesquisadores chamaram de um "estilo explanatório" otimista.

Décadas de estudos subsequentes demonstraram que o estilo explanatório – a maneira como escolhemos explicar a natureza dos eventos ocorridos – provoca um impacto crucial sobre a nossa felicidade e sucesso futuro.[23] As pessoas com um estilo explanatório otimista interpretam a adversidade como algo pontual e temporário (algo como: "A situação não é tão ruim assim e vai melhorar") enquanto aquelas com um estilo explanatório pessimista veem os mesmos eventos como mais globais e permanentes (por exemplo: "A situação é terrível e nunca vai mudar"). Em consequência, suas crenças afetam diretamente suas ações. Aqueles que acreditam na última afirmação mergulham no desamparo e param de tentar, enquanto aqueles que acreditam na primeira afirmação são impelidos a melhorar o desempenho.

Hoje sabemos que praticamente todos os caminhos para o sucesso são ditados pelo estilo explanatório. Esse estilo pode indicar qual será o desempenho de alunos no colegial e até o de novos recrutas na Academia Militar dos Estados Unidos: recrutas no primeiro ano com um estilo explanatório mais otimista apresentam um desempenho melhor do que sugerem suas notas nas provas e têm menos chances de desistir do que os colegas.[24] No mundo dos esportes, estudos com atletas, variando de nadadores universitários a jogadores de beisebol profissional, mostram que o estilo explanatório é um bom fator preditor do desempenho atlético.[25] Ele chega a prever o quanto uma pessoa é capaz de se recuperar de uma cirurgia de ponte de safena.[26]

Dessa forma, quando Seligman foi contratado para ajudar a solucionar os problemas que os vendedores de seguro de vida estavam tendo na MetLife, um dos primeiros fatores que ele analisou foi o estilo explanatório deles. E, de fato, os testes revelaram que os vendedores com estilos mais otimistas vendiam 37% mais seguros do que os pessimistas e que os vendedores mais otimistas vendiam até 88% mais que os mais pessimistas. Além disso, os vendedores otimistas apresentavam metade da probabilidade de pedir demissão em relação aos pessimistas.

Essa era a resposta que a MetLife estava procurando. Eles decidiram contratar uma força especial de vendedores selecionados exclusivamente com base no estilo explanatório. E a estratégia se mostrou rentável. No ano seguinte, esses vendedores venderam 21% mais que seus colegas pessimistas; no segundo ano, a diferença foi de 57%.

Ciente de ter encontrado uma mina de ouro, a MetLife decidiu reformular completamente suas práticas de contratação desde então. Se os candidatos não passassem no teste padronizado do setor, mas apresentassem uma boa pontuação em uma avaliação do estilo explanatório, a MetLife os contratava mesmo assim. E, se passassem no teste, mas apresentassem um desempenho insuficiente no estilo explanatório, a empresa os rejeitava. O resultado foi que, em alguns poucos anos, a rotatividade na MetLife despencou enquanto a participação de mercado da empresa aumentou quase 50%.

APRENDA O ABCD

Naturalmente, transformar a adversidade em oportunidade é uma habilidade mais natural para algumas pessoas do que para outras. Algumas pessoas já possuem um estilo explanatório otimista. Elas imaginam automaticamente cenários alternativos que fazem se sentirem sortudas, interpretam as adversidades como efêmeras e pequenas e enxergam oportunidades inerentes onde os outros só veem maus presságios. Outras pessoas não possuem um estilo explanatório otimista. Felizmente, essas técnicas podem ser aprendidas.

Uma maneira de nos ajudar a enxergar o caminho da adversidade à oportunidade é praticar o modelo ABCD da interpretação: Adversity, Belief, Consequence e Disputation[27] – *em português, Adversidade, Crença, Consequência e Contestação.* A Adversidade é um evento que não temos como mudar. A Crença é a nossa reação ao evento – o motivo por que achamos que ele ocorreu e o que achamos que ele significa para o futuro. Será que se trata de um problema apenas temporário e pontual por natureza ou acreditamos que ele seja permanente e generalizado? Existem soluções disponíveis ou acreditamos que o problema é impossível de ser solucionado? Se acreditarmos no primeiro caso – isto é, se vemos a adversidade como algo de curto prazo ou como uma oportunidade de crescimento ou algo apropriadamente confinado a apenas uma parte da nossa vida –, maximizamos as chances de uma Consequência positiva. Mas, se a Crença nos conduz por um caminho mais pessimista, o desamparo e a inação podem levar a Consequências negativas. E é nesse ponto que devemos aplicar a Contestação.

A Contestação diz respeito primeiro a nos convencer de que a nossa Crença não passa disso, uma crença e não um fato, e depois desafiá-la (ou contestá-la). Os psicólogos recomendam "externalizar" essa voz (isto é, fingir que ela é proveniente de outra pessoa), de forma a realmente contestarmos a "outra pessoa". Quais são as evidências que sustentam essa crença? Ela é incontestável? Nós deixaríamos um amigo seguir um raciocínio como esse? Ou será que o raciocínio é claramente enganoso quando tomamos distância de nós mesmos e analisamos a situação objetivamente? Quais são algumas outras interpretações plausíveis para o evento? Haverá outras reações que podem ser adaptadas à situação? Existe algum outro fato alternativo que podemos adotar em vez desse raciocínio?

E, por fim, se a adversidade for *de fato* grave, será que ela é tão grave quanto acreditávamos inicialmente? Este último método em particular é chamado de "descatastrofização": provar a nós mesmos que, apesar de a adversidade ser real, ela talvez não seja tão catastrófica quanto achávamos que fosse. Isso pode soar como um mero lugar comum tirado de um cartão motivacional, mas a ideia de que as coisas nunca são tão ruins quanto parecem é, na verdade, um fato baseado na nossa biologia fundamental. Como milhares de anos de evolução fizeram de nós tão incrivelmente eficientes em nos adaptar até às circunstâncias mais extremas da vida, a adversidade nunca nos atinge tanto – ou por tanto tempo – quanto acreditamos que seja o caso.

Por exemplo, podemos achar que uma terrível lesão alterará para sempre a nossa capacidade de sermos felizes, mas, na verdade, após um ajuste inicial e um período de provações, a maioria das vítimas de paralisia recupera praticamente o mesmo nível de felicidade que tinha antes da lesão.[28] Dito de forma simples, a psique humana é muito mais resiliente do que podemos imaginar. É por isso que, quando estamos diante de uma possibilidade terrível – por exemplo, o fim de um romance ou a perda de um emprego –, superestimamos o quanto isso nos fará infelizes e por quanto tempo sofreremos. Tornamo-nos vítimas da "negligência imunológica", que significa que costumamos negligenciar o quanto o nosso sistema imunológico psicológico é eficaz para nos ajudar a superar as adversidades.

Daniel Gilbert, autor de *Stumbling on happiness*, conduziu inúmeros estudos demonstrando a negligência imunológica em ação.[29] Estudantes universitários superestimam o quanto ficarão arrasados com o fim de um relacionamento romântico. Professores assistentes acreditam que, se não forem aceitos para serem professores titulares, isso levará a níveis acentuadamente reduzidos de felicidade, quando na verdade não é o que acontece. As adversidades, não importa quais sejam, simplesmente não nos abatem tanto quanto supomos. O simples conhecimento dessa idiossincrasia da psicologia humana – que o nosso medo das consequências é sempre pior que as consequências em si – pode nos ajudar a adotar uma interpretação mais otimista dos obstáculos e contratempos que inevitavelmente enfrentaremos.

Dessa forma, da próxima vez que você se pegar se sentindo desalentado – ou impotente – em relação a algum contratempo na sua carreira, alguma frustração no seu trabalho ou alguma decepção na sua vida pessoal, lembre que sempre há um Terceiro Caminho, no qual as oportunidades ocultas na adversidade se revelam – basta você encontrá-lo. E, acima de tudo, lembre-se de que o sucesso não é uma questão de nunca cair e nem mesmo de cair e se levantar repetidamente, como fiz no experimento Ajudando os Idosos. O sucesso é mais do que a simples resiliência. É uma questão de *usar* essa queda para nos impelir na direção oposta. É uma questão de capitalizar os contratempos e as adversidades para nos tornarmos ainda mais felizes, ainda mais motivados e ainda mais bem-sucedidos. Não é simplesmente enfrentar as adversidades, mas encontrar as oportunidades que se escondem atrás delas.

NOTAS

1. COLLINS, J. *How the mighty fall*. New York: HarperCollins, 2009. p. 120.
2. Para uma análise, veja: LINLEY, P. A.; JOSEPH, S. Positive change following trauma and adversity: a review. *Journal of Traumatic Stress*, 17(1), 2004, p. 11-21. Veja uma amostra dos estudos que fundamentam a lista apresentada neste capítulo: morte na família (DAVIS; NOLEN-HOEKSEMA; LARSON, 1998), transplante de medula (FROMM; ANDRYKOWSKI; HUNT, 1996), câncer de mama (CORDOVA; CUNNINGHAM CARLSON; ANDRYKOWSKI, 2001; WEISS, 2002), doença crônica (ABRAIDO-LANZA, Guier; COLON, 1998), ataque cardíaco (AFFLECK; TENNEN; CROOG; LEVINE, 1987), combate militar (FONTANA; ROSENHECK, 1998; SCHNURR; ROSENBERG; FRIEDMAN, 1993), desastre natural (MCMILLEN; SMITH; FISHER, 1997), agressão física (SNAPE, 1997), deslocamento de refugiados após a guerra (POWELL; ROSNER; BUTOLLO; TEDESCHI; CALHOUN, 2003).

3. TEDESCHI, R. G.; CALHOUN, L. G.; CANN, A. Evaluating resource gain: understanding and misunderstanding post-traumatic growth. *Applied psychology:* an international review, 2007, 56 (3), 396-406, p. 396.
4. VAL, E. B.; LINLEY, P. A. Post-traumatic growth, positive changes, and negative changes in Madrid residents following the March 11. Madrid train bombings. *Journal of Loss and Trauma*, 11, 2004, p. 409-424.
5. WEISS, T. Post-traumatic growth in women with breast cancer and their husbands: an intersubjective validation study. *Journal of Psychosocial Oncology*, 2002, 20, p. 65-80.
6. LINLEY, P. A.; JOSEPH, S. Positive change following trauma and adversity: a review. *Journal of Traumatic Stress*, 2004,17(1), p. 11-21.
7. VAL, E. B.; LINLEY, P. A. Post-traumatic growth, positive changes, and negative changes in Madrid residents following the March 11, 2004, Madrid train bombings. *Journal of Loss and Trauma*, 11, 409-424, p. 410.
8. WALSH, F. Bouncing forward: resilience in the aftermath of September 11. *Family Processes*, 2002, 41, 34-36, p. 35.
9. MCGREGOR, J. How failure breeds success. *BusinessWeek*. O subtítulo que escolhi para este capítulo, Eureca, nós fracassamos! é uma citação dessa edição da *BusinessWeek*, que usou a frase como manchete de capa em 10 de julho de 2006.
10. SCHOEMAKER, P. J. H.; GUNTHER, R. E. Wisdom of deliberate mistakes. *Harvard Business Review*, jun. 2006.
11. BEN-SHAHAR, T. *The pursuit of perfect*. New York: McGraw-Hill, 2009. p. 22.
12. LORENZET, S. J.; SALAS, E.; TANNENBAUM, S. I. Benefiting from mistakes: the impact of guided errors on learning, performance, and self-efficacy. *Human Resource Development Quarterly*, 2005, 16, p. 301-322.
13. SELIGMAN, M. E .P. *Learned optimism*. New York: Knopf, 1991. p. 19-21.
14. HIROTO, D. S. Locus of control and learned helplessness. *Journal of Experimental Psychology*, 1974, 102, p. 187-193.
15. Conforme descrito por Martin Seligman em *Learned optimism*, p. 29.
16. DICKLER, J. Wall St. casualties: where are they now? Disponível em: <http://www.cnn.com>.
17. Recession Benefits. *Time Magazine*, 9 jun. 1958.
18. Recession Benefits. *Time Magazine*, 9 jun. 1958.
19. CHAKRAVORTI, B. How to innovate in a downturn. *The Wall Street Journal*, 18 mar. 2009.
20. Richard Wiseman talvez seja o maior proponente dessa estratégia, que ele chama de "pensamento contrafactual". Para uma discussão mais aprofundada do conceito e como colocá-lo em prática, veja seu livro de 2003, *The luck factor*. New York: Miramax, 2003.
21. STEFANUCCI, J. K.; PROFFITT, D. R.; CLORE, G. L.; PAREKH, N. Skating down a steeper slope: fear influences the perception of geographical slant. *Perception*, 2008, 37, p. 321-323.
22. Para ler a história completa da MetLife, veja: SELIGMAN, M. E. P. *Learned optimism*. New York: Knopf, 1991. p. 97-106.
23. Veja, por exemplo, PETERSON, C.; BARRETT, L. C. Explanatory style and academic performance among university freshmen. *Journal of Personality and Social Psychology*, 1987, 53, p. 603-607; NOLEN-HOEKSEMA, S.; GIRGUS, J.; SELIGMAN, M. E. P. Learned helplessness in children: a longitudinal study of depression, achievement, and explanatory style. *Journal of Personality and Social Psychology*, 1986, 51, p. 435-442. SELIGMAN, M. E. P; SCHULMAN, P. Explanatory style as a predictor of productivity and quitting among life insurance sales agents. *Journal of Personality and Social Psychology*, 1986, 50, p. 832-838.
24. SELIGMAN, M. E. P. *Learned optimism*. New York: Knopf, 1991. p. 152-153.
25. SELIGMAN, M. E. P.; NOLEN-HOEKSEMA, S.; THORNTON, N.; THORNTON, K. M. Explanatory style as a mechanism of disappointing athletic performance. *Psychological Science*, 1990, 1, 143-146. Para uma discussão mais extensa do estilo explanatório e do desempenho atlético, veja o livro de Seligman *Learned optimism*, p. 155-166.

26. SCHEIER, M. F. et al. Dispositional optimism and recovery from coronary artery bypass surgery: the beneficial effects on physical and psychological wellbeing. *Journal of Personality and Social Psychology*, 1989, 57, p. 1.024-1.040.

27. O modelo ABCD tem uma história longa e interessante, começando com Albert Ellis, pai da terapia cognitiva, adaptado por Martin Seligman (veja *Learned optimism* e *Authentic happiness*) e utilizado também por Karen Reivich e Andrew Shatte em seu excelente livro *The resilience factor*.

28. DIENER, E.; LUCAS, R. E.; SCOLLON, C. N. Beyond the hedonic treadmill: revising the adaptation theory of well-being. *American Psychologist*, 2006, 61, p. 305-314.

29. GILBERT, D. T.; WILSON, T. D.; PINEL, E. C.; BLUMBERG, S. J.; WHEATLEY, T. P. Immune neglect: a source of durability bias in affective forecasting. *Journal of Personality and Social Psychology,* 1998, 75(3), p. 617-638.

PRINCÍPIO 5:
O CÍRCULO DO ZORRO

Restringir seu foco a metas pequenas e exequíveis pode expandir a sua esfera de poder

De acordo com a lenda, um herói mascarado chamado Zorro percorria o sudoeste dos Estados Unidos lutando por aqueles que não podiam lutar sozinhos. Zorro era determinado, disciplinado e destemido, uma combinação que o imortalizou como o popular herói de tantos livros, programas de TV e filmes. Acrescente a isso piadas espirituosas e habilidades naturais com as mulheres e Zorro parece incorporar qualidades irresistíveis demais para um homem só, mesmo em se tratando de um homem interpretado por Antonio Banderas.

Mas a história de Zorro tem um capítulo menos conhecido. De acordo com a lenda, Zorro nem sempre foi um valentão capaz de se balançar sobre candelabros e subjugar dez homens com um único golpe de espada. No início do filme *A máscara do Zorro*, o vemos como o jovem e impetuoso Alejandro, cuja paixão excede em muito a sua paciência e disciplina. Sua missão é lutar contra vilões e combater as injustiças do mundo, mas seu desejo é fazer isso imediatamente e de modo espetacular. Quanto mais alto ele voa, mais dura é a queda, até que ele se sente fora de controle e absolutamente impotente. Quando o mestre ancião Don Diego o conhece, Alejandro é um homem arruinado, um escravo da bebida e do desespero. Mas Don Diego vê o potencial do jovem e o acolhe, prometendo-lhe que a maestria e a vitória virão com "dedicação e tempo". Na caverna que Don Diego usa como esconderijo, o mestre espadachim dá início ao treinamento de Alejandro traçando um círculo no chão. Alejandro é forçado a combater durante horas restrito aos limites daquele pequeno círculo. Como Don Diego diz sabiamente a seu protegido, "este círculo será o seu mundo. Sua vida toda. Não existe nada fora disso até eu dizer o contrário".

Quando Alejandro assume o controle desse pequeno círculo, Don Diego permite que ele tente feitos cada vez maiores, que ele realiza um após o outro. Logo, ele está se balançando em cordas, superando seu treinador em duelos com espadas e até fazendo abdominais sobre velas em chamas (não é a habilidade mais prática de se aperfeiçoar, mas mesmo assim impressiona na tela do cinema). Mas nenhum desses feitos teria sido possível se ele não tivesse primeiro aprendido a dominar aquele pequeno círculo. Antes daquele momento, Alejandro não tinha controle algum sobre suas emoções, nenhuma ideia das próprias habilidades, nenhuma fé verdadeira na sua capacidade de atingir uma meta e, o pior de tudo, sentia que não tinha controle algum sobre o próprio destino. Só depois de dominar aquele primeiro círculo é que ele começou a se transformar em Zorro, a lenda.

O CÍRCULO DO CONTROLE

O conceito do Círculo de Zorro é uma poderosa metáfora de como podemos atingir nossas metas mais ambiciosas no trabalho, na carreira e na vida pessoal. Um dos maiores propulsores do sucesso é a crença de que o nosso comportamento faz a diferença, de que temos controle sobre o nosso futuro. No entanto, quando o estresse e a carga de trabalho parecem se acumular mais rapidamente que a nossa capacidade de suportá-los, o sentimento de controle muitas vezes é o primeiro a ser perdido, especialmente quando tentamos dar um passo maior que a perna. Se, no entanto, concentrarmos nossos esforços primeiro em pequenas metas exequíveis, recuperamos o sentimento de controle tão crucial para o desempenho. Ao restringir o escopo dos nossos esforços primeiro e depois observar esses esforços produzirem o efeito pretendido, acumulamos os recursos, o conhecimento e a confiança necessários para expandir o círculo, conquistando aos poucos uma área cada vez maior. Don Diego não ensinou o jovem Alejandro como ser um exímio espadachim da noite para o dia. Zorro começou por baixo e, pouco a pouco, dominou um círculo cada vez mais amplo. Seu lendário sucesso foi resultado disso.

CULTIVE PLANTAS E CARREIRAS: A IMPORTÂNCIA DO CONTROLE

Sentir que estamos no controle, que somos os mestres do nosso próprio destino no trabalho e na vida, é um dos maiores propulsores tanto do bem-estar quanto do desempenho. Entre estudantes, um sentimento maior de controle gera não apenas a níveis mais elevados de felicidade como também a notas mais altas e mais motivação para seguir a carreira que eles realmente desejam. De forma similar, funcionários que sentem ter elevados níveis de controle no escritório são mais eficazes no trabalho e relatam uma maior satisfação profissional.[1] Esses benefícios, por sua vez, se propagam para outras áreas. Um estudo conduzido em 2002 com cerca de 3 mil trabalhadores assalariados para a elaboração do National Study of the Changing Workforce revelou que sentimentos de controle maiores no trabalho indicavam uma maior satisfação em praticamente todos os aspectos da vida: família, emprego, relacionamentos e assim por diante.[2] As pessoas que sentiam ter algum controle no trabalho também apresentaram níveis mais baixos de estresse, menos conflito entre trabalho e família e menos rotatividade de empregos.

É interessante notar que os psicólogos descobriram que esses tipos de ganho na produtividade, felicidade e saúde têm menos relação com o controle que de fato temos e mais com o tanto de controle que *achamos* ter. Lembre que o modo como vivenciamos o mundo é influenciado em grande parte pela nossa atitude mental. Bem, as pessoas mais bem-sucedidas, no trabalho e na vida, são aquelas que possuem o que os psicólogos chamam de um "lócus de controle interno", a crença de que suas ações têm um efeito direto sobre os resultados. Já as pessoas que possuem um lócus externo, por outro lado, têm mais chances de acreditar que os eventos do dia a dia são ditados por forças externas.

É fácil perceber por que o primeiro tipo de pessoa se adapta melhor a situações no trabalho. Se não receber aquela tão esperada promoção neste ano, por exemplo, uma pessoa com um lócus de controle externo poderia dizer: "As pessoas aqui não reconhecem o talento. Eu nunca tenho sorte" e, subsequentemente, perderiam a motivação. Afinal, se acreditamos que nada do que fazemos importa, nos tornamos vítimas das garras insidiosas do desamparo aprendido que descrevi no capítulo anterior. Por outro lado, uma pessoa com um lócus interno procura descobrir o que poderia ter feito melhor e se empenha para melhorar nessa área. As pessoas com um lócus externo não apenas evitam assumir a responsabilidade pelos fracassos, como também deixam de assumir os créditos pelos seus sucessos, o que pode ser igualmente contraproducente, porque desgasta tanto a confiança quanto a dedicação. Trabalhei com uma cliente que tinha um lócus de controle externo tão acentuado que, por mais elogios que recebesse, ela sempre dizia que só teve sorte e que o chefe estava sendo gentil. Ela nunca sentia que as próprias ações tinham algum impacto sobre suas realizações e, em consequência, nunca se sentia verdadeiramente envolvida ou realizada no trabalho.

Uma das melhores áreas para entender o efeito do lócus de controle sobre o desempenho é o mundo dos esportes. Pense em como os melhores atletas se comportam naquelas inevitáveis coletivas de imprensa depois dos jogos. Eles culpam o sol na cara deles ou as decisões equivocadas do árbitro pelas suas derrotas? Eles atribuem as vitórias ao horóscopo ou a golpes de sorte? Não. Quando ganham, eles elegantemente aceitam os elogios recebidos e, quando perdem, eles parabenizam o adversário pela boa atuação em campo. Acreditar que, em geral, as nossas ações decidem o nosso destino na vida só pode nos instigar a nos empenhar mais; e, quando vemos os resultados desse empenho, nossa crença em nós mesmos se fortalece ainda mais.

Isso se aplica a praticamente todas as áreas da vida. Pesquisas demonstram que as pessoas que acreditam que têm algum controle sobre os resultados apresentam maiores realizações acadêmicas, maiores realizações na carreira e são muito mais felizes no trabalho.[3] Um lócus interno reduz o estresse e a rotatividade no trabalho e leva a maior motivação, mais comprometimento organizacional e melhor desempenho. Os "internos", como algumas vezes são chamados, até chegam a ter relacionamentos mais sólidos – o que faz sentido, considerando que estudos demonstram que eles são muito mais eficientes na comunicação, na resolução de problemas e em atingir metas mútuas. Eles também são ouvintes mais atentos e mais versados em interações sociais – todas as qualidades que, a propósito, constituem fatores preditivos de sucesso tanto no trabalho quanto na vida.

Já que se sentir no controle do nosso emprego e da nossa vida reduz o estresse, essa postura chega até a afetar a nossa saúde física. Um extenso estudo envolvendo 7.400 trabalhadores revelou que aqueles que sentiam ter pouco controle sobre os prazos impostos pelos outros apresentavam 50% mais risco de doença cardíaca que os colegas.[4] Essa constatação foi tão surpreendente que os pesquisadores concluíram que sentir uma falta de controle sobre as pressões do trabalho representa um fator de risco de doenças cardíacas *tão sério* quanto a pressão alta.

Mas talvez o exemplo mais revelador do poder da percepção de controle não venha do mundo dos negócios, mas sim dos idosos. Em um estudo incrível, pesquisadores descobriram que, quando davam a um grupo de idosos de um asilo mais controle sobre tarefas simples de sua vida cotidiana – como encarregá-los de cuidar das próprias plantas –, o nível de felicidade dessas pessoas não apenas aumentava como sua taxa de mortalidade caiu pela metade.[5] É difícil encontrar um círculo de controle menor do que cuidar de uma planta, mas sentir-se no controle até mesmo de uma tarefa tão pequena teve o poder de prolongar a vida deles.

PERDA DE CONTROLE: O CÉREBRO EM CONFLITO

Infelizmente, considerando o quanto isso é importante para o nosso sucesso, nem sempre nos sentimos no controle. Alguns de nós são inerentemente propensos a um lócus externo e o resto de nós pode cair nessa atitude mental no instante em que nos sentimos sobrecarregados por demandas excessivas para o nosso tempo, atenção e habilidades. Para entender melhor como isso acontece, precisamos de uma análise mais profunda do que acontece dentro do cérebro.

Enquanto vivemos nossa vida cotidiana, nossas ações muitas vezes são determinadas pelos dois componentes conflitantes do cérebro: um sistema emocional automático (vamos chamá-lo de Impulsivo) e o nosso sistema cognitivo racional (vamos chamá-lo de Pensador). A parte mais antiga do nosso cérebro em termos evolutivos é o Impulsivo, que se baseia na região límbica (emocional), onde a amígdala reina suprema. Milhares de anos atrás, esse sistema automático ou reflexivo foi necessário para a nossa sobrevivência. Na época, não tínhamos tempo para pensar logicamente quando um tigre-dentes-de-sabre surgia de trás de um arbusto. Quando isso acontecia, o Impulsivo entrava prontamente em ação. A amígdala soava o alarme, inundava nosso corpo com adrenalina e hormônios do estresse e acionava um reflexo imediato e inato – uma reação do tipo "lutar ou fugir". É na verdade graças ao Impulsivo que estamos aqui 10 mil anos depois.

Hoje em dia, felizmente, poucos tigres-dentes-de-sabre nos perseguem no estacionamento do nosso escritório. No mundo moderno, onde os problemas normalmente são mais complicados do que fugir ou ser comido, as reações reflexivas do Impulsivo algumas vezes podem atrapalhar mais do que ajudar. Mais especificamente, no que diz respeito à tomada de decisões, o Impulsivo muitas vezes nos coloca em grandes enrascadas. É por isso que, ao longo de milhares de anos de evolução, também desenvolvemos o Pensador, o sistema racional do cérebro que reside em grande parte no córtex pré-frontal. É esse sistema que utilizamos para pensar de maneira lógica, tirar conclusões com base em várias informações e planejar o futuro. O propósito do Pensador é simples, mas reflete um enorme salto evolucionário: *pense e só depois reaja.*

O Pensador costuma ser mais eficaz para solucionar a maioria dos nossos desafios cotidianos, mas infelizmente, quando estamos nos sentindo estressados ou fora de controle, o Impulsivo tende a dominar. Isso não é algo que ocorre conscientemente. Na verdade, é uma reação biológica. Quando estamos sob pressão, o corpo começa a produzir um excesso de cortisona, a substância química tóxica associada ao estresse. Quando o estresse atinge um ponto crítico, até o menor contratempo pode acionar uma reação da amígdala, basicamente pressionando o botão de pânico do cérebro. Quando isso acontece, o Impulsivo subjuga as defesas do Pensador, levando-nos a agir sem pensar de maneira consciente. Em vez de "pensar e só depois reagir", o Impulsivo reage com o "lutar ou fugir". Com isso, tornamo-nos vítimas do que os cientistas chamam de "sequestro emocional".

Ao longo da última década, pesquisadores vêm analisando como esse tipo de sequestro emocional afeta o desempenho e a tomada de decisões no trabalho. Em um estudo, o psicólogo Richard Davidson utilizou seu conhecimento em neurociência para identificar por que determinadas pessoas se mostravam particularmente resilientes diante do estresse enquanto outras eram tão facilmente debilitadas por esse mesmo estresse.[6] Ele colocou os dois grupos em situações idênticas de intenso estresse para solucionar problemas matemáticos complexos em pouco tempo ou escrever sobre o momento mais perturbador da vida deles, enquanto simultaneamente monitorava o funcionamento do cérebro dos participantes utilizando a técnica da ressonância magnética.

Enquanto cada participante solucionava as tarefas em questão, Davidson observava as partes tanto racional quanto reflexiva do cérebro sendo acionadas no escaneamento cerebral, lutando pela supremacia. Quando comparou os padrões, descobriu que, nas pessoas resilientes, o córtex pré-frontal rapidamente assumia o controle do sistema límbico – em outras palavras, o Pensador subjugava prontamente o Impulsivo. O grupo mais facilmente atingido pelo estresse, por outro lado, apresentou um aumento contínuo da atividade da amígdala, o que significa que o Impulsivo subjugou o Pensador, sobrepujando a capacidade de raciocínio e enfrentamento do cérebro e intensificando muito mais a aflição.

SEQUESTRADO NO TRABALHO

Neste ponto você pode estar se perguntando: o que toda essa atividade cerebral tem a ver com atingir as nossas metas no trabalho? Tem tudo a ver, na verdade. O psicólogo Daniel Goleman, autor do revolucionário livro *Inteligência emocional*, estudou extensivamente os danos que o sequestro emocional pode causar na nossa vida profissional.[7] Quando pequenos estresses se acumulam com o tempo, como é tão comum acontecer no ambiente de trabalho, basta uma pequena contrariedade ou irritação para nos fazer perder o controle; em outras palavras, para permitir que o Impulsivo assuma o volante. Quando isso acontece, podemos explodir com um colega, nos sentir impotentes e sobrecarregados ou de repente perder toda a energia e a motivação. Em consequência, nossas habilidades para tomar decisões, produtividade e eficácia despencam. Isso pode ter consequências reais não apenas para as pessoas individualmente mas também para equipes e organizações inteiras. Em uma grande empresa, pesquisadores descobriram que gestores que se sentiam mais sobrecarregados com a pressão no trabalho lideravam equipes com o pior desempenho e os lucros líquidos mais baixos.[8] Uma economia em retração também pode ser um poderoso acionador do sequestro emocional. Neurocientistas descobriram que perdas financeiras na verdade são processadas nas mesmas áreas do cérebro que reagem a um perigo mortal.[9] Em outras palavras, reagimos a lucros em queda e a reduções na reserva para a aposentadoria da mesma forma como os nossos ancestrais reagiam diante de um tigre-dentes-de-sabre.

Daniel Kahneman, o único psicólogo agraciado com o Prêmio Nobel de Economia, promoveu enormes avanços no nosso entendimento de como o Cérebro em Conflito afeta a tomada de decisões nas empresas. Antes de ele entrar em cena, a crença predominante era de que os seres humanos são tomadores racionais de decisões – que tomamos decisões financeiras e econômicas com base em uma avaliação racional dos lucros e perdas potenciais. Mas Kahneman e seu colega Amos Tversky mostraram até que ponto essa crença é equivocada.[10]

Um experimento clássico, conhecido como o Jogo do Ultimato, revelou o seguinte: os pesquisadores convidaram duas pessoas que não se conheciam para ir ao laboratório. Um dos participantes recebeu dez notas de 1 dólar e foi instruído a dividir o dinheiro entre os dois (ele mesmo e o outro participante) da maneira como achasse melhor (ele podia ficar com os 10, podia ficar com 6 e dar 4 dólares etc.). Depois, ele dava um ultimato ao participante que estava recebendo o dinheiro: "Pegue o dinheiro ou deixe-o". O pulo do gato é que, se a pessoa que recebia o dinheiro escolhesse deixar o dinheiro, os dois ficavam sem nada.

Para os economistas tradicionais, a decisão é relativamente clara. Uma pessoa racional sempre aceitará a oferta, por mais mesquinha que seja. Afinal, mesmo que fosse só um dólar, ela ainda sairia com um dólar a mais na carteira. Mas se constatou que a maioria deles na verdade rejeita ofertas de 1 dólar ou até mesmo 2 dólares. Por que fazem isso? Porque, em vez de ponderar racionalmente as opções, eles se deixam dominar por suas emoções – normalmente raiva e irritação provocadas por uma oferta tão parcimoniosa. Isso não faz sentido racional, é claro, porque eles estão recusando 2 dólares só por vingança. Mas acontece o tempo todo. Quando os neurocientistas investigaram a questão, descobriram que, quanto mais o sistema límbico do cérebro está ativo, maiores são as chances de a oferta mesquinha ser rejeitada. Como escreve um pesquisador, "esses resultados sugerem que, quando os participantes rejeitam uma oferta considerada injusta... isso parece ser o produto de uma intensa resposta emocional (aparentemente negativa)".[11]

Presenciei cenas nas quais o Impulsivo provocava o caos em empresas do mundo todo. Isso explica por que os acionistas compram na alta e vendem na baixa mesmo quando sabem que deveriam fazer exatamente o contrário. Essa também é a razão pela qual somos vítima de bolhas de mercado e a razão pela qual os mercados entram em colapso quando essas bolhas explodem. Como observou Jason Zweig em seu livro *Your money and your brain*, "todo mundo sabe que vender no pânico é uma má ideia – mas uma empresa que anuncia que ganhou 23 centavos por ação em vez de 24 pode perder 5 bilhões de dólares em valor de mercado em um minuto e meio".[12] Quando o nosso cérebro pressiona o botão do pânico, a razão sai pela janela, prejudicando a nossa carteira, nossa carreira e nossos resultados financeiros.

RETOME O CONTROLE, UM CÍRCULO POR VEZ

Então, como podemos tirar o volante das mãos do Impulsivo e dá-lo de volta ao Pensador? A resposta é o Círculo do Zorro. A primeira meta que precisamos atingir – ou o primeiro círculo que precisamos traçar – é a autoconsciência. Experimentos demonstram que, quando as pessoas são preparadas para sentir intensa angústia, as que se recuperam mais rapidamente são aquelas capazes de identificar como estão se sentindo e expressar esses sentimentos em palavras. Escaneamentos cerebrais mostram que as informações verbais reduzem quase imediatamente o poder dessas emoções negativas, melhorando o bem-estar e as habilidades de tomar decisões.[13] Dessa forma, verbalizar o estresse e o desamparo, seja anotando os sentimentos em um diário ou conversando com um bom amigo ou confidente, é o primeiro passo para retomar o controle.

Dominado o círculo da autoconsciência, sua próxima meta deve ser identificar os aspectos da situação que você pode controlar e os que não pode. Quando trabalhei com o gestor de Xangai que mencionei no capítulo anterior, pedi a ele e a seus colegas que anotassem todas as fontes de estresse, problemas cotidianos e metas, e os dividissem em duas categorias: a de coisas que eles podem controlar e a de coisas sobre as quais eles não têm controle algum. Qualquer um pode fazer esse exercício simples em uma folha de papel, em uma planilha do Excel ou até em um guardanapo no *happy hour*. O objetivo é deixar de nos concentrar nos fatores de estresse que estão fora do nosso controle para redirecionar nossas energias às áreas nas quais nossas ações podem ter um verdadeiro impacto.

Elaborada essa lista de coisas que ainda estavam sob o controle deles, pedi que eles identificassem uma pequena meta que podia ser rapidamente atingida. Ao estreitar seu escopo de ação e concentrar sua energia e empenho, as chances de sucesso aumentam. Pense nos seguintes termos: a melhor maneira de lavar um carro é colocar o dedão no jorro da mangueira, deixando aberta apenas parte da área. Por quê? Porque isso concentra a pressão da água, multiplicando a potência da mangueira. No trabalho, o equivalente seria concentrar seus esforços em pequenas áreas nas quais você sabe que pode fazer a diferença. Ao lidar com um pequeno desafio por vez – um círculo estreito que se expande aos poucos – podemos reaprender que as nossas ações de fato têm um efeito direto sobre os nossos resultados e que somos em grande parte os mestres do nosso próprio destino. Com um lócus de controle cada vez mais interno e uma confiança maior na nossa capacidade, podemos expandir ainda mais nossas ações e nosso foco.

NÃO SE CORRE UMA MARATONA INTEIRA A TODA VELOCIDADE

De pronto algumas pessoas extremamente competitivas têm dificuldade com essa ideia. Três anos atrás, trabalhei com uma vice-presidente extremamente ocupada que queria parar de trabalhar tanto e começar a correr maratonas. Ela não estava em sua melhor forma e não vinha tendo tempo de se exercitar devido à sua enorme carga de trabalho, mas acreditava que, se podia gerenciar uma grande equipe em três continentes, seria capaz de correr 42 quilômetros. Não sou um corredor profissional, mas temi que sua ambição excessiva pudesse acabar sendo um problema. Dessa forma, mesmo sem ter sido solicitado ofereci-lhe um conselho: "Se você nunca correu uma maratona antes, talvez devesse começar aos poucos, com algumas voltas na pista de corrida e ir intensificando suas sessões a partir daí".

Ela não gostou do conselho. "Dar voltas na pista?", ela retrucou. "Você não está entendendo. Quero correr uma maratona em um mês. Preciso começar imediatamente a treinar corridas de longa distância." Ela comprou os tênis de corrida e os equipamentos mais avançados e começou a correr furiosamente todas as manhãs antes do trabalho. Ao final de duas semanas, ela estava exausta, sofrendo de dores nas canelas e frustrada por não ter conseguido correr mais do que 8 quilômetros. Então ela desistiu faltando 34 quilômetros para atingir sua meta. Recusando-se a começar com pequenos circuitos, ela deu um passo maior que as pernas e fracassou. E não se sentiu nada bem com isso.

Infelizmente, no que diz respeito ao nosso trabalho, muitas vezes nos vemos diante de expectativas irracionais – tanto aquelas que colocamos para nós mesmos quanto as que nos são colocadas por outras pessoas. Mas quando as nossas metas são impossíveis, corremos o risco de acabar como aquela maratonista ambiciosa demais – frustrada, triste e paralisada. No ambiente de trabalho de hoje, obcecado por resultados, não é surpresa alguma que sejamos tão impacientes e ambiciosos. Queremos ser o melhor vendedor, ganhar o maior bônus ou ter o maior escritório – e queremos tudo isso AGORA. Se contratamos um novo CEO, esperamos ser lucrativo já no próximo trimestre; se contratamos um novo técnico, esperamos vencer o próximo jogo. Nossa cultura de *reality TV*, que nos diz que não vale a pena realizar (nem filmar) uma mudança a não ser que ela seja imediata e absolutamente grandiosa, também não ajuda muito. Aprendemos a acreditar que uma transformação completa da nossa casa, do nosso corpo e da nossa psique é possível em um episódio de 30 minutos (descontados os comerciais). Mas, no mundo real, essa mentalidade do tudo ou nada quase sempre é uma garantia de fracasso. Além disso, os sentimentos resultantes de tentativas frustradas e pressões esmagadoras se apoderam do nosso cérebro, acionando aquele ciclo odioso e insidioso de desamparo que nos distancia ainda mais das nossas metas.

Não importa o que você pode ter ouvido de palestrantes motivacionais ou *coaches*, tentar alcançar as estrelas é uma garantia de fracasso. Na Parte 1, falei sobre estender os limites da possibilidade. Eu de fato acredito ser importante fazer isso, mas só que não de uma só vez. É por isso que os psicólogos especializados na teoria da determinação de metas defendem determinar metas de dificuldade moderada – não tão fáceis a ponto de não precisarmos nos esforçar, mas também não tão difíceis a ponto de nos desanimar e desistir.[14] Quando os problemas enfrentados são particularmente desafiadores e a recompensa se mantém fora do nosso alcance, definir metas menores e mais exequíveis nos ajuda a desenvolver a confiança, celebrar nosso progresso e nos mantém comprometidos com a tarefa em questão. Como aconselha Peter Bregman, professora da Harvard Business School, "não escreva um livro, escreva uma página... Não espere ser um grande gestor nos seus primeiros seis meses, só tente definir bem as expectativas".[15]

Por menor que seja o círculo inicial, ele pode levar a grandes retornos. Em *O código do talento*, Daniel Coyle explica como a estratégia de "identificar e solucionar pequenos problemas" ajudou empresas a prosperar.[16] A prática (muitas vezes chamada de *kaizen*, o termo japonês para "melhoria contínua") consiste em ter foco em minúsculas melhorias incrementais – melhorar a eficiência de uma linha de produção, por exemplo, movendo uma lata de lixo 30 centímetros para a esquerda. Como observa Coyle, essa prática pode resultar em mais de um milhão de pequenos ajustes por ano. Em outras palavras, com o *kaizen*, as empresas utilizam o Círculo do Zorro para transformar a melhoria incremental em resultados gigantescos.

JUNTE TUDO

Em uma ocasião trabalhei com a redatora-chefe de uma agência de publicidade que não conseguia deixar de se preocupar com a saúde financeira de sua empresa – quantos clientes o setor de atendimento trazia para a empresa, que tipo de *design* o departamento de arte estava produzindo, se a chefe dela começaria ou não a demitir colaboradores. Quando ela percebeu que cada um desses fatores estava absolutamente fora de seu controle e que se preocupar com eles só provocava mais estresse, ela foi capaz de se concentrar em mudar o que a incomodava em seu trabalho, seu ambiente de trabalho e, em muitos aspectos, sua vida.

Da mesma forma que fiz com outros clientes, pedi que ela fizesse duas listas: o que ela podia controlar e o que não podia. Como muitas vezes acontece, ela ficou surpresa – e eu diria até chocada – ao ver o quanto boa parte de sua vida cotidiana pertencia à primeira lista. Ela gerenciava uma equipe de oito pessoas, todos redatores talentosos que recorriam a ela em busca de instruções e orientação. Ela era responsável por conduzir reuniões criativas que geravam um *brainstorming* de ideias para cada cliente. Ela podia não ser uma executiva sênior, mas tinha o controle sobre cada palavra que a agência escolhia para o anúncio de um cliente.

Dessa forma, para seu primeiro Círculo do Zorro, determinamos a seguinte meta: melhorar apenas a própria criação publicitária. Um novo compromisso dela própria com essa meta exequível não apenas a ajudou a concentrar suas energias em algo com que ela era capaz de lidar, como a melhor parte foi que, uma vez que o seu próprio desempenho melhorou, seu círculo de influência efetivamente se expandiu. Quanto melhor era seu texto, mais sua equipe se empenhava para seguir o exemplo, e o desempenho melhor da equipe logo incentivou também os outros departamentos, que reagiram com um entusiasmo e uma criatividade renovados. Ironicamente, ao reconhecer que não tinha controle algum sobre os *designs* do departamento de arte, ela acabou exercendo uma influência indireta sobre eles. Isso lhe deu a confiança da qual precisava para olhar ainda mais alto e logo sua liderança passou a contribuir ainda mais para o desempenho global da empresa.

CAIXAS DE PIZZA E CAIXAS DE ENTRADA

Muitas vezes sentimos mais estresse ou uma sobrecarga emocional quando olhamos para nossa lista de afazeres, para nossa caixa de entrada de e-mails e nossa área de trabalho no computador, todas cheias até a borda. Basta dar uma olhada na enorme pilha de papéis se agigantando sobre a nossa mesa ou nos 300 e-mails ainda não lidos para que os nossos sentimentos de controle vão por água abaixo. Quando trabalhava como orientador de calouros, tive a chance de aconselhar uma multidão de estudantes desorganizados, que incluíam os normalmente bagunceiros até os patologicamente desordenados. No meu segundo ano no cargo, os bombeiros denunciaram um dos meus estudantes, um tenista chamado Joey, porque o quarto dele estava tão cheio de caixas velhas de pizza, garrafas vazias, jornais espalhados e enormes pilhas de livros que não passaria em uma inspeção de segurança. O quarto dele não apenas era um incinerador prestes a ser acionado, como o inspetor de segurança temia que Joey não tivesse como fugir do próprio quarto no caso de uma emergência (sem mencionar se fosse a classe toda).

Algumas bagunças podem ser interpretadas como um caos organizado, mas a desorganização de Joey tinha claramente cruzado a fronteira entre a extravagância e o patológico. Por um lado, ele queria organizar a vida, mas, por outro, a ideia de arrumar a enorme bagunça parecia completamente opressiva. Em vista disso, traçamos um Círculo do Zorro para ele, literalmente. Peguei uma pequena área da mesa dele, que continha uma pilha de papéis, e traçamos um círculo de apenas 30 centímetros de diâmetro. "Vamos arrumar essa área", eu disse a Joey, "e guardar cada folha no lugar certo". Depois, em vez de passar imediatamente para o restante da mesa, o instruí a passar o dia seguinte defendendo a área recém-organizada de quaisquer ameaças à ordem. Considerando os hábitos de Joey, até aquilo era uma tarefa difícil (o que ele admitiu no dia seguinte), mas era possível. E, quando viu do que era capaz, ele pareceu verdadeiramente satisfeito. Então, no dia seguinte, escolhemos outro canto de sua mesa e aplicamos a mesma regra. A cada dia que passava, mais um círculo ficava livre de bagunça – sem mencionar o maior senso de controle e comprometimento com o projeto da parte de Joey. Apenas duas semanas depois, o quarto estava impecável. Ao determinar pequenos círculos de sucesso e expandi-los gradativamente, Joey assumiu o controle do círculo mais amplo de sua vida. Ele ficou satisfeito, e o mesmo pode ser dito do corpo de bombeiros.

Uma mesa desordenada é basicamente igual a uma caixa de entrada de e-mails desordenada – um problema que assombra muitos trabalhadores modernos. Nos dois casos, as *coisas* da nossa vida tomaram o controle sobre a *funcionalidade* da nossa vida, prejudicando a produtividade. Eu tinha acabado de dar uma palestra aos colaboradores de uma grande empresa manufatureira, quando um dos executivos seniores, Barry, me convidou para ir à sua sala. Ele começou a se desculpar pela bagunça antes mesmo de entramos na sala. Parecia que uma criança de 4 anos tinha passado algumas horas brincando sem restrições no escritório dele. Mas Barry tinha um problema ainda mais grave em mente: sua caixa de e-mails. Ele confessou que sua caixa de entrada continha mais de 1.400 mensagens, que tinham se acumulado ao longo dos dois últimos meses enquanto ele se dedicava a um projeto prioritário. Agora que o projeto tinha chegado ao fim, ele sabia que precisava começar a lidar com o acúmulo de mensagens, mas só de pensar a respeito ele já entrava em pânico. Eu analisei o problema enquanto ele rolava a tela para me dar uma ideia do volume de mensagens não lidas. Três minutos depois, ele não tinha chegado a um quarto de todos os e-mails. "Nunca vou conseguir me livrar desta montanha de mensagens", ele me disse. "Seria melhor pegar um vírus que destruísse meu computador inteiro." Seu nível de estresse estava tão alto naquele momento que cada novo e-mail recebido enviava a seu corpo uma reação reflexiva ao estresse. Ele passava mal só de pensar no assunto. Ele não só queria evitar lidar com os e-mails como se sentia tão sobrecarregado diante da situação que não conseguia nem pensar em trabalhar.

Eu concordei em ajudar. Antes de mais nada, eu disse, ele precisava controlar sua ansiedade crescente. Aquela caixa de mensagens não era um tigre-dentes-de-sabre, mas, sim, um problema a ser solucionado por meio de planejamento e esforço deliberado, não pelo pânico cheio de adrenalina. Dava para ver que ele precisava urgentemente conversar sobre o problema, expressar com palavras seus sentimentos, para deslocar o desafio da parte emocional de seu cérebro para a parte da resolução de problemas. Eu lhe disse que a autoconsciência era um antídoto eficaz para o sequestro emocional e recomendei que ele mantivesse um caderno à mão para anotar seus pensamentos sempre que o estresse parecesse estar vindo à tona. Depois disso, traçamos o próximo círculo.

Era humanamente impossível se livrar de uma vez de dois meses de e-mails não lidos e Barry precisava ver algum progresso imediato. Assim, eu o instruí a esquecer todos os e-mails recebidos até então e responder apenas os novos e-mails. Depois de três ou quatro dias lidando apenas com os novos e-mails, assim que começou a se sentir no controle da situação, ele pôde começar a lidar com os e-mails recebidos no dia anterior. E foi o que fez, lidando com um dia a mais por vez até que conseguiu, aos poucos, eliminar todos os e-mails acumulados. Eu também sugeri que ele não passasse mais de uma hora por dia nessa tarefa. Sem um limite de tempo, até tarefas pequenas e cada vez maiores podem voltar a se transformar rapidamente em um desafio avassalador e aparentemente interminável.

Três semanas mais tarde, recebi um e-mail de Barry. Ele me contou, orgulhoso, que, se eu respondesse imediatamente, seria um dos cinco e-mails que ele tinha na sua caixa de entrada. Fiquei impressionado. Na mensagem, ele anexou uma foto de seu escritório impecável, quase irreconhecível em comparação com o caos que eu tinha visto da primeira vez. Respondi dizendo que ele estava de parabéns. Ele tinha começado com passos pequenos e agora estava celebrando um enorme sucesso.

O ZORRO EM GOTHAM CITY

Por ser do sudoeste dos Estados Unidos, o Zorro nunca teve a chance de combater o crime em Nova York. Mas, de certa forma, as mesmas lições que fizeram de Zorro um herói também ajudaram a fazer de Nova York uma cidade mais segura. Em seu livro *O ponto da virada*, Malcolm Gladwell relata como as autoridades da cidade combateram a criminalidade crescente nos anos 1980 e 1990.[17] A criminalidade em Nova York era um problema aparentemente impossível que ninguém sabia direito como solucionar – não importava quanto dinheiro a cidade gastava, não importava o que a polícia fazia, eles simplesmente pareciam incapazes de conter a perigosa tendência. Finalmente, um pequeno grupo de policiais surpreendeu a todos adotando uma nova estratégia radical baseada na hoje famosa Teoria das Janelas Quebradas. Elaborada em 1982 pelos sociólogos James Q. Wilson e George Kelling, a teoria explica como pequenos atos de vandalismo podem rapidamente se transformar em uma criminalidade generalizada. Segundo a teoria, uma janela quebrada em um prédio abandonado logo se multiplicará em muitas janelas quebradas, o que, por sua vez, levará a pichações, depois a assaltos, roubos de carro e assim por diante.

Dessa forma, os policiais da cidade decidiram verificar se essa teoria também funcionaria ao inverso. Eles começaram com o metrô, redirecionando imediatamente todos os recursos financeiros e atenção para consertar as janelas e limpar as pichações, literalmente um vagão de cada vez. Os nova-iorquinos se mostraram compreensivelmente bastante céticos no início. Como explica Gladwell, "muitos defensores do metrô, na ocasião, lhes disseram para não se preocuparem com as pichações e se concentrarem nas questões mais amplas da criminalidade e de segurança no metrô, o que parecia uma sugestão razoável. Preocupar-se com as pichações em um momento no qual o sistema inteiro estava prestes a entrar em colapso parecia tão inútil quanto esfregar o convés do *Titanic* enquanto ele se dirigia para os icebergs".

Mas, ignorando as críticas, eles levaram o plano adiante, expandindo gradualmente seus esforços para incluir cada vez mais linhas do metrô até limpar e consertar todos os trens da cidade. E, à medida que os círculos se expandiam, o mesmo ocorreu com os resultados. Em pouco tempo, todos os tipos de crime no metrô – desde pular a catraca até os assaltos à mão armada – caíram significativamente. Depois, eles expandiram ainda mais o círculo limpando as pichações na cidade como um todo e, espantosamente, logo viram os índices de criminalidade caírem por toda a parte.

Moral da história: pequenos sucessos podem se somar e se transformar em grandiosas realizações. Basta traçar o primeiro círculo na areia.

NOTAS

1. Veja, por exemplo, SPARR, J. L.; SONNENTAG, S. Feedback environment and well-being at work: the mediating role of personal control and feelings of helplessness. *European Journal of Work and Organizational Psychology*, 2008, 17(3), p. 388-412; SPECTOR, P. Employee control and occupational stress. *Current Directions in Psychological Science*, 2002, 11(4).
2. THOMPSON, C. A; PROTTAS, D. J. Relationships among organizational family support, job autonomy, perceived control, and employee well-being. *Journal of Occupational Health Psychology*, 2005, 10(4), p. 100-118.

3. Para estudos sobre a importância do controle, veja, por exemplo, FINDLEY, M. J.; COOPER, H. M. Locus of control and academic achievement: a literature review. *Journal of Personality and Social Psychology*, 1983, 44(2), p. 419-427; SHEPHERD, S.; FITCH, T. J.; OWEN, D.; MARSHALL, J. L. Locus of control and academic achievement in high school students. *Psychological Reports*, 2006, 98(2), p. 318-322; CARDEN, R.; BRYANT, C; MOSS, R. Locus of control, test anxiety, academic procrastination, and achievement among college students. *Psychological Reports*, 2004, 95(2), p. 581-582; NG, T. W. H. Locus of control at work: a meta-analysis. *Journal of Organizational Behavior*, 2006, 27(8), p. 1.057-1.087; SPECTOR, Paul E. et al. Locus of control and well-being at work: how generalizable are western findings. *Academy of Management Journal*, 2002, 45(2), p. 453-466. LEFCOURT, H. M.; HOLMES, J. G.; WARE, E. E.; SALEH, W. E. Marital locus of control and marital problem solving. *Journal of Personality and Social Psychology*, 1986, 51(1), p. 161-169; LEFCOURT, H. M.; MARTIN, R. A.; FICK, C. M.; SALEH, W. E. Locus of control for affiliation and behavior in social interactions. *Journal of Personality and Social Psychology*, 1985, 48(3), p. 755-759.
4. SYME, L.; BALFOUR, J. Explaining inequalities in coronary heart disease. *The lancet*, 1997, 350, p. 231-232.
5. RODIN. J.; LANGER, E. J. Long-term effects of a control-relevant intervention with the institutionalized aged. *Journal of Personality and Social Psychology*, 1977, 35(12), p. 897-902.
6. GOLEMAN, D. *Working with emotional intelligence*. New York: Bantam, 1998. p. 77.
7. GOLEMAN, D. *Working with emotional intelligence*. New York: Bantam, 1998. p. 75.
8. LUSCH, R. F.; SERPKENCI, R. Personal differences, job tension, job outcomes, and store performance: a study of retail managers. *Journal of Marketing*, 1990, 54, p. 85-101.
9. ZWEIG, J. *Your money and your brain:* how the new science of neuroeconomics can help make you rich. New York: Simon and Schuster, 2007.
10. Veja, por exemplo, KAHNEMAN, D; TVERSKY, A. Prospect theory: an analysis of decisions under risk. *Econometrica*, 1979, 47, p. 313-327; KAHNEMAN, D; TVERSKY, A. Choices, values and frames. *American Psychologist*, 1984, 39, p. 341-350.
11. CASSIDY, J. Mind games. The New Yorker, 18 set. 2006; COHEN, J. D. The vulcanization of the human brain: a neural perspective on interactions between cognition and emotion. *Journal of Economic Perspectives*, 2005, 19(4), p. 3-24.
12. ZWEIG, J. *Your money and your brain*: how the new science of neuroeconomics can help make you rich. New York: Simon and Schuster, 2007. p. 3.
13. ZWEIG, J. *Your money and your brain*: how the new science of neuroeconomics can help make you rich. New York: Simon and Schuster, 2007. p. 172.
14. Veja, por exemplo, LOCKE, E. A. Setting goals for life and happiness. In: SNYDER, C. R.; LOPEZ, S. J. (Ed.). *Handbook of positive psychology*. New York: Oxford University Press, 2002. p. 299-312.
15. BREGMAN, P. How to escape perfectionism. *How We Work Blog*. 1 set. 2009. Disponível em: <http://www.HarvardBusiness.org>.
16. COYLE, D. *The talent code*. New York: Bantam Books, 2009. p. 211.
17. GLADWELL, M. *The tipping point*. New York: Little, Brown and Company, 2000. p. 139-146.

PRINCÍPIO 6: A REGRA DOS 20 SEGUNDOS

Como transformar maus hábitos em bons hábitos reduzindo os obstáculos para a mudança

Durante um dos primeiros treinamentos que conduzi em Wall Street, um analista impaciente se levantou nos fundos da sala e gritou: "Shawn, sei que você é de Harvard e tudo, mas isso tudo não é uma enorme perda de tempo? A psicologia positiva não é apenas uma questão de bom senso?".

Senti um nó no estômago. Eu ainda não tinha muita experiência no negócio de consultoria para saber que é comum ser publicamente contestado daquela maneira.

Mesmo assim, respirei fundo e me empenhei ao máximo para tratar com ele frente a frente. Comecei explicando que a psicologia positiva se baseia em ideias de muitas fontes respeitadas, incluindo os filósofos da Grécia antiga, tradições religiosas consagradas e escritores e pensadores contemporâneos. Além disso, prossegui, os princípios e as teorias são testados e validados empiricamente. Dessa forma, apesar de algumas das ideias defendidas pela psicologia positiva poderem muito bem ser apenas uma questão de bom senso, é a ciência por trás dela que faz essas ideias serem inigualáveis e valiosas. Mas aquele sujeito claramente não estava convencido. Ele voltou a se sentar com uma expressão presunçosa e eu passei para a próxima pergunta, tentando aceitar o fato de que simplesmente não é possível vencer todas as batalhas.

Foi só depois da sessão de treinamento, conversando com vários analistas no almoço, que percebi a importância daquele incidente. "Lembra daquele sujeito que se levantou durante o treinamento?", um deles perguntou. Respondi que seria difícil esquecê-lo. Outro analista se inclinou para mim: "Aquele sujeito é a pessoa mais infeliz aqui. É como se uma nuvem cinza pairasse sobre a cabeça dele o tempo todo. Não conseguimos colocá-lo em nenhuma equipe porque ele é simplesmente tóxico".

Aquele foi um momento decisivo para mim. Aquele sujeito tinha rejeitado tudo o que eu disse alegando se tratar de uma obviedade grande demais para ser digna de discussão e aparentemente ele não estava conseguindo colocar a mensagem em prática. Percebi que ele era a própria personificação de um dos maiores paradoxos do comportamento humano:

Bom senso comum não é ação comum.

Você se surpreenderia se eu lhe dissesse que cigarros não são uma grande fonte de vitamina C? Ou que passar horas a fio assistindo a programas de *reality TV* não elevará acentuadamente o seu Q.I.? Provavelmente não. De forma similar, todos nós sabemos que deveríamos nos exercitar, dormir oito horas por dia, comer de maneira mais saudável e ser gentis com o próximo. Mas será que esse conhecimento facilita fazer essas coisas?

É claro que não. Isso acontece porque, na vida, o conhecimento é apenas uma parte da batalha. Sem a ação, o conhecimento muitas vezes não faz diferença alguma. Como disse Aristóteles, para sermos excelentes, não podemos simplesmente pensar com excelência ou nos sentir excelentes, precisamos *agir* com excelência. No entanto, a ação necessária para colocar em prática o que sabemos muitas vezes é a parte mais difícil desse processo. É por isso que, apesar de os médicos conhecerem melhor do que qualquer outra pessoa a importância de se exercitar e manter uma boa dieta, 44% deles têm excesso de peso.[1] E é também por isso que os gurus organizacionais muitas vezes são desorganizados, que os líderes religiosos podem ser blasfemos e que até alguns psicólogos positivos não são felizes o tempo todo. Eu trabalho com inúmeros profissionais de negócios que reclamam que toda segunda-feira precisam repetir as mesmas resoluções para deixar de procrastinar, para parar de fumar, não deixar seus e-mails se acumularem na caixa de entrada ou passar mais tempo com os filhos, mas toda sexta-feira eles se veem indagando como deixaram com que mais uma semana escapasse pelos seus dedos.

A verdade é que é difícil manter hábitos positivos, por mais razoáveis que eles possam parecer. Como a maioria das pessoas, eu travo a mesma batalha todo dia 1 de janeiro e, no dia 10 de janeiro, já estou de volta ao ponto em que comecei. Com efeito, o *New York Times* relatou que a impressionante proporção de 80% das pessoas não conseguem manter suas resoluções de Ano Novo.[2] Mesmo quando nos sentimos comprometidos com a mudança positiva, pode parecer quase impossível mantê-la por um bom tempo. Com muita frequência nossas promessas não são cumpridas e a esteira ou bicicleta ergométrica de hoje se transforma em cabide de roupas amanhã. Se o nosso cérebro tem a capacidade de mudar, como sabemos ser o caso, por que é tão difícil mudar o nosso comportamento e como podemos facilitar essa tarefa?

SOMOS "MEROS APANHADOS DE HÁBITOS"

Durante o tempo em que passei trabalhando no laboratório de pesquisas de Harvard, meu dia de trabalho começava com uma longa viagem de elevador subindo pelo William James Hall. O prédio de 15 andares foi sede do Departamento de Psicologia de Harvard durante décadas e abrigou inúmeras pesquisas fascinantes – de B. F. Skinner e sua famosa caixa a exuberantes macacos chimpanzés-pigmeus e roedores geneticamente modificados. (Todos tratados decentemente, o que é mais do que podemos dizer dos estudantes universitários que participam como voluntários dos estudos.) As descobertas realizadas pelo homem que dá o nome ao prédio, contudo, podem ser a maior herança do edifício.

Enquanto seu irmão Henry conquistava fama mundial como romancista, William James garantia seu lugar na história com suas descobertas revolucionárias no campo da psicologia. Nascido em 1842, James aplicou seus conhecimentos em medicina, filosofia e psicologia a uma vida inteira de estudos da mente humana. Ele deu o primeiro curso de psicologia experimental de Harvard em 1875 e, em 1890, já tinha publicado *Princípios de psicologia*, uma obra de fôlego de 1.200 páginas, que se tornou o precursor dos compêndios da psicologia moderna. Como digo aos meus alunos todos os anos, pense nos pobres estudantes de graduação que assistiram às aulas de William James antes de reclamar em voz alta da leitura obrigatória da semana.

No entanto, penso que a maior contribuição de William James para o campo da psicologia tenha sido o fato de ele estar um século inteiro à frente de seu tempo. James dizia que os seres humanos são biologicamente propensos ao hábito e é devido ao fato de sermos "meros apanhados de hábitos" que somos capazes de realizar automaticamente muitas das nossas tarefas cotidianas – de escovar os dentes quando nos levantamos de manhã a configurar o despertador antes de dormir à noite.[3]

É justamente porque os hábitos são tão automáticos que raramente paramos para pensar sobre o enorme papel que eles exercem no nosso comportamento e, com efeito, na nossa vida. Afinal, se tivéssemos que fazer uma escolha consciente sobre cada pequena ação que realizamos durante o dia, provavelmente estaríamos exaustos já no café da manhã. Vejamos o exemplo da manhã de hoje: suponho que você não tenha acordado, ido até o banheiro, olhado fixamente para a sua imagem no espelho e pensado consigo mesmo: "Será que devo vestir roupas hoje?". Você não precisou ponderar os prós e os contras. Você não precisou recorrer às suas reservas de força de vontade. Você simplesmente o fez, da mesma forma como provavelmente penteou os cabelos, tomou café, trancou a porta ao sair de casa e assim por diante. E, tirando os exibicionistas que podem estar lendo este livro, você não precisou passar o dia inteiro lembrando a si próprio de que não deveria tirar as roupas. Não foi um esforço continuar vestido. Isso não exauriu suas reservas de energia ou sua capacidade de processamento cerebral. Foi algo quase instintivo, automático, um hábito.

Nada disso parece particularmente revolucionário para nós hoje, mas essa descoberta de William James foi crucial para o nosso entendimento da mudança comportamental. Dada a nossa tendência natural de agir por hábito, James supôs, a chave para sustentar a mudança positiva não deveria ser transformar cada ação desejada em um hábito, de forma a realizar a mudança automaticamente, sem muito esforço, pensamento ou escolha? Como o Pai da Psicologia Moderna aconselhou com tanta sagacidade, se quisermos gerar uma mudança duradoura, devemos "fazer do nosso sistema nervoso um aliado e não um inimigo".[4] Os hábitos são como o capital financeiro – constituir um, hoje, é um investimento que automaticamente renderá retornos durante anos a fio.

PITADAS DIÁRIAS DE EMPENHO

Naturalmente, é nesse ponto que a expressão "É mais fácil dizer do que fazer" tem mais relevância. Os bons hábitos podem ser a resposta, mas como podemos criá-los? William James Hall também tinha uma sugestão para isso, que chamou de "pitadas diárias de empenho". Não se trata de uma grande revelação, mas basicamente de uma reformulação do velho ditado "A prática leva à perfeição". Mesmo assim, ele descobriu algo muito mais sofisticado do que poderia saber na época. "Uma tendência de agir", ele escreveu, "só se torna efetivamente arraigada em nós na proporção da frequência ininterrupta com a qual as ações de fato ocorrem e o cérebro 'cresce' conforme sua utilização."[5] Em outras palavras, os hábitos se formam porque o nosso cérebro efetivamente muda em resposta à prática frequente.

Na verdade, James Hall estava absolutamente certo, mas levaria cem anos para que os neurocientistas finalmente soubessem explicar por quê. Lembra que falamos que as estruturas e os caminhos do cérebro são flexíveis e elásticos? Bem, acontece que, à medida que avançamos no tempo aprendendo novos fatos, realizando novas tarefas e tendo novas conversas, o nosso cérebro está constantemente mudando e se reconfigurando para refletir essas experiências. Sem levar em conta as delicadas sutilezas da neurociência, eis, de maneira bem resumida, o que acontece na nossa cabeça: nosso cérebro possui bilhões e bilhões de neurônios, interconectados de diversas maneiras para formar uma rede complexa de caminhos neurais. Correntes elétricas percorrem esses caminhos, de um neurônio ao outro, levando mensagens que constituem todos os nossos pensamentos e ações. Quanto mais realizamos uma determinada ação, mais conexões se formam entre os neurônios correspondentes. (Essa é a origem do aforismo: "Células disparadas juntas, são configuradas juntas".) Quanto mais forte é esse vínculo, mais rapidamente a mensagem pode percorrer o caminho. É isso que faz um comportamento parecer automático ou instintivo.

Também é assim que nos tornamos habilidosos em uma atividade com a prática. Por exemplo, na primeira vez que você tenta fazer malabarismos com bolas, os caminhos neurais envolvidos não foram muito utilizados, de forma que a mensagem avança lentamente. Quanto mais tempo você passa praticando, mais esses caminhos são reforçados de forma que, no oitavo dia de prática, as correntes elétricas são disparadas em uma velocidade muito maior. É nesse ponto que você nota que é fácil fazer malabarismo, que precisa se concentrar menos e consegue fazer mais rápido. Em pouco tempo você será capaz de ouvir música, mastigar chiclete e conversar com alguém enquanto estas três laranjas estão sendo arremessadas no ar. O malabarismo pode se tornar automático, um hábito, gravado no cérebro por uma sólida nova rede de caminhos neurais.

Considerando todas as conclusões acertadas às quais William James Hall chegou tantos anos atrás, devemos perdoá-lo pelo seu único erro. Ele acreditava, como a maioria dos cientistas da época, que essa capacidade de criar uma mudança duradoura no cérebro se restringia aos jovens – basicamente que "não se pode ensinar novos truques a um cachorro velho". Felizmente não é esse o caso. Como você deve lembrar que foi dito no início deste livro, hoje os cientistas já sabem que o cérebro permanece flexível e maleável muito tempo depois dos 20 anos, e até nas idades mais avançadas. Isso significa que temos o poder de criar novos hábitos e colher os benefícios disso, independentemente de termos 22 ou 72 anos.

O VIOLÃO QUE NÃO TOCAVA SOZINHO

Quando aprendi a ciência por trás desse fenômeno, senti-me ávido por testar seus efeitos. Será que eu realmente conseguiria reconfigurar o meu cérebro e criar um novo hábito fazendo a mesma coisa todos os dias por algumas semanas? Era a hora de conduzir um experimento e o jeito mais fácil seria usar a mim mesmo como cobaia.

Decidi voltar a praticar violão, considerando que já tinha um e sabia que gostava de tocar. Como a sabedoria popular já dizia havia muito tempo que leva 21 dias para formar um hábito, decidi fazer um quadro com 21 colunas, colá-lo na parede e marcar cada dia de prática.[6] Eu estava absolutamente confiante de que, ao final das três semanas, (a) meu quadro estaria completo, com 21 dias marcados, (b) tocar violão todos os dias se tornaria uma parte automática da minha vida, (c) minhas habilidades melhorariam e (d) eu sairia da experiência mais feliz.

Três semanas depois, arranquei desgostoso o quadro da parede. Olhar para as quatro marcas ticadas seguidas de um monte de quadros vazios era mais desencorajador e constrangedor do que eu podia suportar. Eu tinha fracassado no meu próprio experimento e, pior ainda, continuava muito longe de dizer às garotas que era um músico. Fiquei chocado, deprimido até, ao constatar a rapidez com a qual desisti. Um psicólogo positivo deveria saber seguir os próprios conselhos! (Naturalmente, os sentimentos de fracasso só se intensificam quando você percebe que agora é um psicólogo positivo *deprimido*.) O violão estava guardado no armário, alguns passos adiante, mas eu não consegui me forçar a pegá-lo e tocar. O que tinha dado errado? Na verdade, as palavras reveladoras aqui são *me forçar*. Sem perceber, eu estava travando a batalha errada – uma que eu estava fadado a perder a não ser que mudasse de estratégia.

POR QUE A FORÇA DE VONTADE NÃO É O MELHOR CAMINHO

Tal Ben-Shahar adora contar o que chama de "a história do bolo de chocolate". Em Israel, seu país de origem, a mãe dele era conhecida pelo delicioso bolo de chocolate que fazia. Uma tarde, quando Tal e seus amigos chegaram em casa da escola, ela tirou um bolo do forno e ofereceu uma fatia a todos. Tal a recusou, referindo-se ao seu rigoroso regime de treinamento para o Campeonato Nacional de Squash. Assim, ele se sentou e ficou observando seus amigos devorarem o bolo de dar água na boca; em seguida, todos foram fazer a lição de casa. Horas mais tarde, Tal foi à geladeira para olhar o bolo. Ele ainda parecia delicioso. Mas não, pensou, eu devo ser forte. Uma hora depois e mais uma olhada no bolo. Oba, ele continuava lá. Em breve, ele não conseguia pensar em mais nada a não ser no bolo. Finalmente, no meio da noite, quando todos estavam dormindo, Tal se esgueirou furtivamente para a cozinha e devorou *tudo* o que restou do bolo. Até a última migalha.

Qualquer pessoa que já tenha tentado manter uma rigorosa dieta já passou por esse lapso de força de vontade. Nós nos negamos o prazer repetidas vezes até que de repente não aguentamos mais e as comportas se rompem. Cinco dias comendo só cenoura e tofu são seguidos por um rodízio de pizza ou um banquete para cinco pessoas. Como qualquer nutricionista lhe dirá, depender da força de vontade para evitar completamente a comida insalubre é quase uma garantia de recaída; é por isso que as pessoas que adotam dietas radicais têm mais chances de recuperar o peso do que pessoas que comem de maneira saudável mas sem restrições – e é por isso que apenas 20% das pessoas que fazem dieta conseguem manter a perda de peso por muito tempo.[7] Quanto mais tentamos "nos manter fortes", mais inevitável é a queda – em geral direto num enorme pote de sorvete.

A questão é que, independentemente de se tratar de uma dieta rigorosa, de uma decisão de Ano Novo ou de uma tentativa de praticar violão diariamente, o motivo pelo qual tantos de nós temos dificuldade de manter a mudança é que contamos com a nossa força de vontade para fazer isso. Achamos que podemos ir de 0 a 60 em um instante, alterando ou destruindo hábitos profundamente arraigados só pela força de vontade. Tal achava que dizer a si mesmo que estava de dieta bastaria para mantê-lo longe do bolo de chocolate de sua mãe. Eu achava que dizer a mim mesmo para seguir um rigoroso planejamento me daria a disciplina suficiente para me levar a praticar violão todos os dias. Bem, deu certo... por quatro dias. Depois voltei à minha programação normal.

EXERCITE A FORÇA DE VONTADE

A razão pela qual a força de vontade é tão ineficaz em manter a mudança é que, quanto mais a usamos, mais ela se desgasta. Você pode saber disso intuitivamente, mas o pesquisador Roy Baumeister precisou de centenas de bolachas de chocolate e muitos estudantes famintos para comprovar o fato.

Em um dos vários estudos sobre a força de vontade, Baumeister e seus colegas convidaram estudantes universitários para o laboratório, instruindo-os a não comer nada por pelo menos três horas antes do experimento.[8] Depois ele os dividiu em três grupos. O Grupo 1 recebeu um prato de bolachas de chocolate e foi instruído a não comê-las e um prato saudável de rabanetes que poderia comer, se quisesse. O Grupo 2 ganhou os mesmos dois pratos, bolachas e rabanetes, e foi informado de que poderia comer o que quisesse. O Grupo 3 não recebeu nenhum alimento. Depois de serem forçados a suportar essas situações por um período significativo, os três grupos receberam uma série de quebra-cabeças geométricos "simples" para solucionar. Observe as aspas na palavra *simples*. Na verdade, tratava-se de outra das ferramentas preferidas da psicologia: o quebra-cabeças impossível.

Como descobri a duras penas no experimento Ajudando os Idosos, os pesquisadores de psicologia adoram usar jogos impossíveis para verificar por quanto tempo os participantes persistirão na tarefa. No caso, os participantes dos Grupos 2 e 3 persistiram muito mais que os do Grupo 1, que não demoraram a desistir, derrotados. Por quê? Porque os estudantes que precisaram usar até a última gota de força de vontade para evitar comer as sedutoras bolachas de chocolate já não tinham mais nenhuma determinação nem energia mental sobrando para tentar solucionar o complexo quebra-cabeças – apesar de as tarefas de evitar comer bolachas e persistir em um quebra-cabeças aparentemente não terem nenhuma relação entre si.

Estudos confirmaram essa constatação com uma enorme variedade de tarefas elaboradas para explorar a força de vontade.[9] Em uma delas, os participantes foram solicitados a assistir a um filme cômico sem rir e depois solucionar anagramas complexos. Em outro experimento, os participantes foram instruídos a escrever sobre um dia na vida de uma pessoa obesa sem usar nenhum estereótipo e foram instruídos a reprimir um pensamento específico ("Não pensem em um urso-polar"). E, com efeito, não importa quais foram as tarefas, os participantes sempre apresentaram um desempenho significativamente pior quando tiveram suas reservas de força de vontade esgotadas. Se eles tivessem passado dez minutos evitando rir, não conseguiam persistir tentando solucionar um anagrama. Se tivessem reprimido os estereótipos, não conseguiam evitar pensar no urso-polar. E assim por diante.

O objetivo desses experimentos foi demonstrar que, por mais que as tarefas não fossem relacionadas, todas elas pareciam estar usando a mesma fonte de combustível. Como escreveram os pesquisadores, "muitas formas amplamente diferentes de autocontrole usam um recurso em comum, o autocontrole, cuja força é bastante limitada e, dessa forma, facilmente exaurida".[10] Dito de outra forma, quanto mais utilizamos a nossa força de vontade, mais ela enfraquece.

Infelizmente, enfrentamos um fluxo estável de tarefas que exaurem nossa força de vontade todos os dias. Seja evitar comer sobremesa no almoço, manter-se concentrado em uma planilha no computador durante horas a fio ou participar de uma reunião de três horas, mas, em qualquer um desses casos, nossa força de vontade está sendo continuamente posta à prova. Então, não é surpresa alguma que voltemos com tanta facilidade aos nossos velhos hábitos, ao caminho mais fácil e mais conhecido, à medida que avançamos ao longo do dia. Essa atração invisível exercida pelo caminho da menor resistência pode determinar mais fatores da nossa vida do que percebemos, criando uma barreira intransponível à mudança e ao crescimento positivo.

O CAMINHO DA MENOR RESISTÊNCIA

Sentada à sua mesa no trabalho na terça-feira, Cathy devaneia sobre o próximo sábado e todas as suas possibilidades. Ela quer pedalar na trilha perto de casa, jogar vôlei no parque local e visitar aquela exposição do Matisse no museu. Ela até pode mergulhar naquela pilha de livros que vinha pretendendo ler há tanto tempo. Como todos nós, Cathy tem inúmeros hobbies e atividades que mobilizam seus interesses e forças, energizam seus dias e a fazem feliz. Mesmo assim, quando finalmente chega o sábado, onde ela acaba passando o dia? Não na trilha nem no parque e certamente não na exposição da qual todo mundo está falando – e o museu fica a apenas 20 minutos de sua casa! O controle remoto dela, por outro lado, está à mão e a TV está transmitindo uma maratona do *Top Chef*. Quatro horas mais tarde, Cathy está cada vez mais afundada no sofá, incapaz de se livrar da letargia e da decepção. Ela tinha planos melhores para o dia e se pergunta o que aconteceu com eles.

O que aconteceu a Cathy foi algo que acontece a todos nós em algum momento da nossa vida. A inatividade é simplesmente a opção mais fácil. Infelizmente, não usufruímos dela tanto quanto pensamos. Em geral, os americanos na verdade consideram mais difícil usufruir do tempo livre do que do trabalho.[11] Se isso soar ridículo, pense a respeito: em geral, nosso trabalho exige que exercitemos nossas habilidades, utilizemos nossa mente e busquemos atingir nossas metas – fatores que comprovadamente contribuem para a felicidade. É claro que as atividades de lazer também podem nos ajudar a ser mais felizes, mas, como elas não são exigidas da gente – como não temos um "chefe do lazer" nos controlando nas manhãs de domingo nos dizendo que é melhor que estejamos no museu às nove em ponto –, muitas vezes temos dificuldade de reunir a energia necessária para iniciá-las. Então seguimos o caminho da menor resistência, um caminho que nos leva inevitavelmente ao sofá e à televisão. E, como somos "meros apanhados de hábitos", quanto mais vezes sucumbimos a esse caminho, mais difícil fica mudar de direção.

Infelizmente, apesar desses tipos de "lazer passivo", como assistir TV e navegar pelo Facebook, poderem ser mais fáceis e práticos do que andar de bicicleta, visitar uma exposição de arte ou jogar vôlei, eles não oferecem as mesmas recompensas. Estudos demonstram que essas atividades só são prazerosas e envolventes por cerca de 30 minutos e depois começam a drenar a nossa energia, criando o que os psicólogos chamam de "entropia psíquica" – aquela sensação de apatia e desinteresse vivenciada por Cathy.

Por outro lado, o "lazer ativo" como hobbies, esportes e jogos aumentam a nossa concentração, envolvimento, motivação e prazer. Estudos revelaram que adolescentes americanos têm 2,5 vezes mais chances de sentir mais prazer quando estão envolvidos em um hobby do que quando assistem TV, uma proporção que aumenta para três vezes quando praticam um esporte. E, no entanto, eis o paradoxo: esses mesmos adolescentes passam *quatro vezes* mais tempo assistindo TV do que praticando esportes ou envolvidos em hobbies. Então, o que é que rola? Ou, como o psicólogo Mihaly Csikszentmihalyi pergunta de forma muito mais eloquente: "Por que passaríamos quatro vezes mais tempo fazendo algo que tem menos da metade das chances de fazer nos sentirmos bem?".[12]

A resposta é que somos atraídos – intensamente atraídos – pelas coisas que são fáceis, práticas e habituais e é incrivelmente difícil dominar essa inércia. O lazer ativo é de fato mais prazeroso, mas quase sempre requer mais esforço inicial – tirar a bicicleta da garagem, dirigir até o museu, afinar o violão e assim por diante. Csikszentmihalyi chama a isso de "energia de ativação". Na física, a energia de ativação é a fagulha inicial necessária para catalisar uma reação. A mesma energia, tanto física quanto mental, é necessária para as pessoas superarem a inércia e dar início a um hábito positivo. Caso contrário, a natureza humana nos conduz eternamente pelo caminho da menor resistência.

UMA OFERTA IRRECUSÁVEL

Como você pode imaginar, anunciantes e marqueteiros ganham a vida com o caminho da menor resistência. Você já fez alguma compra com um cupom de reembolso? E será que chegou a enviar o cupom pelo correio? Eu sabia que não. É por isso que as empresas oferecem essas promoções. E também é por isso que revistas nos enviam uma assinatura grátis por cinco semanas e automaticamente começam a cobrar o valor da assinatura no seu cartão de crédito na sexta semana. É verdade, podemos recusar a oferta, desde que enviemos pelo correio aquele cartão dizendo: "Não, obrigado, gostaria de cancelar a minha assinatura". Infelizmente, isso requer energia de ativação demais e a revista sai ganhando com o artifício de marketing.

No mundo do marketing, isso é chamado de *opt-out* – ou opção de não participação –, uma invenção absolutamente genial, que se aproveita ao máximo desse aspecto da psicologia humana. O marketing de *opt-out* é quando as pessoas são incluídas em listas de distribuição de e-mails sem seu consentimento, de forma que, se elas quiserem impedir o bombardeio de e-mails promocionais, devem se descadastrar ativamente. Para isso, elas precisam encontrar o minúsculo link no fim do e-mail e navegar em um ou dois sites antes de finalmente chegar ao destino desejado. A empresa está apostando, muitas vezes com sucesso, que esse processo envolve muito mais energia e empenho que a maioria das pessoas está disposta a gastar.

Martin Lindstrom, um especialista em marketing que utiliza a neurociência para explorar os nossos hábitos de consumo do ponto de vista psicológico, observa que as companhias telefônicas são grandes beneficiárias dessa estratégia.[13] Quase sempre existe disponível um plano mensal melhor do que o contrato padrão, mas normalmente nos atemos ao plano *default* porque é simplesmente trabalhoso demais fazer as pesquisas necessárias e ainda mais trabalhoso trocar de plano. Um estudo especialmente fascinante conduzido por Lindstrom com o famoso toque de chamada da Nokia, talvez o som de quatro notas mais onipresente do mundo, revelou o poderoso poder de atração que o caminho da menor resistência exerce sobre nós. Utilizando a tecnologia de ressonância magnética para analisar o cérebro das pessoas durante a exposição ao som, ele descobriu uma reação emocional negativa praticamente universal. No entanto, incrivelmente, 80 milhões de usuários da Nokia o mantêm como seu tom de chamada. Por que eles mantêm o toque que fere seus ouvidos e os envia em uma espiral emocional descendente sempre que recebem uma ligação? Porque é a opção default (ou padrão) do aparelho celular. E, independentemente de estarmos ou não conscientes disso, as opções *default* estão por toda parte, determinando as nossas escolhas e o nosso comportamento em todas as áreas da vida.

No supermercado, compramos mais alimentos das prateleiras diretamente na altura dos nossos olhos e menos daquelas que requerem que olhemos para cima ou nos ajoelhemos.[14] Todo varejista sabe disso e você pode ter certeza de que eles exploram essa tendência posicionando as marcas mais caras no nível dos olhos. Hoje em dia, anunciantes on-line conduzem pesquisas de mercado com sofisticados dispositivos de rastreamento do movimento ocular, projetados para identificar a posição perfeita para um banner em um website, aquela posição que veremos sem gastar nenhuma energia adicional.[15] Em lojas de roupas também tudo é feito para capitalizar a nossa tendência a escolher o caminho padrão, ou predeterminado. Como observa Lindstrom, temos mais chances de comprar uma peça de roupa se pudermos fazer um "teste sensorial", tocando o tecido, de forma que os itens mais caros são posicionados na altura perfeita para nos proporcionar essa experiência. Tente o seguinte experimento na próxima vez que você entrar em uma loja de roupas. Repare que todas as mesas de roupas ficam exatamente na altura das suas mãos, implorando para serem tocadas.

No ambiente de trabalho, o caminho da menor resistência é especialmente contraproducente, atraindo-nos a toda uma série de maus hábitos que promovem a procrastinação e reduzem a produtividade. Encontro esse problema com frequência na minha própria vida profissional, mas precisei viajar até Hong Kong para realmente perceber a gravidade da situação.

O CAMINHO PARA A DISTRAÇÃO

Era o segundo dia da sessão de treinamento que estava conduzindo em uma grande empresa de tecnologia em Hong Kong, uma cidade tão vibrante que faz a Times Square, em Nova York, parecer uma pacata cidadezinha do interior. Reservei algum tempo para trabalhar em uma sessão privada com Ted, um dos gestores-chefe da equipe de marketing, que não estava conseguindo dar conta de sua carga de trabalho. Por mais que trabalhasse, ele sempre ficava para trás e era forçado a estender cada vez mais suas horas de trabalho para dar conta de tudo. "Não faço mais nada além de trabalhar", Ted confessou, "e ainda não é o suficiente."

Eu lhe disse que ele não é o único na mesma situação. Ouço essa mesma história, quase nas mesmas palavras, em todos os países que visito. Não importa qual seja a descrição do nosso cargo, parece que nunca temos tempo suficiente para fazer tudo. Oito horas no trabalho se transformam em 12 e 14 horas e mesmo assim ficamos para trás. Como pode ser? Por que é tão difícil ser produtivo? Depois de ouvir Ted descrever, do começo ao fim, como passava um dia típico, duas respostas importantes subitamente vieram à tona: (1) Ted estava trabalhando o tempo todo e (2) Ted quase nunca trabalhava.

Quando Ted chega ao escritório às 7 da manhã, a primeira coisa que faz é abrir o navegador da Internet. Sua página inicial é a CNN, de forma que ele começa lendo as primeiras notícias do dia. Sua intenção é passar os olhos pelas principais manchetes e seguir em frente, mas ele invariavelmente acaba clicando nos links que chamam a sua atenção. Então, sem nem mesmo parar para pensar a respeito, ele abre dois websites diferentes nos quais verifica suas ações e investimentos e analisa o quanto eles renderam durante a noite.

Depois ele checa os e-mails e deixa a caixa de entrada aberta ao longo do dia, alertando-o a cada vez que recebe uma nova mensagem. Depois que processa seus e-mails, ele clica em alguns outros links e anexos, envia algumas respostas e está pronto para trabalhar. Mais ou menos. Acontece que Ted geralmente trabalha só 30 minutos antes de fazer um breve intervalo para o café. Depois ele volta a se sentar ao seu computador, e não consegue deixar de notar que sua página inicial exibe uma porção de novas manchetes para ler. E o que é isto? Dez novos e-mails? É melhor ver do que se trata. Depois ele verifica de novo suas ações, só para se certificar de que não ocorreu nenhuma tragédia financeira. Finalmente, Ted consegue voltar a se concentrar e começa a elaborar um novo plano de marketing... mas sua concentração dura apenas cerca de 10 minutos, quando ele é interrompido pela chegada de um novo e-mail. E assim se arrasta o dia de trabalho de Ted.

Você se identifica com essa descrição? Depois de alguns cálculos rápidos, concluímos que Ted provavelmente verifica suas ações três vezes a cada hora, checa seus e-mails cinco vezes por hora e websites de notícias cerca de uma vez por hora. E isso na verdade é bastante comum. A American Management Association relata que os funcionários passam em média 107 minutos por dia lendo e respondendo e-mails.[16] Um grupo de trabalhadores londrinos com os quais conversei admitiu que verificava as ações cerca de 4 ou 5 vezes por hora – o que totaliza 35 vezes por dia. E suspeito de que, se a maioria dos trabalhadores de escritório calculasse todos os minutos que passam a cada dia em blogs, sites de redes sociais, sites de compras e assim por diante, o resultado seria um cenário bastante alarmante. Não é de surpreender que seja tão difícil realizar alguma coisa no trabalho!

E a coisa não termina por aqui. O tempo que gastamos com essas distrações constitui, sim, parte do problema, mas o mais grave é que a nossa atenção se desgasta a cada vez que nos distraímos. Pesquisas demonstram que um trabalhador é interrompido em média a cada 11 minutos e, em cada ocasião, leva muitos minutos para se recuperar da perda de concentração resultante.[17] No entanto, no mundo de hoje, é fácil demais cair em tentação. Nas palavras de um artigo do *New York Times*, "antigamente se distrair consistia em apontar meia dúzia de lápis ou acender um cigarro. Hoje, existe todo um universo de distrações para se comprar, ouvir, assistir e encaminhar, o que faz se concentrar no trabalho ser uma tarefa cada vez mais difícil".[18]

Enquanto Ted e eu trabalhávamos para encontrar maneiras de minimizar as distrações, criei uma epifania: o problema não é o número ou a quantidade de distrações que nos complicam a vida, mas, sim, o fácil acesso a elas. Pense a respeito. Se quiser verificar suas ações, você precisa esperar que o painel de cotações da bolsa de valores percorra todo o alfabeto? É claro que não. Você pode programar um website para exibir só as ações de seu interesse e lhe enviar atualizações periódicas. Se quiser ler as mais recentes notícias políticas ou algum comentário sobre o novo filme daquele diretor que adora, você precisa percorrer dezenas de sites e blogs para encontrar um sobre o tema desejado? Nada disso. Você pode configurar um feed RSS para enviar *posts* do seu blog preferido diretamente na sua caixa de entrada. De forma similar, você pode receber por e-mail todos os seus noticiários esportivos preferidos, fofocas de celebridades, críticas de restaurantes... e por aí vai. A tecnologia pode nos ajudar a poupar tempo, mas também faz ser muito mais fácil desperdiçá-lo. Em resumo, a distração, sempre a apenas um clique de distância, se transformou no caminho da menor resistência.

REDIRECIONE O CAMINHO: A REGRA DOS 20 SEGUNDOS

Ao se permitir ser direcionado para o caminho da menor resistência, Ted se viu emaranhado em uma rede de péssimos hábitos. No caso dele, todos os hábitos envolviam a procrastinação, o que me levou a pensar: será que os mecanismos psicológicos que estavam sabotando a produtividade de Ted também explicam por que eu não tive sucesso em seguir minha programação para praticar violão? Será que foi o caminho da menor resistência que me desviou naquela ocasião? Pensei naquele experimento inicial: eu tinha mantido meu violão dentro do armário, escondido e fora do meu alcance. Ele não estava muito longe, é claro (meu apartamento não é tão grande assim), mas aqueles 20 segundos de esforço adicional necessários para andar até o armário e tirar o violão se provaram um grande impeditivo. Tentei superar essa barreira com a força de vontade, mas, depois de apenas quatro dias, minhas reservas já estavam completamente exauridas. Diante da minha incapacidade de usar o autocontrole para incorporar um hábito, pelo menos não por um período muito longo, agora eu me perguntava: e se eu pudesse reduzir a energia de ativação necessária para começar?

Claramente tinha chegado a hora de realizar outro experimento. Eu tirei o violão do armário, comprei um suporte de violão por 2 dólares e o deixei no meio da minha sala de estar. Nada tinha mudado, só que agora, em vez de estar a 20 segundos de distância, o violão estava sempre à mão. Três semanas depois, contemplei orgulhoso o meu novo quadro de prática de violão, com 21 dias consecutivos marcados.

O que fiz, basicamente, foi colocar o comportamento *desejado* no caminho da menor resistência, de forma que exigiria menos energia e esforço pegar o violão e praticar do que evitar a atividade. Gosto de chamar isso de a Regra dos 20 Segundos, porque bastou reduzir em apenas 20 segundos a barreira à mudança para me ajudar a formar um novo hábito. Na verdade, muitas vezes leva mais de 20 segundos para fazer a diferença – e algumas vezes pode levar muito menos –, mas a estratégia em si pode ser aplicada a qualquer coisa: reduza a energia de ativação para os hábitos que deseja adotar e aumente-a para hábitos que deseja evitar. Quanto mais pudermos reduzir ou até eliminar a energia de ativação necessária para as nossas ações desejadas, mais aumentamos a nossa capacidade de dar início à mudança positiva.

SEREIAS E SLURPEES

Não é uma ideia nova, mas é uma excelente ideia. Você se lembra da parte da *Odisseia* de Homero, na qual Odisseu tenta passar com seu navio pelas temerárias Sereias, cuja voz era tão sedutora que elas eram capazes de conduzir qualquer homem para a morte certa? Odisseu sabe que não conseguirá resistir ao chamado, de forma que ordena a seus homens que o amarrem no mastro do navio para conseguir passar por elas em segurança. Como sabe que sua força de vontade não lhe bastará, ele decide colocar energia de ativação suficiente no caminho da tentação.

Mais de 2 mil anos mais tarde, e em um contexto cultural apenas ligeiramente diferente, a personagem principal do filme *Os Delírios de Consumo de Becky Bloom* congela seus cartões de crédito em blocos de gelo para não poder sair às compras desenfreadamente. Pode parecer bobagem, mas os dez minutos adicionais que ela seria forçada a gastar para quebrar ou derreter o gelo e finalmente ter acesso a seu AmEx bastaram para conter esse hábito perturbador. É verdade que isso pode ser um exagero (vindo de Hollywood, que surpresa!), mas os consultores financeiros de fato recomendam que as pessoas incapazes de resistir ao canto da sereia do consumo deixem seus cartões de crédito em casa, em uma gaveta, fora de seu alcance imediato.

Felizmente, fazer compras não é uma das minhas grandes fraquezas, mas assistir televisão demais costumava ser. De acordo com uma rápida pesquisa no Google, os norte-americanos assistem em média entre cinco e sete horas de televisão por dia. Em determinado ponto eu chegava a ver cerca de três horas por dia, o que, naturalmente, estava afetando a minha produtividade e reduzindo meu tempo disponível para passar com meus amigos. Eu queria assistir menos televisão, mas sempre voltava do trabalho cansado de lecionar e era fácil demais me jogar no sofá e pressionar o botão no controle remoto para ligar a TV. Então decidi realizar outro experimento me usando como cobaia. Dessa vez, me decidi a usar o mesmo truque que meu cérebro usou comigo quando eu não consegui praticar violão. Tirei as pilhas do controle remoto, peguei meu cronômetro e levei as pilhas para uma gaveta no meu quarto, a exatamente 20 segundos de distância do sofá. Será que isso bastaria para me curar do meu hábito de ver TV?

Nas noites seguintes, quando chegava em casa do trabalho, me jogava no sofá e tentava ligar a TV pelo controle remoto – normalmente repetidas vezes –, sem lembrar que tinha tirado as pilhas. Então, frustrado, pensava comigo mesmo: "Odeio fazer estes experimentos". Mas, com efeito, a energia e esforço necessários para ir pegar as pilhas – ou até me levantar do sofá e ligar a TV manualmente – bastaram para dar conta do recado. E logo me vi pegando um livro que tinha intencionalmente deixado no sofá ou o violão, que eu deixava no suporte ao lado do sofá, ou até o *laptop*, agora posicionado ao alcance da mão, no qual eu estava escrevendo o manuscrito para este livro. Com o passar dos dias, a ânsia de assistir TV foi diminuindo e as novas atividades foram se tornando mais habituais. E em pouco tempo até me peguei fazendo coisas que exigiam muito mais energia de ativação do que ir pegar as pilhas, como sair para jogar basquete ou jantar com os amigos. E me senti muito mais energizado, produtivo e feliz com isso.

Ao acrescentar 20 segundos ao meu dia, recuperei três horas do meu tempo.

A Regra dos 20 Segundos é um aliado especialmente crucial na nossa busca por hábitos alimentares mais saudáveis. Pesquisadores descobriram que é possível cortar pela metade o consumo de sorvetes em um refeitório simplesmente mantendo fechada a porta do refrigerador.[19] E que, quando as pessoas são forçadas a esperar em uma fila separada para comprar salgadinhos industrializados e doces, muito menos pessoas efetuam a compra.[20] Basicamente, quanto mais esforço for necessário para ter acesso a comida não saudável, menos consumiremos, e vice-versa. É por isso que os nutricionistas recomendam que deixemos preparados lanches saudáveis, para que possamos simplesmente tirá-los da geladeira, e é por isso que eles sugerem, se realmente precisamos comer *junk food*, tirar uma pequena porção e guardar o saco em algum lugar de difícil acesso. Em seu livro *Por que comemos tanto?*, Brian Wansink fala de um amigo que não conseguia deixar de parar em uma loja de conveniência para comprar um refrigerante, ao voltar do trabalho, todos os dias.[21] Finalmente, "incapaz de impedir que seu carro o levasse à loja de conveniência, ele decidiu pegar um caminho diferente para voltar para casa, ziguezagueando para evitar a tentação".

A nossa melhor arma na batalha contra os maus hábitos – sejam eles Slurpees, reprises do *Seinfeld* ou distrações no trabalho – é simplesmente tornar mais difícil sucumbir a eles.

Mentes sagazes se saíram com algumas maneiras criativas de colocar barreiras entre nós e os nossos vícios. Por exemplo, em um número crescente de estados norte-americanos, os jogadores compulsivos solicitam que o governo os inclua em uma lista que torna ilegal para eles entrarem em cassinos ou receber qualquer dinheiro que ganharem na jogatina. Algumas operadoras de telefonia celular oferecem um serviço para impedir as pessoas de fazerem aquelas constrangedoras ligações quando bebem demais, bloqueando ligações para todos os números (exceto os de emergência) depois de determinado horário nos fins de semana. O Gmail, o serviço de e-mail do Google, oferece uma opção divertida, porém eficaz que requer que a pessoa solucione uma série de problemas matemáticos antes de poder enviar um e-mail tarde da noite, protegendo, dessa forma, os trabalhadores que secaram uma garrafa de vinho antes de enviar um e-mail ao chefe com uma lista de reclamações repleta de erros de ortografia.

Os governos também encontraram uma maneira de aplicar a Regra dos 20 Segundos a serviço do público em geral. Por exemplo, pesquisas de opinião mostram que o número de pessoas dispostas a doar órgãos é relativamente alto, mas a maioria se desanima diante do longo processo envolvendo o preenchimento de todos os formulários corretos. Em vista disso, alguns países adotaram um programa do tipo *opt-out*, que considera automaticamente todos os cidadãos como doadores.[22] Qualquer pessoa pode se descadastrar, é claro, mas, quando se manter cadastrado passa a ser a opção *default*, a maioria das pessoas prefere não fazer nada. Essa estratégia se provou extremamente eficaz. Quando a Espanha passou para o sistema *opt-out*, o número de órgãos doados imediatamente dobrou.

Antes de descobrir a Regra dos 20 Segundos, não acho que teria sido capaz de ajudar muito Ted em Hong Kong, além de diagnosticar seu problema paradoxal: ele passava quase o tempo todo trabalhando e, no entanto, quase nunca trabalhava. Mas, quando percebi por que era tão difícil para ele se manter concentrado, decidi que tinha chegado a hora de verificar como essa estratégia poderia remover as distrações do caminho da menor resistência.

POUPE TEMPO ACRESCENTANDO TEMPO

O primeiro passo é aparentemente um contrassenso: livrar-se de muitos dos atalhos que foram originalmente criados para "poupar tempo" no escritório. Por exemplo, incentivei Ted a manter o programa de e-mails fechado enquanto ele trabalhava, para que ele deixasse de ser alertado sempre que recebesse uma nova mensagem. Sempre que quisesse verificar os e-mails, ele precisaria tomar a iniciativa de abrir o programa e esperar que ele fosse carregado. Apesar de isso reduzir as interrupções involuntárias, continuava sendo fácil demais clicar no pequeno ícone do Outlook sempre que sua mente se distraía, de forma que, para protegê-lo do hábito de verificar os e-mails, dificultamos ainda mais a tarefa. Nós desabilitamos o *login* e senha automáticos da conta de e-mail, deletamos o ícone da área de trabalho do computador e escondemos o ícone do aplicativo em uma pasta vazia, enterrada em outra pasta vazia, enterrada em outra pasta vazia. Nós basicamente criamos a versão eletrônica das bonecas russas. Como ele me contou um dia no escritório, meio de brincadeira (mas não totalmente), passou a ser "um pé no saco" verificar os e-mails.

"Ah, isso quer dizer que estamos progredindo", respondi.

Fizemos a mesma coisa para as outras distrações, desabilitando o aplicativo de monitoramento das ações, mudando sua página inicial da CNN para uma ferramenta de busca e até desabilitando o recurso de *cookies* do navegador, para que a máquina não pudesse "lembrar" das ações e dos sites que ele normalmente visitava. Cada botão adicional que ele era forçado a clicar e até mesmo cada endereço adicional que ele precisava digitar no navegador reforçavam a barreira à procrastinação e aumentavam as chances de ele se manter concentrado em uma tarefa. Deixei claro que ele continuava tendo a mais completa liberdade de fazer o que quisesse. Da mesma forma com um programa *opt-out*, sua liberdade de escolha não lhe tinha sido retirada. A única coisa que mudou foi o *default*, agora configurado para a produtividade, e não para a distração.

Naquele primeiro dia em Hong Kong, Ted estava não apenas cético, mas um pouco irritado comigo. A ele (e aos outros executivos aos quais impus tormentos similares) parecia que eu só estava dificultando ainda mais sua vida por si mesma já tão atarefada. Quem era eu para desabilitar os *cookies* deles? (E eu nem sei o que são *cookies*!) Mas, alguns dias depois, quando perceberam que estavam produzindo muito mais (e em menos tempo), eles mudaram de ideia.

DURMA COM SUAS ROUPAS DE GINÁSTICA

A Regra dos 20 Segundos não se limita a alterar o tempo necessário para fazer as coisas. Restringir as escolhas que temos de fazer também pode ajudar a reduzir a barreira para a mudança positiva. Você deve se lembrar de como os estudos sobre a força de vontade conduzidos por Roy Baumeister mostraram que o autocontrole é um recurso limitado que se esgota com o uso. Bem, esses mesmos pesquisadores descobriram que escolhas demais também exaurem as nossas reservas. Os estudos mostraram que, a cada escolha adicional que as pessoas devem fazer, sua resistência física, a capacidade de resolver cálculos numéricos, a persistência diante do fracasso e o foco caem acentuadamente.[23] E não estamos falando de decisões necessariamente difíceis – as decisões propostas nos estudos são mais na linha "chocolate ou baunilha?" do que *A escolha de Sofia*. No entanto, essas escolhas inocentes esgotam cada vez mais a nossa energia, e chega um momento em que não temos o suficiente para manter o hábito positivo que estamos tentando adotar.

Um dos hábitos que eu queria criar era de me exercitar de manhã. Eu já sabia, com base em inúmeras pesquisas, que se exercitar de manhã melhora o desempenho em tarefas cognitivas e ajuda o cérebro a dar início a um efeito dominó de emoções positivas. Mas, infelizmente, a informação não leva necessariamente à transformação, já que toda manhã eu acordava e me perguntava: será que realmente quero me exercitar hoje? E meu cérebro respondia: não.

Se você já tentou desenvolver o hábito de se exercitar de manhã cedo, provavelmente já sabe como é fácil ser sabotado por escolhas demais. Todas as manhãs, quando o despertador toca, o monólogo interno se desenrola mais ou menos assim: devo apertar o botão soneca do despertador ou levantar imediatamente? O que devo vestir para me exercitar esta manhã? Devo dar uma corrida ou ir para a academia? Devo ir à academia do bairro, mais lotada, ou à academia mais tranquila, porém mais distante? Que tipo de exercício aeróbico devo fazer quando chegar lá? Devo levantar pesos? Devo fazer uma aula de boxe ou de ioga? E, nesse ponto, você está tão exausto com todas as opções que já voltou a dormir. Pelo menos é o que acontecia comigo. Então, decidi reduzir o número de escolhas que precisaria fazer antes de chegar até a academia.

Toda noite antes de dormir, eu elaborava um plano detalhado incluindo onde me exercitaria na manhã seguinte e em quais partes do corpo concentraria os exercícios. Depois, deixava os tênis ao lado da cama. Por fim – e o mais importante – eu ia dormir vestindo minhas roupas de ginástica. (E minha mãe se pergunta por que eu ainda não sou casado.)

Mas as roupas estavam limpas e com isso consegui reduzir a energia de ativação o suficiente para, quando acordasse na manhã seguinte, tudo o que precisaria fazer era sair da cama, colocar meus pés (que já estavam de meias) nos meus tênis e sair porta afora. As decisões que pareciam tão intimidantes na minha mente grogue pela manhã já tinham sido tomadas antecipadamente. E deu certo. Com a estratégia de eliminar as escolhas e reduzir a energia de ativação, o modo *default* passou a ser me levantar e ir à academia. Em consequência, uma vez que o hábito positivo do exercício matinal foi incorporado à minha rotina, não precisei mais dormir com as roupas de ginástica.

Depois disso, ao conversar com atletas e não atletas do mundo todo, ouço a mesma coisa dos dois grupos: algo estranho acontece no cérebro humano quando você veste seus tênis – você começa a achar que, nesse ponto, é mais fácil se exercitar do que tirar todas as roupas de ginástica. Na verdade, é mais fácil tirar os tênis e as roupas, mas o seu cérebro, uma vez que já aderiu a um hábito, tenderá a se manter naturalmente na mesma direção, seguindo o percurso da menor resistência percebida.

E isso não funciona só para os exercícios físicos. Pense nas mudanças positivas que você deseja realizar no seu trabalho e descubra qual seria o equivalente de "só colocar os tênis". Quanto menos energia for necessária para dar início a um hábito positivo, mais chances há de esse hábito se desenvolver.

DETERMINE REGRAS DE ENGAJAMENTO

Não importa se você está tentando mudar seus hábitos no trabalho ou em casa, o segredo para reduzir as escolhas é determinar e seguir algumas poucas regras simples. Os psicólogos chamam esse tipo de regra de "decisões de segunda ordem", porque elas são basicamente decisões referentes a quando tomar decisões, como na ocasião em que decidi antecipadamente quando, onde e como iria me exercitar de manhã.

Naturalmente, essa técnica não é eficaz só para decisões do tipo usar a esteira ou a bicicleta ergométrica. No seu brilhante livro *The paradox of choice*, Barry Schwartz explica como determinar antecipadamente as regras pode nos libertar do constante bombardeio de escolhas que podem fazer uma grande diferença na nossa vida.[24] Se adotarmos a regra de nunca dirigir depois de tomar mais de um drinque, por exemplo, eliminaremos o estresse e a incerteza de tentar tomar uma decisão sempre que não sabemos ao certo se estamos embriagados demais para dirigir (o que provavelmente significa que é o caso). No trabalho, determinar regras para reduzir o volume de escolhas pode ser incrivelmente eficaz. Por exemplo, se adotarmos regras para só checar os e-mails de hora em hora ou só fazer um intervalo de manhã, temos menos chances de sucumbir no momento da decisão, ajudando que essas regras se transformem em hábitos que seguiremos por *default*.

As regras são especialmente úteis nos primeiros dias da iniciativa de mudar comportamentos, quando é mais fácil desviar do caminho. Aos poucos, à medida que a ação desejada se torna mais habitual, podemos nos dar o luxo de flexibilizar as regras.

Por exemplo, você não costuma ouvir um *chef* experiente dizer: "Adoto a regra de sempre seguir a receita à risca", porque alguns dos melhores pratos são frutos da experimentação criativa na cozinha. Mas, para um cozinheiro iniciante como eu, essa regra é absolutamente necessária. Como não sei cozinhar o suficiente para saber *como* ser espontâneo, um desvio das regras pode resultar em um desastre ou a muitos pedidos de entrega de pizza.

Em uma ocasião, trabalhei com um gerente de conta chamado Joseph, que precisava de regras no trabalho da mesma forma como eu precisava de regras na cozinha. Ele era um sujeito bastante reservado e lúgubre – tanto no estilo de se vestir quanto em relação à sua conduta, ele me lembrava de um daqueles párocos da Nova Inglaterra do século XVII. Mas, no fundo, Joseph queria desesperadamente capitalizar o Benefício da Felicidade, espalhando a positividade em sua equipe. No entanto, adotar uma postura alegre e encorajar abertamente seus colaboradores simplesmente não era algo natural para ele. Toda manhã, ele se decidia a ser mais positivo, mas sempre se via voltando rapidamente ao seu modo *default* de se comportar. Ele admitiu que, quando tentava interagir positivamente nas reuniões da equipe, acabava sobrecarregado por escolhas como: o que devo dizer para encorajar a equipe? A quem? Quando? Até que ponto devo ser efusivo nos meus elogios a determinado membro da equipe? Paralisado pela indecisão, ele acabava sem dizer nada e a reunião terminava com Joseph mais uma vez lamentando outra oportunidade perdida. Todas essas decisões exigiam energia de ativação demais. Precisávamos determinar algumas regras para ajudá-lo.

A primeira regra que definimos foi: todos os dias, antes de entrar na sala de reuniões, ele precisava pensar em um membro da equipe a quem poderia agradecer por algo. Depois, a segunda regra foi: antes de iniciar a reunião, ele precisaria agradecer publicamente a pessoa. Uma simples frase bastaria e depois ele poderia dar início à reunião, sem a miríade de escolhas pairando sobre sua cabeça.

Um mês depois, voltei à empresa para uma nova sessão de treinamento e deparei com Joseph no corredor. Não daria para descrevê-lo como um homem exuberante, mas ele certamente parecia mais feliz e mais aberto do que antes. Ele me contou que as nossas regras diárias o ajudaram enormemente a atingir sua meta e ele vinha usufruindo dos benefícios de uma maior positividade no ambiente de trabalho. Com efeito, duas semanas depois de adotar seu novo ritual, ele se viu desejando fazer um *segundo* comentário positivo a alguém mais adiante na reunião, apesar de já ter atingido sua meta. Com o tempo ele pôde flexibilizar as regras, confiante de que o novo hábito já estava profundamente arraigado.

O SEGREDO ESTÁ NOS TÊNIS

Este livro está repleto de maneiras pelas quais podemos capitalizar o Benefício da Felicidade. Mas, se não colocarmos essas estratégias em prática, elas permanecerão inúteis, como um conjunto de ferramentas dispendiosas mantidas trancadas dentro de um mostruário de vidro. O segredo para a utilização dessas ferramentas – e para a mudança positiva e permanente – é criar hábitos que gerem dividendos automaticamente, sem a necessidade de um esforço contínuo ou da utilização de extensas reservas de força de vontade. O segredo para a criação desses hábitos é manter uma prática repetida, ritualista, até as ações se arraigarem na química neural do seu cérebro. E o segredo para a prática diária é posicionar suas ações desejadas o mais perto possível do caminho da menor resistência. Identifique a energia de ativação – o momento, as escolhas, o empenho mental e físico necessário – e reduza-a. Se conseguir reduzir a energia de ativação para os hábitos que levam ao sucesso, mesmo se for apenas 20 segundos por vez, você logo começará a usufruir dos benefícios. Para dar o primeiro passo, metaforicamente – e algumas vezes literalmente –, basta calçar seus tênis.

NOTAS

1. KALB, C. Drop that corn dog, doctor. *Newsweek*, 13 out. 2008.
2. PARKER-POPE, T. Will your resolutions last until February. *New York Times*. Citando um estudo conduzido pela FranklinCovey com 15 mil pessoas. 31 out. 2008.
3. JAMES, W. *Talks to teachers on psychology and to students on some of life's ideals*. Harvard University Press, 1983, 1899, p. 48.
4. JAMES, W. Psychology: briefer course. *Harvard University Press*, 1984, 1892. p. 133.
5. JAMES,W. Psychology: briefer course. *Harvard University Press*, 1984, 1892. p. 136.
6. Apesar da crença popular de que são necessários de 21 a 30 dias para consolidar um hábito, poucos testes empíricos foram realizados sobre o tema. Naturalmente, o tempo real depende tanto da pessoa quanto da ação. Recentemente,

Phillipa Lally e seus colegas da University College London conduziram um estudo que revelou que o número médio de dias que 96 voluntários precisaram para transformar uma ação (por exemplo, correr por 15 minutos todos os dias) em um hábito automático foi de 66 dias, apesar da enorme variação constatada entre as pessoas, de 18 a 254 dias. A constatação mais reconfortante do estudo foi que pular um dia não impediu o processo de formação do hábito, o que deve nos encorajar a não abandonar nosso progresso mesmo se nos desviarmos um pouco do que foi planejado originalmente. LALLY, P; van JAARSVELD, C. H. M., POTTS, H. W. W; WARDLE, J. How are habits formed: modeling habit formation in the real world. *European Journal of Social Psychology*, 2009.

7. O National Weight Control Registry estima que apenas 20% das pessoas que fazem dieta conseguem manter o peso perdido por mais de um ano. ANSEL, K. 2009. Is your diet making you gain? Disponível em: <http://www.health.msn.com>.
8. BAUMEISTER, R. F.; BRATSLAVSKY, E.; MURAVEN, M; TICE, D. M. Ego depletion: is the active self a limited resource. *Journal of Personality and Social Psychology*, 1998, 74(5), p. 1.252-1.265.
9. Veja, por exemplo, BAUMEISTER, R. F.; VOHS, K. D.; TICE, D. M. The strength model of self-control. *Current Directions in Psychological Science*, 16(6), 2007, p. 351-355; GAILLIOT, M.; PLANG, E.; BUTZ, D.; BAUMEISTER, R. Increasing self-regulatory strength can reduce the depleting effect of suppressing stereotypes. *Personality and Social Psychology Bulletin*, 2007, 33, p. 281-294. Apesar de o autocontrole se esgotar após o uso repetido, a boa notícia é que, tal qual um músculo, ele pode ser fortalecido com a prática ao longo do tempo. Dessa forma, por exemplo, apesar de a força de vontade não ser útil para sustentar uma dieta restritiva, especialmente se a pessoa já realizou tarefas que levaram ao esgotamento do controle ao longo do dia, o comprometimento prolongado com uma tarefa que requeira autocontrole, como um programa de exercícios físicos de dois meses, na verdade pode até melhorar o autocontrole. Veja, OATEN, M.; CHENG, K. Longitudinal gains in self-regulation from regular physical exercise. *The British Psychological Society*, 2006, 11, p. 717-733; OATEN, M; CHENG, K. Improvements in self-control from financial monitoring. *Journal of Economic Psychology*, 2007, 28, p. 487-501.
10. MURAVEN, M; BAUMEISTER, R. Self-regulation and depletion of limited resources: Does self-control resemble a muscle *Psychological Bulletin*, 2000, 126, p. 247-259.
11. CSIKSZENTMIHALYI, M. *Finding flow*: the psychology of engagement in everyday life. New York: Basic Books, 1997. p. 65.
12. CSIKSZENTMIHALYI, M. *Finding flow*: the psychology of engagement in everyday life. New York: Basic, 1997. p. 67.
13. LINDSTROM, M. *Buyology*. New York: Broadway Business, 2008. p. 99.
14. Para mais informações sobre outros fascinantes estudos como este, veja THALER, R. H.; SUNSTEIN, C. *Nudge*: improving decisions about health, wealth, and happiness. New York: Penguin, 2008.
15. BARNES, B. Lab watches web surfers to see which ads work. *New York Times*, 26 jul. 2009.
16. LEYDEN, J. One in five U.S. firms has sacked workers for e-mail abuse. 23 jun. 2003. Disponível em: <http://www.theregister.co.uk>.
17. THOMPSON, C. Meet the life hackers. *New York Times*. Citando um estudo conduzido na University of California-Irvine. 16 out. 2005.
18. HAFNER, K. You there, at the computer: pay attention. *New York Times*, 10 fev. 2005.
19. MEYERS, A. W.; STUNKARD, A. J.; COLL, M. Food acessibility and food choice. *Archives of General Psychiatry*, 1980. 37, p. 1.133-1.135. Para descrições mais detalhadas deste estudo e do estudo citado imediatamente antes, bem como muitos outros similares, veja o brilhante livro de Brian Wansink, *Mindless eating*, especialmente p. 78-88.
20. MEISELMAN, H. L.; HEDDERLEY, D.; STADDON, S. L.; PIERSON, B. J.; SYMONDS, C. R. Effect of effort on meal selection and meal acceptability in a student cafeteria. *Appetite*, 1994, 23, p. 43-45.

21. WANSINK, B. *Mindless eating*: why we eat more than we think. New York: Bantam, 2006. p. 82.

22. HAWKES, N. Everyone must be an organ donor unless they opt out, says Chief Medical Officer, 18 jul. 2007. Disponível em: <http://www.timesonine.co.uk>.

23. VOHS, K. D. et al. Making choices impairs subsequent self-control: a limited-resource account of decision making, self-regulation, and active initiative. *Journal of Personality and Social Psychology*, 2008, 94(5), p. 883-898.

24. SCHWARTZ, B. *The paradox of choice*. New York: Harper Perennial, 2004. p. 113.

PRINCÍPIO 7: INVESTIMENTO SOCIAL

Por que a sua rede social de apoio é o seu maior ativo

Eu tinha 18 anos de idade e estava perdido em um prédio em chamas, cego pela fumaça. Enquanto tateava pelo caminho tentando desviar do fogo, ocorreu-me que talvez eu não deveria ter me oferecido para participar daquilo.

Era meu último ano do colegial e eu estava perto de concluir as 90 horas de treinamento voluntário de combate a incêndios na minha cidade natal de Waco, Texas. A prova final antes da conclusão do treinamento era chamada de Labirinto de Fogo, um exercício no qual os bombeiros veteranos expunham os novatos ao primeiro incêndio real. Praticamente nos arrastando sob o peso dos uniformes de combate a incêndio, dos tanques de oxigênio e do mais puro terror, fomos conduzidos a um silo de fazenda vazio que eles chamavam de Tanque de Fumaça. Os bombeiros abriram a porta de metal para revelar um espaço gigantesco ocupado por um intrincado labirinto de madeira, com paredes de 3 metros de altura e objetos inflamáveis como pneus velhos e pedaços de madeira espalhados pelo chão. Antes mesmo de termos tempo de contemplar o cenário que nos aguardava, os bombeiros veteranos atiçaram fogo na madeira e o labirinto inteiro ardeu em chamas.

O sol do Texas já tinha aquecido o dia a aproximadamente 38 graus, mas a temperatura lá fora parecia refrescante em comparação com a fornalha na qual o silo tinha se transformado. Nós pegamos nossas máscaras só para descobrir que elas tinham sido completamente cobertas com tinta preta – para replicar a dificuldade de enxergar em um incêndio real, segundo os nossos instrutores. Olhei para as chamas que subiam cada vez mais descontroladas à nossa frente; aquele incêndio "falso" parecia bastante real. Coloquei a máscara e não consegui enxergar mais nada.

Os bombeiros deram as instruções aos gritos, abafados pelo fragor das chamas:

Há um boneco preso no meio do labirinto.

A meta de vocês é resgatá-lo o mais rápido possível. Em um incêndio real em um prédio desconhecido, é muito fácil se perder e ficar desorientado. A única maneira de evitar isso é se manter em constante contato com a parede.

Vocês entrarão no prédio em duplas, sempre juntos, de forma que um possa manter o contato com a parede enquanto o outro vasculha o chão em busca do boneco.

Essa tarefa seria praticamente impossível sozinho, mas, trabalhando com um parceiro, ela pode ser realizada com relativa facilidade.

Os bombeiros nos garantiram que a tarefa levaria apenas entre sete a dez minutos, mas que o nosso tanque de oxigênio duraria uma hora inteira, só para garantir. Um alarme nos alertaria se chegássemos aos últimos cinco minutos de oxigênio, nos dando tempo suficiente para sair com segurança. Por fim, os bombeiros mais uma vez nos lembraram das nossas tábuas de salvação – os nossos parceiros. Em um incêndio, pode parecer um contrassenso se agarrar ao parceiro, mas essa era a melhor maneira de sair vivo da situação.

Os veteranos escancararam a porta e avançamos engatinhando na direção do inferno. Comecei a inalar sofregamente meu oxigênio e pude sentir meu parceiro agarrar a manga da minha jaqueta e ouvi sua respiração pesada. Começamos a avançar timidamente, tateando o caminho por meio da fumaça. Ele foi na frente, mantendo a mão na parede enquanto eu me segurava a ele com uma mão e usava a outra para vasculhar o chão em busca do boneco. Depois de dez minutos no labirinto, tudo parecia ir bem, exceto pelo fato de não enxergarmos nada e sentirmos que faltava pouco para entrarmos em colapso devido ao calor. Mas ainda não tínhamos encontrado o boneco.

Foi quando ouvi o alarme. Cercado de chamas e fumaça, cego e avançando de quatro, tentei entender o que estava acontecendo. Por que o alarme do tanque de oxigênio do meu amigo tinha disparado? Ele deveria ter pelo menos 45 minutos de oxigênio sobrando, mas o alarme indicava que ele só tinha 5 minutos. Devia ser algum engano, pensei.

E foi então que o *meu* alarme também disparou.

Os bombeiros veteranos teriam mantido a calma. Nós entramos em pânico. Nossa capacidade de raciocínio desapareceu. Sem pensar, soltei meu parceiro e ele se distanciou da parede, o que significava o pior cenário: estávamos os dois sozinhos e não sabíamos como voltar. Desorientados e apavorados, avançamos às cegas em direções opostas, tateando o ar e gritando o nome um do outro. Mas eu não conseguia ouvir nada além do clamor ensurdecedor do fogo e sabia que ele também não podia me escutar. À medida que os minutos passavam, sentia-me cada vez mais impotente e aterrorizado. Avancei engatinhando freneticamente, certo de que meu suprimento de oxigênio estava se esgotando rapidamente.

Finalmente, depois do que pareceu uma eternidade, senti o calor se distanciando e um par de braços fortes me puxando para fora do labirinto, em segurança. Enquanto inalava sofregamente o ar fresco, os veteranos revelaram vários fatos. Em primeiro lugar, tudo o que deu errado fazia parte do treinamento: os alarmes dos tanques dispararam antes do tempo, indicando-nos erroneamente que nosso oxigênio estava prestes a acabar. Em segundo lugar, quando os bombeiros entraram para nos procurar, eles me viram engatinhando em círculos em um beco sem saída e meu parceiro a 6 metros de distância de mim, igualmente perdido e agindo mais ou menos da mesma maneira. Em terceiro lugar, não havia boneco algum. Os bombeiros gostam de dizer ao final do treinamento todos os anos: os únicos bonecos no incêndio são os novatos. E eles sempre precisam ser salvos.

Lembro que na ocasião senti ter sido vítima de uma pegadinha particularmente cruel. Mas, anos mais tarde, continuo impressionado com a força com a qual aquele treinamento do Labirinto de Fogo me marcou e incutiu em mim a lição que constitui o centro do Princípio 7: que, quando deparamos com uma ameaça ou problema inesperado, a única maneira de nos salvar é nos agarrar às pessoas ao nosso redor e jamais soltá-las.

O ERRO QUE COMETEMOS

Esse princípio se aplica tanto ao ambiente de trabalho moderno quanto ao flamejante silo de fumaça. Em meio aos desafios e ao estresse do trabalho, nada é mais crucial para o nosso sucesso do que contar com as pessoas que nos cercam. No entanto, quando os alarmes no trabalho soam, com muita frequência ficamos cegos a essa realidade e tentamos avançar por conta própria. Em consequência, acabamos como eu no labirinto em chamas, engatinhando em círculos desamparadamente em algum canto sem saída até ficar sem oxigênio.

Vi muitos homens e mulheres de negócios vítimas desse erro. Eu me lembro até hoje de ouvir o sino do pregão da bolsa de valores marcando o final de um dia particularmente horrível em novembro de 2008. O *Dow* tinha despencado, uma quantia inestimável de dinheiro tinha sido perdida. Eu testemunhei uma multidão de operadores afrouxar a gravata e sair do piso de operações, sem ânimo. Mas o que mais me impressionou foi que eles não se voltaram às suas equipes, como normalmente faziam depois de um dia de operações. Todos saíram em silêncio e sozinhos.

Aqueles operadores eram pessoas inteligentes e capazes, com diplomas de MBA de algumas das melhores instituições do mundo, e mesmo assim, em uma situação que exigia que dessem o máximo de si, eles estavam ativamente se sabotando. Justo no momento em que mais precisavam uns dos outros, eles abriam mão de seu recurso mais valioso: sua rede social de apoio. Seguidamente, durante aqueles tenebrosos meses, vi empresas cortarem treinamentos em equipe e "mordomias" sociais, ignorando o moral em queda livre de seu pessoal em nome de coisas consideradas mais "importantes". Mas, na verdade, nada era mais importante do que aquilo que eles estavam negligenciando.

Não precisamos chegar à beira de um colapso econômico para saber como é fácil nos fechar e nos isolar justo no momento em que mais precisamos recorrer aos outros. Todos nós já passamos por isso. Somos encarregados de um projeto assustador e nos deixamos consumir pelo medo de não sermos capazes de atingir as expectativas. Teremos tempo de concluir o projeto? O que acontecerá se não conseguirmos fazer tudo a tempo? À medida que o prazo final se aproxima e a pressão se intensifica, passamos a fazer refeições no escritório, trabalhar até mais tarde e nos fins de semana. Logo estamos "totalmente focados" (ou pelo menos é o que gostaríamos de acreditar), o que implica abrir mão de conversas com nossos subordinados diretos, bate-papos casuais no corredor e até telefonemas informais para os clientes. Até os nossos e-mails passam a ser mais secos e impessoais. Quanto ao tempo com a família e os amigos, bem, esta é a primeira coisa a ser sacrificada quando estamos operando em modo crise. Mas, apesar de dedicarmos toda a nossa atenção ao trabalho, a nossa produtividade cai e, à medida que o prazo final se aproxima, nossa meta parece cada vez mais distante. E assim nos isolamos, desligamos nosso celular, nos retiramos para a nossa casamata interior, trancamos a porta e jogamos a chave fora.

Uma de duas coisas normalmente ocorre nesse ponto. Ou vacilamos e não conseguimos concluir o projeto ou avançamos de qualquer jeito e conseguimos concluí-lo e somos imediatamente recompensados com outro projeto desafiador, apesar de não termos mais nenhum oxigênio no tanque. De qualquer maneira, acabamos não apenas infelizes, prostrados e sobrecarregados, como também em um beco sem saída, incapazes de trabalhar com eficácia – e completamente sozinhos.

As pessoas mais bem-sucedidas fazem exatamente o contrário. Em vez de se voltarem para dentro de si, elas se aproximam ainda mais de sua rede social de apoio. Em vez de não investir nela, as pessoas de sucesso recorrem a ela. Essas pessoas não apenas são mais felizes como também são mais produtivas, envolvidas, energizadas e resilientes. Elas sabem que seus relacionamentos sociais constituem o maior investimento que elas podem fazer para se favorecer do Benefício da Felicidade.

INVISTA NA SUA FELICIDADE

Um dos estudos psicológicos mais longos de todos os tempos – o estudo dos Homens de Harvard –, acompanhou 268 homens desde a entrada na faculdade no final dos anos 1930 até os dias de hoje.[1] Com base no enorme volume de dados resultante, os cientistas conseguiram identificar as circunstâncias na vida e características pessoais que distinguiram as vidas mais felizes e mais plenas das menos bem-sucedidas. No verão de 2009, George Vaillant, o psicólogo que dirigiu esse estudo nos últimos 40 anos, afirmou à *Atlantic Monthly* que seria possível resumir os resultados em uma única palavra: "amor... e ponto final". Será que é mesmo tão simples assim? Vaillant escreveu seu próprio artigo, analisando detalhadamente os dados, e chegou à mesma conclusão: de que há "70 anos de evidências de que os nossos relacionamentos com as pessoas importam, e importam mais do que todo o resto".[2]

Os resultados do estudo foram replicados muitas vezes. No livro *Happiness*, os psicólogos Ed Diener e Robert Biswas-Diener analisam o enorme volume de pesquisas interculturais conduzidas sobre a felicidade nas últimas décadas e concluem que, "da mesma forma como a comida e o ar, parecemos precisar dos relacionamentos sociais para prosperar".[3] É por isso que, quando temos uma comunidade de pessoas com as quais podemos contar – um parceiro na vida, parentes, amigos, colegas –, multiplicamos nossos recursos emocionais, intelectuais e físicos. Nos recuperamos mais rapidamente dos contratempos, realizamos mais e temos um maior senso de propósito. Além disso, os efeitos sobre a nossa felicidade e, portanto, sobre a nossa capacidade de aproveitar do Benefício da Felicidade, são tão imediatos quanto duradouros. Em primeiro lugar, as interações sociais nos inundam momentaneamente de positividade; depois, cada uma dessas conexões fortalece um relacionamento ao longo do tempo, o que eleva permanentemente o nosso nível de felicidade. Então, quando um colega o para no corredor do escritório para cumprimentá-lo e perguntar sobre o seu dia, a breve interação aciona uma espiral ascendente contínua de felicidade e acarreta as recompensas inerentes a esse estado de espírito elevado.

As pessoas que representam valores discrepantes positivos já sabem que isso é verdade – com efeito, é justamente isso que faz elas serem valores discrepantes positivos. Em um estudo apropriadamente intitulado "Very Happy People", os pesquisadores buscaram identificar as características dos 10% mais felizes dentre nós.[4] Será que eles vivem em climas mais amenos? Eles são ricos? Eles são fisicamente saudáveis? O estudo revelou uma – e *apenas* uma – característica que distinguia os 10% mais felizes de todos os outros: a força de seus relacionamentos sociais. Meu estudo empírico do bem-estar com 1.600 estudantes universitários de Harvard revelou um resultado similar – a rede social de apoio constituía um fator preditor muito mais preciso de felicidade do que qualquer outro fator, mais do que suas notas, renda familiar, idade, sexo ou raça. Na verdade, a correlação entre redes sociais de apoio e felicidade foi de 0,7. Pode não parecer nada muito impressionante, mas para os pesquisadores é enorme – a maioria dos resultados no campo de psicologia é considerada significativa a partir do momento em que atinge 0,3. A questão é que, quanto mais apoio social você tiver, mais feliz será. E, como sabemos, quanto mais feliz você for, mais vantagens terá em praticamente todas as áreas da vida.

SOBREVIVER E PROSPERAR COM O INVESTIMENTO SOCIAL

A nossa necessidade de apoio social não está só na nossa cabeça. Os psicólogos evolucionários explicam que a necessidade de afiliação e formação de vínculos sociais está literalmente programada no nosso corpo.[5] Quanto formamos um vínculo social positivo, a oxitocina, um hormônio indutor do prazer, é liberada na nossa corrente sanguínea, reduzindo imediatamente a ansiedade e melhorando nossa concentração e foco. Cada conexão social também reforça nosso sistema cardiovascular, neuroendócrino e imunológico, de forma que, quanto mais conexões formamos com o tempo, melhor é o funcionamento do nosso corpo.

Tamanha é a necessidade biológica de apoio social que o nosso corpo pode literalmente funcionar mal sem ele.[6] Por exemplo, a falta de contato social pode acrescentar 30 pontos às leituras de pressão sanguínea de um adulto.[7] Em seu livro seminal *Solidão*, John Cacioppo, psicólogo da University of Chicago, compilou mais de 30 anos de pesquisas para demonstrar de maneira convincente que a falta de conexões sociais pode ser tão letal quanto determinadas doenças.[8] Naturalmente, isso também leva a danos psicológicos. Não é de surpreender que um levantamento nacional com 24 mil trabalhadores tenha revelado que homens e mulheres com poucos vínculos sociais apresentavam duas a três vezes mais chances de sofrer de transtorno depressivo maior do que pessoas com fortes laços sociais.[9]

Quando usufruímos de um grande apoio social, por outro lado, somos capazes de feitos impressionantes de resiliência e até temos mais possibilidade de viver mais. Um estudo revelou que pessoas que receberam apoio emocional durante os seis meses após um ataque cardíaco tinham três vezes mais chances de sobreviver.[10] Outro estudo revelou que participar de um grupo de apoio de vítimas do câncer de mama chegava a dobrar a expectativa de vida das mulheres após a cirurgia.[11] Com efeito, pesquisadores descobriram que o apoio social tem tanto efeito sobre a expectativa de vida quanto o tabagismo, a pressão alta, a obesidade e atividades físicas regulares.[12] Como disse um grupo de médicos: "Ao lançar um barco salva-vidas ao mar, a pessoa tem mais chances de sobreviver se não jogar fora a comida para salvar alguns móveis. Se alguém precisar se livrar de uma parte da vida, o tempo com o companheiro ou companheira deve ser o último item da lista, considerando que essa conexão é necessária para a sobrevivência".[13] Parece que, quando estamos à deriva, aqueles que se apegam aos companheiros do barco salva-vidas e não apenas ao barco são os que conseguirão sobreviver.

O CAPITAL SOCIAL COMO UM ALÍVIO DO ESTRESSE

Essa mesma estratégia – recorrer aos outros – também é crucial para sobrevivermos ao estresse diário da nossa vida no trabalho. Estudos demonstram que cada interação positiva que os colaboradores têm no decorrer de um dia de trabalho efetivamente ajuda seu sistema cardiovascular a voltar aos níveis de repouso (um benefício muitas vezes chamado de "recuperação no trabalho") e que, a longo prazo, os colaboradores com o maior número dessas interações são mais protegidos dos efeitos negativos da pressão no trabalho. Cada conexão também reduz os níveis de cortisona, um hormônio relacionado ao estresse, o que os ajuda a se recuperar mais rapidamente do estresse no trabalho e os prepara melhor para lidar com a pressão no futuro.[14] Além disso, estudos revelaram que as pessoas com relacionamentos fortes são menos propensas a considerar as situações estressantes de pronto.[15] Dessa forma, se investir em conexões sociais, você basicamente terá mais facilidade de interpretar a adversidade como um caminho para o crescimento e uma oportunidade; e, mesmo se *tiver* de vivenciar o estresse, você se recuperará mais rapidamente e estará mais protegido de seus efeitos negativos de longo prazo.

No volátil mundo do trabalho, essa capacidade de lidar com o estresse, tanto físico quanto psicológico, constitui uma importante vantagem competitiva. Para começar, constatou-se que isso reduz acentuadamente os custos da empresa com assistência médica e absenteísmo. Mas, talvez mais importante, essa capacidade influencia diretamente o desempenho individual. Pesquisadores descobriram que a "capacidade fisiológica" que os colaboradores ganham com as interações sociais positivas lhes proporciona uma base para o envolvimento no ambiente de trabalho – os colaboradores podem trabalhar mais tempo, com mais foco e em condições mais difíceis.[16] Por exemplo, quando a AT&T passou por demissões em massa e um turbilhão interno depois de ser dividida em três empresas distintas, um líder sênior que trabalhava diariamente nas trincheiras notou que alguns colaboradores apresentavam um desempenho melhor sob pressão do que os outros.[17] Como ele comentou com o professor de Harvard, Daniel Goleman, "a dor não está sendo sentida por toda parte. Em muitas unidades técnicas, nas quais as pessoas trabalham em equipes extremamente unidas e nas quais encontram um maior senso de propósito no trabalho que realizam juntas, elas são relativamente imunes ao caos". Por quê? Porque as pessoas que investem em seus sistemas de apoio social são simplesmente mais bem equipadas para prosperar até nas circunstâncias mais difíceis, enquanto aquelas que se isolam das pessoas ao seu redor efetivamente abrem mão de todas as tábuas de salvação disponíveis, justamente no momento em que mais precisam delas.

Para compreender plenamente a importância dessa distinção e suas consequências para o nosso sucesso futuro, proponho fazermos uma breve visita a um campo de futebol americano.

TUDO O QUE EU PRECISAVA SABER APRENDI COM A NATIONAL FOOTBALL LEAGUE

No mundo do futebol americano, algumas posições recebem praticamente toda a atenção: os *quarterbacks* (encarregados de distribuir a bola), os *wide receivers* (cuja função é penetrar rapidamente, sem bola, na defesa adversária) e os *running backs* (cujo principal papel é correr com a bola para o campo adversário). São aquelas que mais roubam as manchetes de jornais e seus salários e fama são prova da sua importância no esporte. Mas há outro grupo de jogadores no futebol americano igualmente bem remunerado e talvez até mais importante para o jogo – a linha ofensiva –, apesar de poucas pessoas saberem quem são e o que eles fazem exatamente. Quase nenhum fã anda por aí usando uma camiseta com os números desses jogadores, mas deveria.

Quando uma equipe de futebol americano se posiciona em campo, o *quarterback* fica protegido atrás de uma linha de cinco seres humanos enormes agachados na grama. Esta é a linha ofensiva. A apenas alguns centímetros deles aguarda a equipe adversária, pronta para atacar. Ao som do apito, os enormes e musculosos corpos voam para frente, usando cada grama de seu peso e força para atingir o *quarterback* e imobilizá-lo no solo. A linha ofensiva é a única coisa entre o *quarterback* e essa agressiva massa de músculos. Eles não contam toques nem chutam ao gol . Eles têm apenas uma função – proteger o *quarterback* –, mas esta é a função mais importante em campo. Afinal, não é possível vencer um jogo de futebol americano se o *quarterback* se encontra caído de costas antes de ter tempo de lançar a bola.

Na primeira vez que Joe Montana, o lendário *quarterback* homenageado no Hall da Fama, teve o privilégio de jogar protegido por uma linha ofensiva absolutamente fantástica, ele brilhou como nunca. Como relata Michael Lewis no livro *The blind side*, Montana jogou "como um garoto que teve acesso antecipado às respostas da prova na escola".[18] Depois do jogo, Montana disse aos repórteres "Nunca vi um desempenho como esse na equipe... É por isso que pareceu fácil para nós. Mas foi duro. A nossa linha bloqueava o adversário e, com o tempo que me era dado, tudo ficou fácil para mim". Todo mundo deu os créditos a Joe Montana, mas ele deu os créditos à sua linha ofensiva.

Apesar de a maioria de nós viver muito longe do campo de futebol americano, cada um tem a própria versão de uma linha ofensiva: nosso companheiro ou companheira na vida, nossa família e nossos amigos. Quando estamos cercados por essas pessoas, grandes desafios parecem mais exequíveis e pequenos desafios nem chegam a ser notados. Da mesma forma como a linha ofensiva protege um *quarterback* de um ataque particularmente brutal, nossa rede social de apoio não permite que o estresse nos abata ou nos impeça de atingir as nossas metas. E, da mesma forma como a linha ofensiva ajudou Montana a fazer um *touchdown* que de outra forma teria sido impossível, nossos vínculos sociais nos ajudam a capitalizar nossos próprios pontos fortes e, com isso, realizar mais no trabalho e na vida.

Esses benefícios também não se restringem ao curto prazo. Em um estudo longitudinal de homens com mais de 50 anos, aqueles que passaram por mais experiências estressantes na vida apresentaram um índice de mortalidade muito maior ao longo dos sete anos após o evento.[19] Mas o mesmo estudo revelou que todos os participantes apresentaram esse índice mais elevado de mortalidade, *exceto* aqueles que afirmaram ter altos níveis de apoio emocional. Como um *quarterback* que passou a carreira inteira protegido dos ataques do adversário, uma vida de fortes relacionamentos sociais proporciona uma proteção crucial contra os perigosos efeitos do estresse. Nem sempre podemos impedir de sermos atingidos pelos revezes da vida, mas TODOS nós podemos investir em uma sólida linha ofensiva. E isso pode fazer toda a diferença.

ELES SE DESTACAM COM POUCA AJUDA DOS AMIGOS

Infelizmente, nem todo mundo escolhe fazer esse investimento. Muitas vezes, o desejo equivocado de nos voltar para dentro começa antes mesmo de entrarmos no mundo do trabalho. Você deve lembrar que, quando fui orientador de calouros em Harvard, passei 12 anos morando em um dormitório com os estudantes universitários. Apesar de isso ter me proporcionado muitas experiências sem igual que eu não recomendaria, como passar 12 anos comendo no refeitório do campus, uma das maiores vantagens de atuar nas trincheiras foi ter a chance de ver as diferentes estratégias que esses jovens de 18 a 22 anos criavam para navegar pelo labirinto acadêmico de Harvard. Embora cada um desses estudantes fosse excepcional em algum aspecto, quando se tratava de lidar com as pressões inevitáveis que acompanham um ambiente tão desafiador e competitivo, eu notava, ano após ano, que alguns estudantes se viravam relativamente bem enquanto outros, apesar de toda a sua inteligência e empenho, pareciam sabotar o próprio progresso.

Duas calouras em particular ficaram na minha memória: Amanda e Brittney. Elas eram colegas de quarto. Ambas eram animadas e espirituosas e fizeram várias amizades rapidamente e sem esforço já no primeiro mês de aulas. Mas, à medida que os exames do primeiro trimestre se aproximavam, os caminhos delas começaram a divergir. Sob pressão cada vez mais intensa, Amanda encontrou um cubículo isolado na biblioteca e passou a maior parte de seus dias e noites lá. Ela começou a faltar nas atividades sociais do dormitório – ela não tinha tempo para frivolidades, como repartir refeições ou conversar com os colegas. Outrora jogadora ativa da equipe de *frisbee* do nosso dormitório, ela deixou de comparecer aos treinos e aos jogos. Quando finalmente consegui falar com ela um dia no refeitório, enquanto ela esperava que o almoço fosse embalado para viagem – provavelmente para comer na biblioteca –, ela admitiu que estava estressada demais para se concentrar em qualquer coisa além das aulas. "Meus amigos vão entender", ela disse. Mas não era com os amigos dela que eu estava preocupado.

Enquanto isso, Brittney estava florescendo. Ela não ignorava os desafios ou pressões nem se empenhava menos nos estudos que Amanda. Mas, em vez de se isolar em um cubículo, ela organizava grupos de estudo. Para a disciplina "A mágica dos números" (observação: o nome da disciplina é real), ela enviou um e-mail a um grupo de seis amigos e propôs que cada um elaborasse um resumo da leitura obrigatória de cada semana e se reunissem no almoço algumas vezes por semana para trocar notas e observações. Lembro-me de ter passado pela mesa em que uma dessas sessões estava sendo conduzida e ouvi-los conversando animadamente sobre os *Simpsons*. "Achei que este fosse um grupo de estudos de matemática", comentei, fingindo estar contrariado. Um jovem do grupo apontou para a Brittney. "As ordens são para reservar um tempo para conversa fiada", ele disse. Algumas semanas mais tarde, em outro grupo de estudos, quando a peguei fazendo um intervalo de dez minutos para participar do nosso concurso para ver quem comia mais bolachas, Brittney deu de ombros. "É muito trabalho. Mas, sei lá. Acho que me faz bem saber que estamos todos passando a noite em claro para estudarmos juntos."

Não vou me estender muito nos exemplos. Basta dizer que, em janeiro, uma dessas alunas já tinha sucumbido à pressão e ao estresse e desejava ser transferida para uma instituição menos competitiva. A outra estava feliz, bem ajustada e apresentando um desempenho excepcional em seus cursos. Apesar de Amanda e Brittney serem pessoas reais, elas também representam as escolhas que cada um de nós temos quando nos vemos diante da adversidade. Muitos líderes de negócios que conheço acreditam, da mesma forma como Amanda acreditava, que o caminho para o sucesso é um caminho que deve ser percorrido sozinho, mas isso simplesmente não é verdade. As pessoas mais bem-sucedidas com as quais trabalhei sabem que, até em um ambiente extraordinariamente competitivo, somos mais bem equipados para lidar com os desafios e obstáculos quando reunimos os recursos das pessoas ao nosso redor e capitalizamos até os mais breves momentos que passamos interagindo com os outros. Sempre que Brittney almoçava com os amigos ou estudava com eles, ela não estava só se divertindo. Ela estava reduzindo seu nível de estresse, preparando seu cérebro para um alto desempenho e capitalizando as ideias, energia e motivação proporcionadas pela sua rede social de apoio. Enquanto Amanda se distanciava de sua rede de amigos e se debatia, Brittney optou por investir em algo que estava sempre pagando dividendos. Da mesma forma como o apoio social é uma garantia de felicidade e um antídoto para o estresse, ele também contribui muito para a realização no ambiente de trabalho.

INVISTA NA ALTA PERFORMANCE

Aprendemos no Princípio 5, o Círculo do Zorro, que aqueles que acreditam possuírem algum controle sobre o resultado e sobre seu destino têm uma enorme vantagem no trabalho e na vida. Trata-se de um fato inegável. Mas isso também não significa que precisamos existir no vácuo ou que o nosso sucesso só depende do nosso empenho. Você se lembra do estudo dos Homens de Harvard, que acompanhou os participantes durante 70 anos? Os pesquisadores descobriram que os vínculos sociais são fatores preditores não apenas da felicidade em geral, mas também da realização na carreira, do sucesso profissional e de uma renda mais elevada.[20]

Ainda é difícil para muitos de nós aceitarmos essa verdade, considerando o quanto a ética do individualismo está profundamente arraigada na nossa cultura (é praticamente um rito de passagem nos Estados Unidos ler o famoso ensaio de Ralph Waldo Emerson *Self-reliance*, no qual ele defende o princípio de "confiar em si mesmo"). Pensamos de maneira particularmente individualista no que diz respeito a dar créditos pelas realizações. Carol Dweck, uma psicóloga de Stanford, gosta de ilustrar a insensatez dessa crença pedindo que seus alunos descrevam como imaginam as mais brilhantes mentes da história em ação.[21] Quando vocês pensam em Thomas Edison, ela pergunta, o que imaginam?

"Ele está com um jaleco branco em uma sala parecida com um laboratório", é a resposta mais comum. "Ele está se inclinando na direção de uma lâmpada. E de repente ela funciona!"

"Ele está sozinho?", Dweck pergunta.

"Sim. Ele é um tipo solitário que gosta de realizar os experimentos sozinho."

Como Dweck adora dizer, isso não poderia estar mais longe da verdade. Edison adorava trabalhar em grupo e inventou a lâmpada com a ajuda de 30 assistentes. Edison na verdade era um criativo social, não um lobo solitário! E, no que diz respeito aos pensadores mais inovadores da sociedade, que muita gente presume serem gênios solitários e excêntricos, ele não era uma exceção à regra.

Todos nós já ouvimos a máxima: "Duas cabeças pensam melhor que uma", mas os benefícios da interação social no ambiente de trabalho se estendem muito além do *brainstorming* em grupo. Ter pessoas no escritório com as quais podemos contar – ou até com quem conversar sobre o último episódio de *Lost* – acaba atuando para reforçar nossa inovação, criatividade e produtividade individual. Por exemplo, um estudo envolvendo 212 colaboradores revelou que conexões sociais no trabalho levavam a um comportamento reforçado de aprendizado individual, o que significa que, quanto mais eles se sentiam socialmente conectados, mais se empenhavam em descobrir maneiras de melhorar a própria eficiência ou o próprio conjunto de habilidades.[22]

Talvez ainda mais importante, nossas conexões sociais nos motivam. Quando mais de mil profissionais de sucesso foram entrevistados perto da aposentadoria e solicitados a dizer o que mais os motivou ao longo da carreira, a maioria deu mais importância às amizades no trabalho do que ao ganho financeiro ou ao status individual.[23] Em *Empresas feitas para vencer*, Jim Collins revelou uma verdade parecida: "As pessoas que entrevistamos em empresas feitas para vencer claramente adoravam seu trabalho em grande parte porque adoravam as pessoas com quem trabalhavam".[24]

Quanto mais nos sentimos bem em relação aos relacionamentos no ambiente de trabalho, mais eficientes seremos. Por exemplo, um estudo com mais de 350 colaboradores em 60 unidades de negócios de uma empresa de serviços financeiros revelou que o maior fator preditor do nível de realizações de uma equipe foi a maneira como os membros da equipe se sentiam em relação aos outros.[25] Essa constatação é especialmente importante para os gestores porque, apesar de muitas vezes terem pouco controle sobre a formação ou as habilidades dos membros de suas equipes, eles conseguem controlar o nível de interação e afinidade entre eles. Estudos demonstram que, quanto mais os membros da equipe são encorajados a socializar e interagir direta e pessoalmente, mais eles se sentem engajados, mais energia têm e mais tempo conseguem passar concentrados em uma tarefa.[26] Em resumo, quanto mais os membros da equipe investem em sua coesão social, melhores serão os resultados de seu trabalho.

CONEXÕES DE ALTA QUALIDADE

Para fazer uma diferença no desempenho e na satisfação no trabalho, o contato social nem sempre precisa ser profundo. Psicólogos organizacionais descobriram que até breves interações podem formar "conexões de alta qualidade", que promovem a abertura, a energia e a autenticidade entre os colegas de trabalho e, por sua vez, levam a toda uma série de melhorias mensuráveis e tangíveis no desempenho. Jane Dutton, uma psicóloga da Faculdade de Administração da University of Michigan que se especializou no assunto, explica que "qualquer ponto de contato com outra pessoa tem o potencial de ser uma conexão de alta qualidade. Uma conversa, uma troca de e-mails, um momento de formação de vínculos em uma reunião pode levar os dois participantes a um maior senso de vitalidade, proporcionando-lhes uma maior capacidade de agir".[27]

Mais uma vez, não falamos apenas de diversão ou de criar um ambiente de trabalho amigável (embora isso também seja importante). Cada uma dessas conexões sociais rende dividendos. Por exemplo, quando os pesquisadores do MIT passaram um ano inteiro acompanhando 2.600 colaboradores da IBM, observando seus vínculos sociais e até utilizando fórmulas matemáticas para analisar o tamanho e a extensão de suas agendas de contatos e listas de amigos, eles descobriram que, quanto mais os colaboradores da IBM eram socialmente conectados, melhor era o desempenho apresentado.[28] Eles chegaram até a quantificar a diferença: em média, cada contato por e-mail representava 948 dólares adicionais em receita. Preto no branco, este é o poder do investimento social. Em vista desses resultados, a IBM decidiu capitalizar o fato implementando um programa em seu escritório de Cambridge, Massachusetts, para apresentar os colaboradores que ainda não se conheciam.

O Google talvez constitua o exemplo mais famoso de uma empresa que verdadeiramente entende a importância das conexões sociais. E não se trata apenas de conversa para inglês ver: o Google aplica esse conhecimento em suas práticas. As cafeterias da empresa não só ficam abertas muito tempo depois do expediente tradicional, permitindo que os colaboradores jantem juntos o maior número de vezes possível, como eles também têm acesso a uma creche no local de trabalho e são até incentivados a visitar os filhos durante o dia.

A UPS é outra empresa de sucesso que investiu no capital social. Todos os dias em cidades por toda a América, é possível encontrar três ou quatro caminhões da UPS estacionados juntos e os motoristas sentados por perto almoçando.[29] Eles contam histórias, trocam informações e encomendas extraviadas. Considerando que isso tira os motoristas de suas rotas programadas e implica em mais tempo para o almoço, muitas pessoas se surpreendem com o fato de a UPS, tão obcecada com a eficiência, incentivar a prática. Mas é o que eles fazem. Eles sabem que essa interação social se paga a longo prazo, não apenas para os motoristas como para a organização como um todo.

Outras empresas, como a Southwest Airlines, a Domino's Pizza e a The Limited, também implementaram programas para promover o investimento social, permitindo que os colaboradores doem dinheiro aos colegas que enfrentam problemas médicos e financeiros.[30] O resultado é que os colaboradores envolvidos (e até aqueles que não se envolvem diretamente mas que sabem da existência do programa) se sentem mais comprometidos uns com os outros e também com a empresa como um todo. Em uma organização de varejo da Fortune 500, um gestor disse em um encontro da associação dos funcionários da empresa: "Eu me orgulho de trabalhar nesta empresa... Acho que é muito bom poder ajudar e isso sem dúvida faz eu sentir que trabalho em uma empresa que também acredita nisso e se interessa pelas pessoas". Esses sentimentos, por sua vez, se traduzem em dividendos concretos, inclusive menos absenteísmo e rotatividade bem como maior motivação e envolvimento dos colaboradores.

A LIGA

Naturalmente, políticas corporativas radicais como essas nem sempre são necessárias. Pequenas diferenças também podem causar um grande impacto. Em uma visita aos escritórios do gigante financeiro UBS em Londres, soube que os operadores tinham uma tradição semanal de se reunir ao redor de um quiosque de cerveja nas tardes de sexta-feira. Alguns anos atrás, a reitora da Faculdade de Direito de Harvard teve uma ideia parecida visando melhorar a qualidade de vida dos estudantes de direito que estavam estressados. Ela montou barracas de café para servir os alunos nos intervalos entre as aulas e uma quadra de voleibol, para ajudar os estudantes a se socializarem, ainda que apenas por alguns minutos entre as exaustivas aulas.

Infelizmente, essas políticas muitas vezes são as primeiras a ser abandonadas quando as empresas se veem em dificuldades financeiras – mais um exemplo da nossa tendência de nos despojar dos nossos recursos mais valiosos quando as coisas ficam difíceis. A UBS recentemente suspendeu o quiosque semanal de cerveja devido a cortes no orçamento, mas, graças à cultura de coesão que a tradição ajudou a criar, os operadores mantiveram o hábito. Na última vez que visitei o escritório, os colaboradores estavam ansiosos para me contar como dois gestores se ofereceram para pagar, do próprio bolso, a cerveja para suas equipes. Eles sabiam que preservar o ritual ajudaria muito a elevar o moral, algo especialmente importante naquele período de dificuldade. Se o estado de espírito dos colaboradores podia ser usado como indicativo disso, posso afirmar com certeza que a estratégia se pagou.

As pessoas que investem ativamente em seus relacionamentos constituem o coração e a alma de uma organização próspera, a força que impele suas equipes a progredir. No mundo dos esportes, essas pessoas são chamadas de "liga". Como explicou o *Wall Street Journal*, esse tipo de jogador "mantém, sem alardes, as equipes vencedoras unidas... Os estatísticos podem ignorar sua existência, mas não os psicólogos. E os jogadores e técnicos confiam plenamente neles".[31] Considerando que um time de beisebol passa pelo menos 81 jogos por ano na estrada, jogando *e* vivendo juntos, a importância de se dar bem não é nenhuma surpresa. No ambiente de alto risco dos esportes profissionais, os times podem se desintegrar rapidamente sob pressão. Os jogadores capazes de compor a "liga" mantêm o time unido nos momentos difíceis, quando é mais fácil largar tudo.

A DÍADE VERTICAL

Em um dos meus episódios favoritos do brilhante seriado cômico *The Office*, Stanley, um colaborador irritadiço e sem paciência alguma para as travessuras de seu chefe espalhafatoso, recebeu instruções do médico para usar um monitor cardíaco no trabalho. Ele tinha tido problemas cardíacos e o monitor o alertaria se sua frequência cardíaca atingisse um nível perigoso. E eis que entra em cena Michael Scott, o paradigma dos chefes desastrosamente ineptos do mundo todo. Toda vez que Michael entra em um raio de meio metro de distância de Stanley, o monitor cardíaco dispara e, quanto mais Michael se aproxima, mais desesperada e incontrolavelmente ele toca. A mera proximidade desse chefe incompetente e irritante faz a frequência cardíaca de Stanley subir às alturas.

Isso, é claro, não passa do enredo exagerado de um programa da TV, mas não está muito distante da realidade. De volta ao mundo real, uma equipe de pesquisadores britânicos decidiu acompanhar um grupo de colaboradores que trabalhava para dois supervisores diferentes em dias alternados – eles tinham uma boa relação com um dos supervisores e não com o outro.[32] Em outras palavras, um chefe que eles adoravam e um Michael Scott da vida. E, com efeito, nos dias em que precisavam trabalhar com o odiado chefe, a pressão sanguínea média deles decolou. Um estudo mais longo, de 15 anos de duração, chegou a revelar que os colaboradores que tinham um relacionamento difícil com o chefe apresentavam 30% mais chances de sofrer de doença arterial coronariana.[33] Parece que um relacionamento ruim com o seu chefe pode ser tão prejudicial para a sua saúde quanto uma dieta composta exclusivamente de frituras – além de não ser nem um pouco divertido.

De todos os vínculos sociais que temos no trabalho, o relacionamento entre chefe e colaborador, que Daniel Goleman chamou de "díade vertical", é o vínculo social mais importante que se pode cultivar no trabalho. Estudos revelaram que a força do vínculo entre gestor e colaborador é o principal fator preditor tanto da produtividade diária quanto do tempo que as pessoas passam no emprego. A Gallup, que passou décadas estudando as práticas das principais organizações do mundo, estima que empresas norte-americanas perdem 360 bilhões de dólares todos os anos devido à produtividade reduzida de colaboradores que têm relacionamentos ruins com os chefes.[34] Não é surpresa alguma que a díade vertical possa ter um efeito tão profundo no desempenho da empresa, considerando que, como afirma Goleman, trata-se de "uma unidade básica da vida organizacional, algo similar a moléculas humanas que interagem entre si para formar o tecido do relacionamento que constitui, em última instância, a organização como um todo".[35]

Dessa forma, quando esse relacionamento é forte, as empresas colhem os benefícios. Pesquisadores do MIT descobriram que os colaboradores com fortes vínculos com o chefe geraram mais dinheiro para a empresa do que aqueles com vínculos frágeis ou fracos – excedendo a média de receita da empresa em 588 dólares por mês. E, em um estudo espantosamente extenso, quando a Gallup perguntou a dez milhões de colaboradores ao redor do mundo se eles concordavam ou discordavam da seguinte afirmação: "Meu chefe, ou alguém no trabalho, parece se interessar por mim, como um ser humano", aqueles que concordaram também se mostraram mais produtivos, contribuíram mais para os lucros e apresentaram significativamente mais chances de ficar mais tempo na empresa.[36]

Os melhores líderes já sabem disso, e fazem o que podem para que os colaboradores se sintam valorizados. Quando um incêndio destruiu a fábrica da Malden Mills em uma pequena cidade do estado de Massachusetts, o CEO Aaron Feuerstein anunciou que continuaria pagando os salários de todos os 3 mil trabalhadores que se viram subitamente desempregados. Em seu livro *In good company*, Don Cohen e Laurence Prusak discutem o quanto essa decisão surpreendeu o público norte-americano. Feuerstein foi proclamado um herói abnegado e chegou a ser convidado para uma visita à Casa Branca. Mas, como observam os autores, "o fato de o público e o mundo dos negócios considerarem a ação de Feuerstein tão extraordinária e aparentemente distante nos negócios sugere que muitas pessoas ainda desconhecem o valor do capital social nas organizações... o dinheiro que ele gastou foi um investimento no futuro de sua empresa".[37]

Claramente todos – o chefe, o colaborador e a organização como um todo – se beneficiam de priorizar os relacionamentos. Infelizmente, no ambiente de trabalho estressado e acelerado dos dias de hoje, muito poucos líderes dedicam o tempo necessário para cultivar vínculos fortes com os seus colegas ou subordinados. E eles nem precisam abrir a carteira para isso – como vimos, basta se comprometer com uma interação social frequente e positiva. Mesmo assim, uma recente pesquisa de opinião revelou que 90% dos consultados acreditavam que a falta de civilidade no ambiente de trabalho constituía um sério problema.[38] Muitos líderes simplesmente se recusam a se empenhar e suas razões são numerosas e variadas. Eles acreditam que não têm tempo suficiente, eles temem reduzir sua autoridade ao se aproximar demais dos subordinados, eles se mantêm constantemente em modo de crise (A floresta está em chamas! O céu está caindo!) e podem até simplesmente acreditar que o ambiente de trabalho é para trabalhar e não para fazer amizades. No entanto, quanto mais eles ignoram o poder do investimento social, mais prejudicam tanto o desempenho da empresa quanto o próprio desempenho.

VALORIZE OS ATIVOS

Os planejadores financeiros nos dizem que a maneira mais segura de engordar nosso portfólio de ações é nos manter reinvestindo os dividendos. E o mesmo se aplica aos nossos portfólios sociais. Não apenas precisamos investir em novos relacionamentos como deveríamos nos manter sempre reinvestindo nos nossos relacionamentos atuais porque, da mesma forma como as nossas ações no mercado financeiro, quanto mais tempo as redes sociais de apoio são mantidas, mais elas se fortalecem. Felizmente, existe toda uma série de técnicas que podemos utilizar para nos ajudar nessa empreitada.

A cada vez que você põe os pés no escritório, tem a chance de formar ou fortalecer uma conexão de qualidade com alguém. Ao percorrer os corredores da empresa, cumprimente os colegas com quem cruzar olhando-os sempre nos olhos. E não é só para se exibir. A neurociência revelou que, quando fazemos contato visual com alguém, isso envia um sinal ao cérebro que aciona a empatia e a afinidade. Faça perguntas interessadas, marque reuniões presenciais e jogue conversa fora com colegas e subordinados. Um gestor conhecido de uma grande empresa de advocacia me contou que tinha a meta de ficar sabendo uma coisa nova por dia sobre um colega de trabalho e se referir a isso em conversas posteriores. O capital social que ele investia todos os dias se pagava de maneiras cada vez mais amplas, à medida que seus subordinados se sentiam mais conectados tanto com ele quanto com a empresa. Esse investimento, naturalmente, requer certo empenho. Em uma entrevista para a *Fast Company*, um CEO e ex-líder de uma empresa de venture capital reconheceu que "para maximizar o valor recebido de um relacionamento, é preciso se esforçar bastante. Passei uma grande parte do meu tempo fazendo apresentações, indicando profissionais, fazendo a ponte entre as pessoas e estando ativamente envolvido na comunidade, visando beneficiar a empresa e a vida pessoal dos outros".[39]

Todos nós sabemos que um aspecto importante de manter um vínculo social é estar presente, tanto física quanto emocionalmente, quando alguém precisa de nós. Mas novas e interessantes pesquisas sugerem que a qualidade de um relacionamento é afetada pelo modo como apoiamos as pessoas nos *bons* momentos, mais do que nos momentos difíceis. Dar boas notícias a alguém, nesse contexto, é chamado de "capitalização" e ajuda a multiplicar os benefícios do evento positivo e fortalecer o vínculo entre as duas pessoas envolvidas.[40] O segredo para colher esses benefícios é a maneira como você reage às boas notícias alheias.

Shelly Gable, uma destacada psicóloga da University of California, descobriu que existem quatro tipos diferentes de reações quando alguém nos dá uma boa notícia e só uma delas contribui positivamente para o relacionamento.[41] A reação vencedora é ao mesmo tempo ativa e construtiva, oferecendo um apoio empolgado bem como comentários específicos e perguntas de acompanhamento. ("Que maravilha! Que bom que o seu chefe notou o quanto você vem se empenhando no trabalho! Quando a sua promoção vai ser formalmente anunciada no departamento?") É interessante notar que a pesquisa demonstra que reações passivas às boas notícias ("Legal...") podem ser tão prejudiciais ao relacionamento quanto reações abertamente negativas ("*Você* ganhou a promoção? Estranho eles não terem promovido a Sally, ela parece ser tão mais adequada para o cargo"). Talvez o mais destrutivo, contudo, seja ignorar completamente a novidade. ("Você viu as minhas chaves por aí?") Os estudos de Gable revelaram que uma reação ativa e construtiva reforça o comprometimento e a satisfação com o relacionamento e aumenta o grau em que as pessoas se sentem compreendidas, validadas e valorizadas durante uma conversa – e tudo isso contribui para aumentar a felicidade.

DESENVOLVA UMA EQUIPE COM ALTO NÍVEL DE INVESTIMENTO SOCIAL

Se você é um líder, não apenas tem o poder de fortalecer as próprias conexões, como também de cultivar um ambiente de trabalho que valoriza, em vez de dificultar, o investimento social. Por exemplo, quando um recém-contratado entra em uma organização, os líderes podem dedicar um tempo para apresentá-lo a todos e até mesmo – e em especial – às pessoas de outros departamentos com quem ele pode não trabalhar diretamente. E por que parar por aí? Todos os colaboradores também deveriam fazer o possível para conhecer as pessoas de todos os cantos da organização. É por isso que algumas companhias adotam a prática de transferir colaboradores para que aprendam a rotina de outro departamento por um dia. Afinal, quanto mais chances eles tiverem de conhecer uns aos outros, mais possibilidades terão de constituir conexões de qualidade. E, quanto mais o departamento de recursos humanos aderir a essa prática, mais eficaz se tornará essa estratégia.

Dessa forma, se você ocupa uma posição de liderança na sua empresa (e mesmo se não for o caso!) o simples ato de apresentar dois colaboradores que não se conhecem é provavelmente a maneira mais fácil e mais rápida de investir em dividendos sociais. Para ser ainda mais eficaz, as apresentações devem incluir não só o nome, mas também o departamento e a descrição de cargo. Mike Morrison, vice-presidente e reitor da University of Toyota, gosta de perguntar aos colaboradores: "O que está escrito no verso do seu cartão de visitas?". Em outras palavras, a frente do seu cartão de visitas pode ostentar o cargo "diretor geral", mas você pode se identificar mais com a descrição "pensador criativo", "educador" ou "calmo sob pressão". Esse tipo de informação – e até mesmo alguns detalhes simples, como onde a pessoa mora ou qual é seu hobby – rompe as barreiras da burocracia para atingir algo mais significativo e pode estabelecer de maneira mais imediata e eficaz uma conexão entre duas pessoas.

É importante notar que desenvolver um sólido capital social não requer que todos os colegas se transformem em melhores amigos ou que todo mundo goste de todos o tempo todo – isso seria impossível. O mais importante é o respeito mútuo e a autenticidade. Coagir os colaboradores a participar de atividades forçadas de formação de vínculos, como exigir que todos os participantes de uma reunião revelem algo sobre sua vida privada, só leva ao afastamento e à desconfiança.[42] É melhor que momentos como esse ocorram naturalmente – e é o que acontecerá se o ambiente for propício. Os melhores líderes dão a seus subordinados o espaço e o tempo necessários para permitir que a conexão social se desenvolva por conta própria.[43] Dessa forma, quanto mais espaços comunais o ambiente proporcionar, melhor. Quando o CEO de uma empresa percebeu que algumas das melhores conexões sociais –

pessoas rindo, contando histórias sobre o fim de semana, trocando ideias umas com as outras – ocorriam nas escadarias, ele mandou reformar o prédio para ampliar as escadas e instalou máquinas de café em cada andar para encorajar a prática.

Reservar tempo para almoços em grupo e *happy hours* também é fundamental. De acordo com Jane Dutton, até a clássica reunião enfadonha pode ser conduzida de forma a reforçar os vínculos entre os participantes. Práticas de reunião que encorajam a contribuição dos participantes e a técnica da escuta ativa promovem o comprometimento do grupo. Um dos melhores diretores gerais que conheço proíbe a entrada de Blackberries nas reuniões, para forçar as pessoas a olharem umas para as outras. Ele é um exemplo de um líder que Dutton chamaria de "relacionamento atento".[44] Quanto mais atento somos à dinâmica do relacionamento da nossa equipe, melhor.

Se a nossa meta for promover a coesão da equipe, a linguagem que utilizamos faz toda a diferença. Você se lembra da diferença em termos de cooperação dos grupos quando uma tarefa era chamada de "Jogo Comunitário" em vez de "Jogo de Wall Street"? É possível promover a conexão social no trabalho simplesmente utilizando uma linguagem que sugira interdependência e um propósito em comum. Dutton também recomenda nos esforçarmos para nos mantermos presentes, tanto física quanto mentalmente.[45] Em outras palavras, quando alguém entrar na sua sala para conversar, não fique com os olhos presos na tela do computador. Quando alguém telefonar para você, não continue digitando aquele e-mail. Um contador me contou que, assim que ouviu o ruído do teclado do outro lado da ligação, soube que o chefe não estava prestando atenção. Estabelecer uma conexão requer escuta ativa – dar toda a atenção a alguém e permitir que a pessoa se expresse livremente. Como explica Dutton, "muitas pessoas ouvem como quem espera uma oportunidade de falar". Em vez disso, concentre-se no outro e na opinião sendo expressa e depois faça perguntas interessadas para se informar melhor.

Os líderes mais comprometidos com o investimento social também transitam, literalmente. A melhor maneira de estabelecer mais conexões no trabalho é sair de trás da sua mesa. Essa ideia de "gerenciar caminhando pelos corredores" foi popularizada nos anos 1980 pelo especialista em liderança Tom Peters, que aprendeu a prática com os líderes da Hewlett-Packard (Peters até lhe atribuiu um acrônimo – MBWA – para ressaltar sua importância). Essa prática do MBWA permite que os gestores conheçam os colaboradores, compartilhem boas notícias e as melhores práticas, ouçam reclamações, ofereçam soluções e encorajem as pessoas. Jim Kelly, o CEO da UPS, é um famoso adepto dessa prática. "Nem sei quais são os ramais das pessoas do nosso comitê de administração", ele disse, "porque nunca pego o telefone se eles estiverem na firma. Nós simplesmente entramos na sala uns dos outros quando precisamos conversar."[46] Vinte e cinco anos depois de discutir pela primeira vez o papel dessa prática para o sucesso organizacional, Tom Peters afirma que o MBWA continua sendo mais importante do que nunca e ainda é uma prática lamentavelmente negligenciada.[47]

Conectar-se pessoalmente com os colaboradores também proporciona uma oportunidade perfeita de colocar em prática uma recomendação sobre a qual falamos no início deste livro – reconhecimento frequente e feedback. Isso não apenas pode colocar uma equipe acima da Linha de Losada, como fazer elogios específicos e sinceros por um trabalho benfeito também fortalece os vínculos entre as pessoas. É por isso que costumo pedir que os gestores escrevam um e-mail elogioso ou de agradecimento a um amigo, parente ou colega todas as manhãs antes de começarem a trabalhar – não só porque isso contribui para a felicidade deles, mas porque consolida relacionamentos. Independentemente de o agradecimento ser por anos de apoio emocional ou por um dia de ajuda no escritório, expressões de gratidão no trabalho comprovadamente fortalecem os laços tanto pessoais quando profissionais.[48]

Com efeito, estudos demonstram que a gratidão aciona uma espiral ascendente de fortalecimento do relacionamento, na qual cada pessoa se sente motivada a consolidar o vínculo.[49] Demonstrações de gratidão também costumam levar a um maior sentimento de integração e cooperação em um grupo maior, o que significa que, quanto mais gratidão um colaborador expressar ao outro, mais coesão social é sentida na equipe toda. Em outras palavras, a gratidão pode promover nossa própria identidade enquanto "liga" do grupo.

LIÇÕES DE UM LABIRINTO DE FOGO

Como testemunhei quando a economia entrou em colapso, algumas vezes é preciso uma crise para nos ensinar a importância do investimento social. Em um artigo de manchete sobre o fenômeno, o *Washington Post* relatou um acentuado aumento da prática de dar carona e uma maior formação de vínculos comunitários depois da recessão. As pessoas chegaram a realizar festas nas quais os vizinhos emprestavam cortadores de grama uns aos outros e trocavam conselhos de jardinagem.[50] Como disse um homem, "as pessoas estão se ajudando e voltando a se aproximar. Não somos mais lobos solitários". Até os executivos com os quais trabalho – pessoas que poucos meses antes da recessão eram voltadas para si mesmas, movidas por resultados pessoais e determinadas a avançar sozinhas – passaram a promover e praticar a cooperação e o trabalho em equipe naqueles dias sombrios após o colapso da economia.

Os *workaholics*, que de repente se viram com menos trabalho, começaram a voltar mais cedo para casa e passar mais tempo com os filhos e a esposa. Gestores antes individualistas passaram a sair do conforto da sala e caminhar pelo escritório, de um cubículo ao outro. No início eles podiam não ter outra escolha e poderiam retomar os velhos hábitos quando a economia começou a se recuperar, mas muitos deles me disseram que ser forçados a repensar o seu estilo de vida (e de trabalho) acabou sendo a melhor coisa que poderia ter acontecido.

Naturalmente, num mundo ideal, não seria necessário haver crise para fazer com que as pessoas chegassem a essa conclusão, especialmente considerando todas as evidências que demonstram que os nossos relacionamentos constituem o maior fator preditor tanto da felicidade quanto do alto desempenho. Dessa forma, apesar de nossos instintos básicos nos impelirem a nos fechar, a psicologia positiva sugere o contrário. Quando estamos em meio a um incêndio, contar com os outros é a nossa melhor chance de encontrar a saída do labirinto. E, no dia a dia, tanto no trabalho quanto em casa, nossa rede social de apoio pode fazer a diferença entre sucumbir ao culto da mediocridade e atingir nosso pleno potencial.

NOTAS

1. SHENK, J. W. What makes us happy. *The Atlantic Monthly*, jun. 2009.
2. VALLIANT, G. Yes, I stand by my words,'Happiness equals love – full stop. *Positive Psychology News Daily*. Disponível em: <http:// positivepsychologynews.com/news/george-valient/200907163163>.
3. DIENER, E.; BISWAS-DIENER, R. *Happiness*: unlocking the mysteries of psychological wealth. Malden, MA: Wiley-Blackwell, 2008. p. 66.
4. DIENER, E.; SELIGMAN, M. Very happy people. *Psychological Science*, 2002, 13, p. 81-84.
5. Para uma explicação mais detalhada da nossa necessidade inata de estabelecer vínculos com os outros, veja BAUMEISTER, R. F.; LEARY, M. R. The need to belong: desire for interpersonal attachments as a fundamental human motivation. *Psychological Bulletin*, 1995, 117(3), p. 497-529.

6. Para uma discussão particularmente eloquente e profunda da importância biológica do contato social, veja: LEWIS, T.; AMINI, F.; LANNON, R. *A general theory of love*. New York: Vintage, 2001. Para um exemplo empírico de como a falta do contato social leva ao enfraquecimento da função imunológica, veja COHEN, S.; DOYLE, W.; SKONER, D.; RABIN, B.; GWALTNEY, J. Social ties and susceptibility to the common cold. *Journal of the American Medical Association*, 1997, 277, p. 1.940-1.944.

7. HAWKLEY, L. C.; MASI, C. M.; BERRY, J. D.; CACIOPPO, J. T. Loneliness is a unique predictor of age-related differences in systolic blood pressure. *Psychology and Aging*, 2006, 21(1), p. 152-164.

8. CACIOPPO, J. T. *Loneliness*: human nature and the need for social connection. New York: W.W. Norton and Company, 2008.

9. BLACKMORE, E. R. et al. Major depressive episodes and work stress: results from a national population survey. *American Journal of Public Health*, 2007, 97(11), p. 2.088-2.093.

10. BERKMAN, L. F.; LEO-SUMMERS, L.; HORWITZ, R. I. Emotional support and survival after myocardial infarction. A prospective-population-based study of the elderly. *Annals of Internal Medicine*, 1992, 117, p. 1.003-1.009.

11. SPIEGEL, D.; BLOOM, J.; KRAEMER, H.; GOTTHEIL, E. Effect of psychosocial treatment on survival of patients with metastatic breast cancer. *The Lancet*, 1989, 2, p .888-891.

12. HOUSE, J.; LANDIS, K.; UMBERSON, D. Social relationships and health. *Science*, 1988, 241, p. 540-544.

13. LEWIS, T.; AMINI, F.; LANNON, R. *A general theory of love*. New York: Vintage, 2001. p. 206.

14. HEAPHY, E.; DUTTON, J. E. Positive social interactions and the human body at work: linking organizations and physiology. *Academy of Management Review*, 2008, 33, p. 137-162; THEORELL, T.; ORTH-GOMÉR, K.; ENEROTH, P. Slowreacting immunoglobin in relation to social support and changes in job strain: a preliminary note. *Psychosomatic Medicine*, 1990, 52, p. 511-516.

15. CARLSON, D. S.; PERREWE, P. L. The role of social support in the stressor-strain relationship: an examination of work-family conflict. *Journal of Management*, 1999, 25(4), p. 513-540.

16. HEAPHY, E.; DUTTON, J. E. Positive social interactions and the human body at work: linking organizations and physiology. *Academy of Management Review*, 2008, 33, p. 137-162.

17. GOLEMAN, D. *Working with emotional intelligence*. New York: Bantam, 1998. p. 217-218.

18. LEWIS, M. *The blind side*. New York: W. W. Norton, 2006. p. 111.

19. ROSENGREN, A.; ORTH-GOMER, K.; WEDEL, H.; WILHELMSEN, L. Stressful life events, social support, and mortality in men born in 1933. *British Medical Journal*, 1993, p. 307, p. 1.102-1.105.

20. VAILLANT, G. Yes, I stand by my words, 'Happiness equals love – full stop.' *Positive Psychology News Daily*. 16 jul. 2009. Disponível em: <http://positive psychologynews.com/news/george-vaillant/200907163163>.

21. DWECK, C. S. *Mindset*: the new psychology of success. New York: Ballantine, 2006. p. 55.

22. CARMELI, A.; BRUELLER, D.; Dutton, J. E. Learning behaviours in the workplace: the role of high-quality interpersonal relationships and psychological safety. *Systems Research and Behavioral Science*, 2009, 26, p. 81-98.

23. HOLAHAN, C. K.; SEARS, R. R. *The gifted group in later maturity*. Palo Alto, Calif.: Stanford University Press, 1995.

24. COLLINS, J. *Good to great*: why some companies make the leap... and others don't. New York: HarperBusiness, 2001.

25. CAMPION, M. A.; PAPPER, E. M.; MEDSKER, G. J. Relations between work team characteristics and effectiveness: a replication and extension. *Personnel Psychology*, 1996, 49, p. 429-452.

26. HEAPHY, E.; DUTTON, J. E. Positive social interactions and the human body at work: linking organizations and physiology. *Academy of Management Review*, 2008, 33(1), p. 137-162.

27. DUTTON, J. *Energize your workplace*: how to create and sustain high-quality connections at work. San Francisco: Jossey-Bass, 2003. p. 2.

28. BAKER, S. Putting a price on social connections. *BusinessWeek*, 8 abr. 2009.

29. COHEN, D.; PRUSAK, L. *In good company*: how social capital makes organizations work. Boston: Harvard Business School Press, 2001, p. 95-97.

30. GRANT, A. M.; DUTTON, J. E.; ROSSO, B. D. Giving commitment: employee support programs and the prosocial sensemaking process. *Academy of Management Journal*, 2008, 51, p. 898-918.

31. EVERSON, D. Baseball's winning glue guys. *The Wall Street Journal*, 16 jul. 2009.

32. WAGNER, N.; FELDMAN, G. HUSSY, T. The effect of ambulatory blood pressure of working under favourably and unfavourably perceived supervisors. *Occupational Environmental Medicine*, 2003, 60, p. 468-474.

33. BRADBERRY, T. A bad boss can send you to an early grave. *Philanthropy Journal*, 30 jan. 2009. Disponível em: <http://www.philanthropyjournal.org>.

34. BRADBERRY, T. A bad boss can send you to an early grave. *Philanthropy Journal*, 30 jan. 2009. Disponível em: <http://www.philanthropyjournal.org>.

35. GOLEMAN, D. *Working with emotional intelligence*. New York: Bantam, 1998. p. 215.

36. BUCKINGHAM, M.; COFFMAN, C. *First, break all the rules*. New York: Simon and Schuster, 1999.

37. COHEN, D.; PRUSAK, L. *In good company*: how social capital makes organizations work. Boston: Harvard Business School Press, 2001. p. 24-25.

38. PEARSON, C. M.; ANDERSSON, L. M.; PORATH, C. L. Assessing and attacking workplace incivility. *Organizational Dynamics*. 2000. p. 123-137.

39. PATTISON, K. The social capital investment strategy. *Fast Company*, 8 set. 2008.

40. GABLE, S. L.; REIS, H. T.; IMPETT, E.; ASHER, E. R. What do you do when things go right? The intrapersonal and interpersonal benefits of sharing positive events. *Journal of Personality and Social Psychology*, 2004, 87, p. 228-245.

41. GABLE, S. L. GONZAGA, G. C.; STRACHMAN, A. Will you be there for me when things go right? Supportive responses to positive event disclosures. *Journal of Personality and Social Psychology*, 2006, 91, p. 904-917.

42. COHEN, D.; PRUSAK, L. *In good company*: how social capital makes organizations work. Boston: Harvard Business School Press, 2001.

43. Os autores Cohen e Prusak falam sobre como os líderes podem investir no "espaço e tempo para se conectar" em seu livro *In good company*. Veja, mais especificamente, p. 81-101.

44. DUTTON, J. E. *Energize your workplace*: how to create and sustain high-quality connections. San Francisco: Wiley, 2003. p. 161.

45. DUTTON, J. E. Fostering high-quality connections. *Stanford Social Innovation Review*, 2003.

46. COHEN, D.; PRUSAK, L. *In good company*: how social capital makes organizations work. Boston: Harvard Business School Press, 2001. p. 22.

47. PETERS, T. MBWA after all these years. *Dispatches From the New World of Work*, 16 set. 2005. Disponível em: <http://www.tompeters.com/dispatches/008106.php>.

48. LYUBOMIRSKY, S. *The how of happiness*. New York: Penguin Books, 2007. p. 97-100.

49. ALGOE, S. B.; HAIDT, J.; GABLE, S. L. Beyond reciprocity: gratitude and relationships in everyday life. *Emotion*, 2008, 8, p. 425-429.

50. TREJOS, N. Recession lesson: share and swap replaces grab and buy. *Washington Post*, 17 jul. 2009.

PARTE 3

O efeito propagador

ESPALHE O BENEFÍCIO DA FELICIDADE NO TRABALHO,
EM CASA E POR TODA A PARTE

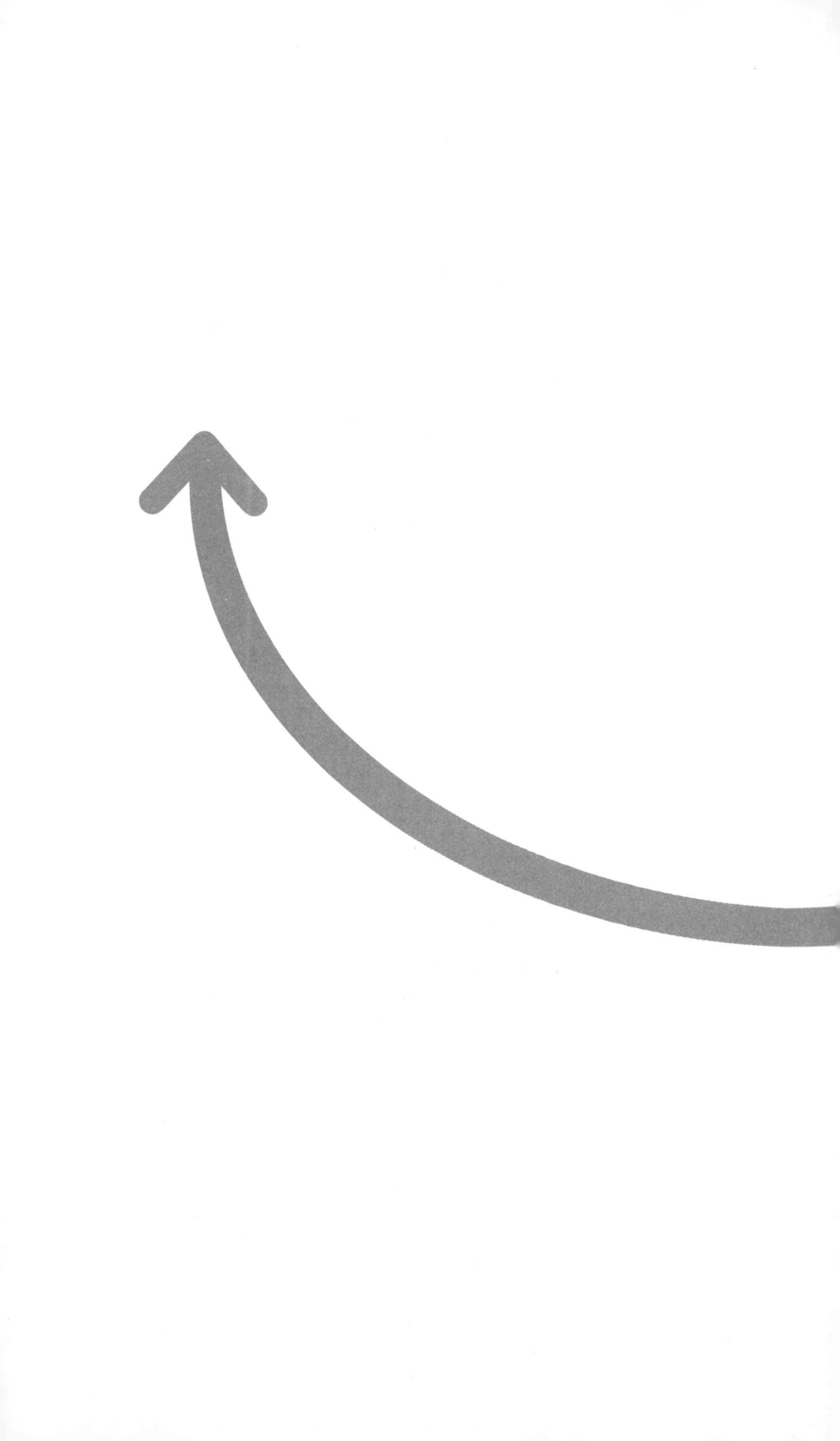

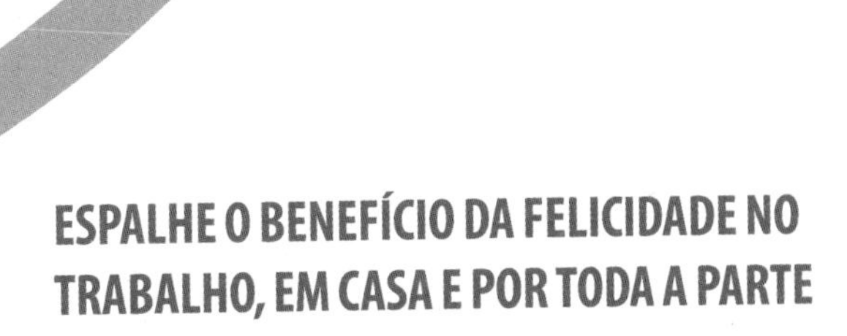

ESPALHE O BENEFÍCIO DA FELICIDADE NO TRABALHO, EM CASA E POR TODA A PARTE

Alguns meses atrás, dei uma palestra a um grupo de CEOs e esposas em Hong Kong. No coquetel que se seguiu à palestra, um CEO extremamente seguro de si e ligeiramente embriagado apertou calorosamente a minha mão e disse: "Muito obrigado, Shawn. A pesquisa que você apresentou foi brilhante e soa tão verdadeira". Dito isso, ele se inclinou e sussurrou em tom conspirador: "Eu já pratico a maior parte, mas minha esposa estava mesmo precisando ouvir isso".

Seu sussurro embriagado foi alto o suficiente para que todas as pessoas ao redor ouvissem e, quando ele apontou sua esposa, que estava a uns 5 metros de nós, a reconheci como uma das primeiras pessoas com quem conversei naquela noite. Eu sorri e sussurrei de volta, também em voz alta e em tom conspirador: "Eu é que agradeço. Ela disse a mesma coisa de você".

Gosto de contar essa história não como exemplo de como atiçar o conflito no casamento de dois perfeitos estranhos, mas para mostrar que, em qualquer lugar do mundo, a maioria das pessoas acha que essa pesquisa é útil para elas porém mais útil ainda para todas as pessoas que as cercam. A pessoa que temos o maior poder de mudar é nós mesmos. Mas, mesmo que os sete princípios devam começar no nível individual, eles não devem, de forma alguma, terminar por aí. Para concluir este livro, gostaria de falar sobre como promover essas mudanças em nós mesmos pode afetar as pessoas ao nosso redor.

Quando começamos a capitalizar o Benefício da Felicidade aplicando os princípios na nossa própria vida, as mudanças positivas se propagam rapidamente. É por isso que a psicologia positiva é tão poderosa. Aplicar todos os sete princípios *juntos* aciona uma espiral ascendente de felicidade e sucesso, de forma que os benefícios se multiplicam em muito pouco tempo. Depois, os efeitos positivos começam a se propagar, aumentando o grau de felicidade de todas as pessoas ao seu redor, mudando a maneira como seus colegas trabalham até afetar positivamente toda a sua organização.

A ESPIRAL ASCENDENTE

Todo esse processo começa com o seu cérebro. Como vimos no Princípio 6, os seus pensamentos e ações estão constantemente modelando e remodelando os caminhos neurais do cérebro. Isso significa que, quanto mais você praticar os exercícios apresentados neste livro e quanto mais desenvolver uma atitude mental positiva, mais esses hábitos se enraizarão. E, à medida que seu cérebro domina um hábito, sua capacidade de capitalizar um novo hábito aumenta. É por isso que esses princípios não funcionam isoladamente. Eu os apresentei como sete princípios distintos só para fins de clareza, mas, como você já deve ter notado, eles estão inextricavelmente ligados, e usar vários deles em sintonia uns com os outros só faz potencializá-los.

Por exemplo, o Efeito Tetris promove o princípio de encontrar oportunidades na adversidade uma vez que nos treinar para detectar aspectos positivos no mundo pode nos ajudar a reinterpretar os fracassos como oportunidades de crescimento. Um investimento social pode nos ajudar a dominar a Regra dos 20 Segundos, já que uma forte rede social de apoio de certa forma nos estimula a "prestar contas" pelo desenvolvimento dos novos hábitos. E, é claro, também podemos utilizar a Regra dos 20 Segundos para melhorar nosso investimento social, reduzindo a energia de ativação necessária para estabelecer conexões de qualidade no trabalho. E, quanto mais conexões de qualidade formamos, mais chances temos de considerar nosso trabalho uma missão, e não um mero emprego, o que, por sua vez, também promove o Benefício da Felicidade. E por aí vai. Os efeitos de um princípio acionam o outro, de forma que eles passam a ser muito mais do que apenas a soma das partes. Juntos, eles podem nos levar mais longe do que seria possível se os aplicássemos isoladamente.

PROPAGANDO OS EFEITOS

E os benefícios não param por aí. Quanto mais capitalizamos o Benefício da Felicidade, mais podemos melhorar a vida das pessoas que nos cercam. De maneira extraordinária, pesquisas recentes explorando a influência das redes sociais no comportamento humano comprovam que grande parte do nosso comportamento é literalmente contagiante e que nossos hábitos, atitudes e ações se propagam por meio de uma complexa rede de conexões para contagiar as pessoas ao nosso redor. Em seu revolucionário livro *O poder das conexões*, Nicholas Christakis e James Fowler se baseiam em anos de pesquisas para mostrar como as nossas ações estão constantemente se disseminando e se influenciando de todas as maneiras e direções.[1] "Os vínculos não se estendem para fora em linha reta como raios de uma roda", eles escrevem. "Na verdade, os caminhos se dobram sobre si mesmos e dão a volta, girando em espiral como um enorme emaranhado de espaguete, entrando e saindo em zigue-zague de outros caminhos que raramente saem do prato."

Essa teoria sustenta que as nossas atitudes e comportamentos não só afetam as pessoas com as quais interagimos diretamente – como nossos colegas, amigos e parentes –, como a influência de cada pessoa parece de fato se estender às pessoas em três graus de influência. Então, quando você usa esses princípios para realizar mudanças positivas na sua própria vida, está inconscientemente alterando o comportamento de um número incrível de pessoas. Como explica James Fowler, "sei que não estou influenciando apenas o meu filho, mas estou potencialmente influenciando também a mãe do melhor amigo do meu filho".[2] E essa influência é cumulativa – Fowler e Christakis estimam que a maioria de nós tem em média cerca de mil pessoas nos três graus de influência. Trata-se de um verdadeiro efeito propagador: ao tentar aumentar a nossa felicidade e sucesso, acabamos sendo capazes de melhorar a vida de mil pessoas ao nosso redor.

Nesse ponto, a teoria pode soar um pouco forçada. Para começar a entender por que o nosso comportamento é tão contagiante e a nossa influência é tão poderosa, precisamos começar dando uma olhada em um dos meus experimentos preferidos.

SORRISOS NO CÉREBRO

Gosto de começar a maioria das minhas palestras pedindo que os participantes se dividam em duplas. Depois, digo algo na seguinte linha:

No decorrer da sua vida, vocês se destacaram em parte devido à sua impressionante autodisciplina. Vocês a utilizaram para estudar e passar nas provas necessárias, para passar no vestibular, terminar a faculdade, ser aprovados nos empregos necessários e ter sucesso suficiente para poderem estar nesta sala assistindo a esta palestra hoje. Quero que vocês peguem toda a autodisciplina que passaram as últimas duas décadas cultivando para fazer o seguinte: nos próximos sete segundos, não importa o que o seu parceiro diga ou faça, quero que vocês não demonstrem absolutamente nenhuma reação emocional. Não fiquem irritados, tristes ou frustrados e não sorriam nem riam. Mantenham-se absolutamente inexpressivos. Não demonstrem nenhuma emoção, não importa o que acontecer.

Depois peço aos pares dessas pessoas que olhem para o respectivo parceiro e sorriam com sinceridade. Realizei esse experimento centenas de vezes em ambientes corporativos por todo o mundo, com todo tipo de público, desde novatos nervosos a executivos rabugentos e prestes a se aposentar. O resultado é sempre o mesmo. Praticamente ninguém consegue deixar de retribuir o sorriso do parceiro e a maioria cai na risada quase imediatamente. Não importa se eu conduzo esse experimento durante uma semana de demissões em massa ou em um dia no qual o mercado de ações despencou 600 pontos, sempre vejo a mesma explosão involuntária de sorrisos. Mesmo em partes do mundo onde o sorriso não é uma norma social tão arraigada, entre 80% e 85% dos participantes não conseguem deixar de sorrir.

Se você pensar a respeito, isso é absolutamente incrível. Afinal, se as pessoas têm a autodisciplina suficiente para trabalhar de 10 a 16 horas por dia, liderar equipes globais e gerenciar projetos multimilionários, elas sem dúvida seriam capazes de realizar uma tarefa tão simples quanto controlar sua expressão facial por meros sete segundos, certo? Mas o fato é que elas não conseguem. Isso porque, apesar de elas não se conscientizarem disso, algo está acontecendo no cérebro delas. Essa força misteriosa constitui a fundação do efeito propagador.

ESPELHO, ESPELHO MEU...

Em uma noite de sexta-feira, poucos meses atrás, desembarquei na Austrália exausto porém empolgado com a minha primeira aventura naquele continente. Eu planejava visitar a Opera House, o Koala Park e a Harbour Bridge naquele fim de semana, antes de ir para o centro de Sydney na segunda-feira para conduzir uma sessão de treinamento executivo. Mas, antes de mais nada, fui para o *lobby* do hotel para um dos meus rituais preferidos de minhas viagens a negócios: encontrar um bar local, assistir aos esportes locais e escutar os nativos conversando. Tive a sorte de achar um lugar vazio poucos minutos antes de uma importante partida de rúgbi começar a ser transmitida pela TV. Não demorou para que uma ruidosa multidão se juntasse para assistir.

A partida mal tinha chegado à metade quando um dos jogadores de rúgbi foi derrubado – e com força. Enquanto corria à toda velocidade com a bola nas mãos, ele levou uma cotovelada no rosto que o impeliu para trás de uma maneira que eu acreditava ser fisicamente impossível para qualquer ser humano com ossos. O bar inteiro explodiu em um gemido em uníssono. Vi o homem à minha direita colocando as mãos no rosto, exatamente no mesmo local em que o jogador de rúgbi havia sido atingido. Depois reparei que o sujeito ao lado dele tinha feito exatamente a mesma coisa. E depois percebi, estupefato, que eu também tinha feito o mesmo.

Note que estávamos em um bar em Sydney e o jogo se passava em um estádio em Brisbane, a centenas quilômetros de distância. Nenhum de nós estava jogando rúgbi nem tinha levado uma violenta cotovelada. E mesmo assim todos nós reagimos física e involuntariamente (e de maneira bastante teatral) como se cada um de nós também tivesse sido atingido.

O que aconteceu naquele bar australiano é exatamente a mesma coisa que acontece quando conduzo o Experimento do Sorriso. Mas só na última década é que finalmente foi disponibilizada aos cientistas a tecnologia necessária para dar uma espiada dentro do nosso cérebro e descobrir a razão por trás disso. O que eles descobriram é o que chamaram de neurônios de espelhamento: células especializadas do cérebro capazes de perceber e mimetizar os sentimentos, ações e sensações físicas de outra pessoa.[3] Digamos que uma pessoa seja espetada por uma agulha. Os neurônios do centro da dor de seu cérebro serão imediatamente acionados, o que era de esperar. Mas o surpreendente é que, quando essa mesma pessoa vê *outra* sendo espetada com uma agulha, o mesmo conjunto de neurônios é acionado, como se ela mesma tivesse sido atingida. Em outras palavras, ela efetivamente sente um indício da dor de uma espetada de agulha, apesar de não ter sido tocada. Se isso parece incrível, acredite quando digo que esse resultado foi replicado em inúmeros outros experimentos envolvendo sensações que variam da dor ao medo da felicidade e à repugnância.

Na verdade, aposto que você já passou por isso em inúmeras ocasiões no seu dia a dia. Você já assistiu a um golfista jogar na TV e se pegou se movendo involuntariamente na direção da tacada? É claro que o seu cérebro consciente sabe que você está sentado no sofá comendo Doritos, mas outra pequena parte do seu cérebro – a parte onde residem os neurônios de espelhamento – acha que você está no campo de golfe. (A propósito, essa é uma razão pela qual os atletas assistem a vídeos de treinamento e jogam videogames, porque, mesmo sem nenhuma prática física, os efeitos da prática são configurados no cérebro deles.) Então, como os neurônios de espelhamento muitas vezes estão exatamente do lado dos neurônios motores no cérebro, sentimentos copiados muitas vezes levam a ações copiadas – você de repente se pega movendo-se como se estivesse dando uma tacada com um taco de golfe, sem nem se dar conta disso. É por isso que sorrisos são contagiantes e isso também explica por que os bebês mimetizam automaticamente as caretas engraçadas que os adultos fazem para eles. E é também por isso que assistir a alguém levando uma cotovelada no rosto em Brisbane imediatamente fez os fãs de rúgbi de um bar lotado em Sydney cubrirem o próprio rosto com as mãos, em agonia.

OS SEUS COLEGAS SÃO CONTAGIANTES

Esse fenômeno não se restringe a sensações ou ações físicas – graças aos mesmos neurônios de espelhamento, também as nossas emoções são extremamente contagiantes. Ao longo do dia, nosso cérebro está constantemente processando os sentimentos das pessoas ao nosso redor, observando o tom da voz de alguém, o olhar, a postura. Com efeito, a amígdala é capaz de perceber e identificar uma emoção no rosto de alguém em 33 milissegundos e rapidamente nos prepara para sentir o mesmo.[4] Além desse processo subconsciente, também avaliamos conscientemente o estado de espírito das pessoas que nos cercam e agimos de acordo. Os dois processos juntos possibilitam que as emoções sejam transmitidas de uma pessoa à outra num piscar de olhos. De fato, estudos demonstram que, quando três estranhos estão juntos em um cômodo, a pessoa mais emocionalmente expressiva transmite seu estado de espírito às outras em apenas dois minutos.[5]

Infelizmente, o poder do contágio emocional também implica que uma negatividade manifesta pode contagiar um grupo de pessoas quase instantaneamente. Daniel Goleman não poderia ter dito melhor: "Tal qual um fumante passivo, a expansão das emoções pode fazer de um mero passante uma vítima inocente do estado de espírito tóxico de alguém".[6] Isso significa que, quando estamos ansiosos ou adotamos uma atitude mental abertamente negativa, esses sentimentos começarão a se estender a todas as interações, quer gostemos ou não. Você pode ter notado que, quando o seu chefe entra em uma reunião com um mau humor palpável, em questão de minutos o mau humor se espalha por toda a sala. E os efeitos se propagam daí, à medida que cada um volta à sua própria sala, espalhando essa negatividade a todas as pessoas que encontram pelo caminho. Se apenas dois minutos podem causar tamanho impacto, imagine os efeitos de dividir um ambiente de trabalho com uma pessoa extremamente negativa por duas semanas ou dois anos. Com efeito, as emoções são tão compartilhadas que os psicólogos organizacionais descobriram que cada ambiente de trabalho desenvolve a própria emoção coletiva, ou "tom afetivo do grupo", que, com o tempo, cria "normas emocionais" compartilhadas que proliferam e se reforçam pelo comportamento, tanto verbal quanto não verbal, dos colaboradores.[7] Todos nós já vimos ambientes de trabalho que sofrem de normas emocionais tóxicas e agora também sabemos que os resultados financeiros dessas organizações são prejudicados por essa toxicidade.

PROPAGUE O BENEFÍCIO DA FELICIDADE

Felizmente, as emoções positivas também são contagiantes, o que faz delas uma poderosa ferramenta na nossa busca pelo alto desempenho no ambiente de trabalho. O contágio emocional positivo tem início quando mimetizamos subconscientemente a linguagem corporal, o tom de voz e as expressões faciais das pessoas que nos cercam. Por mais incrível que isso possa parecer, uma vez que as pessoas mimetizam os comportamentos físicos ligados a essas emoções, isso faz elas também sentirem as mesmas emoções. O ato de sorrir, por exemplo, faz o seu cérebro achar que você está feliz, de forma que ele começa a produzir as substâncias neuroquímicas que de fato fazem você se sentir feliz. (Os cientistas chamam isso de a hipótese do feedback facial e esse conceito constitui a base da recomendação "Finja até virar verdade". Apesar de a positividade autêntica sempre vencer sua contrapartida falsa, há evidências significativas de que mudar o seu comportamento primeiro – até mesmo a sua expressão facial e postura – pode acionar a mudança emocional.)[8]

Dessa forma, quanto mais felizes forem as pessoas ao seu redor, mais feliz você ficará. É por isso que rimos mais em um filme cômico quando estamos em um cinema cheio de pessoas que também estão rindo (e é por isso que os programas cômicos na TV incluem risadas ao fundo). De forma similar, quanto mais felizes nos sentimos no trabalho, mais positividade transmitimos aos nossos colegas e clientes, o que pode acabar alterando as emoções de toda uma equipe de trabalho.

Poucas pessoas esclareceram esse efeito dominó com mais perfeição do que Sigal Barsade, psicólogo de Yale, que conduziu um estudo no qual atribuiu aos voluntários uma tarefa em grupo e instruiu em segredo um membro do grupo a ser abertamente positivo.[9] Feito isso, ele filmou as pessoas realizando a tarefa, analisou as emoções de cada membro da equipe antes e depois da sessão e avaliou o desempenho tanto individual quanto do grupo na realização da tarefa. Os resultados foram notáveis: quando o membro da equipe instruído a manter uma atitude positiva entrou na reunião, seu estado de espírito se mostrou instantaneamente contagiante, espalhando-se por toda a sala e contagiando as pessoas. Além disso, seu estado de espírito positivo melhorou o desempenho individual de cada membro da equipe bem como a capacidade do grupo de realizar a tarefa. As equipes nas quais uma pessoa acionava o contágio emocional positivo apresentaram menos conflitos entre o grupo, mais cooperação e – o mais importante –, um melhor desempenho global na realização da tarefa em questão. Apenas um membro da equipe com uma atitude positiva – uma pessoa aplicando o conceito do Benefício da Felicidade – pode afetar tanto o desempenho e as atitudes individuais das pessoas ao seu redor quanto a dinâmica e as realizações do grupo como um todo.

É verdade que algumas pessoas têm um efeito mais poderoso do que outras sobre a atitude emocional do grupo. Para começar, quanto mais sinceramente expressiva a pessoa é, mais a sua atitude mental e seus sentimentos se espalham.[10] Mas, se não for tão fácil para você expressar abertamente a positividade, existem outras maneiras pelas quais os seus próprios hábitos positivos podem se tornar contagiantes. Por exemplo, quanto mais fortes forem as suas conexões sociais, mais influência você exercerá. Você pode ter notado que, quando passa um tempo com um amigo íntimo, vocês se sentem em sintonia um com o outro. Isso acontece porque a atividade neural do centro emocional do seu cérebro está espelhando a atividade do outro – e vice-versa – e logo vocês atingem uma sincronia, como dois pianos tocando a mesma música. Quando vocês caminham juntos, seus braços e pernas chegam a se mover em sincronia. Vocês dois sentem afinidade um com o outro – a base da conexão social positiva é um importante meio de espalhar o Benefício da Felicidade. A afinidade demanda toda a nossa atenção, nossa cordialidade e nossa capacidade de resposta coordenada.[11] Em troca, sentimos uma ressonância que não apenas aumenta a nossa felicidade como efetivamente faz sermos mais bem-sucedidos e produtivos. Trabalhadores unidos pela afinidade pensam com mais criatividade e eficiência, e equipes em harmonia apresentam níveis mais elevados de desempenho – seus pensamentos estão em sintonia e o cérebro de todos eles está efetivamente trabalhando como um só.

Quanto mais socialmente engajados estamos, mais chances temos de atingir esse nível de afinidade, o que, por sua vez, faz o nosso próprio comportamento ser mais contagiante. Então, quando modelamos o tipo de atitude mental e hábitos que promovem o alto desempenho, na verdade estamos instilando essa mesma atitude mental e hábitos nos nossos colegas, amigos e entes queridos. Um estudo com estudantes do Dartmouth College conduzido pelo economista Bruce Sacerdote ilustra o poder dessa influência.[12] Ele descobriu que, quando alunos com notas baixas simplesmente passam a dividir um quarto de dormitório com alunos com notas mais altas, as médias do primeiro grupo de alunos aumentava. Esses alunos, de acordo com os pesquisadores, "pareciam contagiar uns aos outros com bons e maus hábitos de estudo – de forma que um companheiro de quarto com notas mais altas acabava elevando as de seus colegas que eram mais baixas".

Uma maneira de desenvolver a afinidade e, dessa forma, estender essa influência, se dá por meio do contato visual. Estudos demonstram que a afinidade é reforçada entre duas pessoas quando seus olhares se encontram, provando que a antiga recomendação profissional de sempre olhar as pessoas nos olhos representa, na verdade, um conselho cientificamente correto.[13] Também é por isso que os casais muitas vezes dizem um ao outro "olhe para mim quando estou falando" e porque os orgasmos são mais intensos quando olhamos nosso parceiro ou parceira nos olhos. O contato visual aciona nossos neurônios de espelhamento e, quando isso acontece, o resultado é um melhor desempenho, independentemente de estarmos na sala do conselho de administração ou no quarto.

O poder de acionar o contágio emocional positivo se multiplica se você ocupar uma posição de liderança. Estudos revelam que, quando os líderes estão de bom humor, seus subordinados têm mais chances de também ficar de bom humor, exibir comportamentos pró-sociais de assistência aos outros membros da equipe e coordenar tarefas com mais eficiência e menos empenho.[14] Passe muito tempo perto de um chefe sisudo ou ansioso e você começará a se sentir triste ou estressado, não importa como se sentia originalmente. Agora, se o seu chefe estiver usando os sete princípios para aumentar o próprio nível de positividade, a mera proximidade com ele lhe permitirá começar a sentir os benefícios. E não só uma maior felicidade, mas todas as vantagens que se seguem a ela, em um efeito cascata. Como sabemos agora, as pessoas com um estado de espírito positivo são mais capazes de pensar com mais criatividade e lógica, solucionar problemas mais complexos e até ser melhores negociadores. Não é surpresa alguma, portanto, que os CEOs com as pontuações mais elevadas na escala de expressão positiva tenham mais chances de ter colaboradores que relatam serem felizes e que descrevem seu ambiente de trabalho como propenso ao bom desempenho.[15] Estudos similares envolvendo equipes esportivas descobriram não apenas que um jogador feliz bastava para influenciar o estado de espírito do time inteiro, como também que, quanto mais feliz era o time, melhor ele jogava.[16] Dessa forma, mesmo sem tentar mudar ativamente seu estilo de liderança, utilizar esses sete princípios para elevar seu próprio nível de positividade começará a melhorar a dinâmica de grupo – e o desempenho – da sua equipe toda.

Isso significa que liderar pelo exemplo é muito mais do que um simples mantra vazio. A aplicação dos sete princípios na sua vida pode acabar se tornando a sua ferramenta de liderança mais eficaz, e você nem precisa estar consciente disso. Vejamos o exemplo de um executivo que vem escrevendo uma lista de gratidão todas as noites antes de dormir. Ao conduzir a reunião matinal de sua equipe, ele agora está com uma atitude mental que lhe permite identificar mais oportunidades de ser positivo, o que pode levá-lo a elogiar o trabalho de um de seus subordinados diretos. Isso, por sua vez, (a) inculca emoções positivas no cérebro da pessoa que foi elogiada e a ajuda a pensar com mais criatividade e eficiência; (b) lhe proporciona um maior senso de realização por ter atingido uma meta, por menor que seja, e, dessa forma, mais confiança para buscar atingir metas cada vez maiores; e (c) acende aquela fagulha que desenvolve uma conexão de qualidade entre o executivo e seu colaborador e consolida a coesão social e o comprometimento organizacional do grupo todo. Tudo isso garante que cada pessoa na sala propagará a positividade aos próprios subordinados e assim por diante, e cada pessoa – e a organização como um todo – acabará se beneficiando desse processo. Assim, o que começou como um exercício pessoal em casa para um membro da liderança administrativa acaba descendo em cascata a todas as pessoas em todos os níveis da organização.

TODA GRANDE ONDA COMEÇA PEQUENA

Dizem que uma única borboleta batendo as asas pode criar um furacão do outro lado do mundo. De acordo com essa teoria, conhecida como o Efeito Borboleta, o bater das asas de uma borboleta pode ser apenas um minúsculo movimento, mas cria uma pequena rajada de vento que acaba ganhando velocidade e força. Em outras palavras, uma minúscula mudança pode acionar uma cascata de mudanças maiores.

Cada um de nós é como essa borboleta. E cada minúsculo movimento na direção de uma atitude mental positiva pode propagar ondas de positividade por toda a nossa organização, família e comunidade. Lembra que falamos, na Parte 1, sobre como nunca poderemos realmente saber a verdadeira extensão do nosso potencial? Bem, o efeito propagador é o exemplo perfeito de como a nossa influência e o nosso poder não têm nenhum limite discernível real.

Quando você capitaliza o Benefício da Felicidade, está fazendo muito mais que melhorar o seu próprio bem-estar e desempenho. Quanto mais você desfruta dos princípios apresentados neste livro, mais as pessoas ao seu redor também desfrutam. No Princípio 1, falamos sobre a revolução copernicana que vem ocorrendo no campo da psicologia e como, da mesma forma como Copérnico descobriu que a Terra na verdade gira em volta do Sol, e não o contrário, avanços recentes na psicologia positiva e na neurociência nos ensinaram que o sucesso orbita em torno da felicidade, e não o contrário. Bem, acontece que, como vimos neste capítulo, essa constatação é ainda mais revolucionária do que poderíamos ter imaginado. Isso porque agora também sabemos que não é só o nosso próprio sucesso individual que gira em torno da nossa felicidade. Ao promover mudanças em nós mesmos, podemos propagar os proveitos do Benefício da Felicidade às nossas equipes, empresas e a todas as pessoas que nos cercam.

NOTAS

1. CHRISTAKIS, N. A.; FOWLER, J. *Connected*. New York: Little, Brown and Company, 2009.
2. THOMPSON, C. Are your friends making you fat? *New York Times*, 10 set. 2009.
3. Um pioneiro no campo da neurociência escreveu recentemente um livro que consegue explicar de maneira notável a complexa ciência por trás dos neurônios de espelhamento e como eles se relacionam com a empatia: IACOBONI, M. *Mirroring people*. New York: Picador, 2008.

4. GOLEMAN, D. *Social intelligence*. New York: Bantam, 2006. p. 65.

5. FRIEDMAN, H.; RIGGIO, R. Effect of individual differences in nonverbal expressiveness on transmission of emotion. *Journal of Nonverbal Behavior*, 1981, 6, p. 96-104.

6. GOLEMAN, D. *Social intelligence*. New York: Bantam, 2006. p. 14.

7. KELLY, J. R.; BARSADE, S. G. Mood and emotions in small groups and work teams. *Organizational Behavior and Human Decision Processes*, set. 2001, 86, p. 99-130.

8. ZAJONC, R. B.; MURPHY, S. T.; INGLEHART, M. Feeling and facial efference: implications for the vascular theory of emotion. *Psychological Review*, 1989, 96, p. 395-416.

9. BARSADE, S. G. The ripple effect: emotional contagion and its influence on group behavior. *Administrative Science Quarterly*, 2002, 47, p. 644-675.

10. FRIEDMAN, H.; RIGGIO, R. Effect of individual differences in nonverbal expressiveness on transmission of emotion. *Journal of Nonverbal Behavior*, 1981, 6, p. 96-104.

11. GOLEMAN, D. *Social intelligence*. New York: Bantam, 2006. p. 29-37.

12. THOMPSON, C. Are your friends making you fat? *New York Times*, 10 set. 2009.

13. GOLEMAN, D. *Social Intelligence*. New York: Bantam, 2006. p. 30. Goleman cita BAVELAS, J. B., et al. I show how you feel: motor mimicry as a communicative act. *Journal of Social and Personality Psychology*, 1986, 50, p. 322-329.

14. GEORGE, J. M.; BETTENHAUSEN, K. Understanding prosocial behavior, sales performance, and turnover: a group level analysis in a service context. *Journal of Applied Psychology*, 1990, 75, p. 698-709; SY, T.; COTE, S.; SAAVEDRA, R. The contagious leader: impact of the leader's mood on the mood of group members, group affective tone, and group processes. *Journal of Applied Psychology*, 2005, 90, p. 295-305.

15. LYUBOMIRSKY, S.; KING, L. A.; DIENER, E. The benefits of frequent positive affect: does happiness lead to success *Psychological Bulletin*, 2005, 131, p. 803-855.

16. TOTTERDELL, P. Catching moods and hitting runs: mood linkage and subjective performance in professional sports teams. *Journal of Applied Psychology*, 2000, 85, p. 848-859.